VERS UN MONDE NOUVEAU

Robert F. Kennedy

VERS UN MONDE NOUVEAU

Traduit de l'américain
par Denise Meunier

Stock

Ce livre
est dédié
à mes enfants
et aux vôtres

Nous ne pouvons pas empêcher peut-être
que cette création soit celle où des enfants
sont torturés. Mais nous pouvons diminuer
le nombre des enfants torturés. Et si vous
ne nous y aidez pas, qui donc dans le
monde pourra nous y aider?

Actuelles I.

Albert Camus.

Les lumières s'allument sur les rochers.
Longuement le jour décline : lentement la lune monte.
L'Océan aux mille voix gémit alentour. Amis, venez.
Il n'est pas trop tard pour chercher un monde plus nouveau.
Poussez au large et que les avirons en cadence réglée
Frappent les sillons sonores ; car mon dessein demeure :
Faire voile par delà le couchant et les voies
Des étoiles de l'Occident jusqu'à ma mort.

Alfred, Lord Tennyson.

Remerciements

Pour la préparation de ce livre, pour les discours et les pensées qu'il contient, j'ai contracté une dette de reconnaissance envers tant de personnes qu'il me serait impossible de les nommer toutes. Des centaines m'ont apporté leur contribution grande ou petite, pour le chapitre concernant la crise urbaine. Celui que j'ai consacré au Vietnam est le produit de mon travail et des relations que j'avais nouées durant les jours passés au gouvernement autant que de mon travail et des connaissances acquises depuis 1965.

A coup sûr, mes opinions sur ce que les militaires peuvent et ne peuvent pas accomplir se sont formées à partir de l'expérience vécue durant ces jours et de ce que m'ont appris mes rapports avec les représentants de l'armée.

Nombreux sont ceux, aussi bien à l'intérieur qu'à l'extérieur du gouvernement, qui m'ont apporté des idées et des données sur le contrôle nucléaire, la Chine et l'Alliance pour le Progrès. Il serait donc non seulement impossible, mais injuste de tenter d'énumérer tous ceux qui, d'une manière ou d'une autre, m'ont apporté leur aide pour les divers sujets traités ici. Je ne tiens aucun d'entre eux pour responsable de ce que contient ce livre : les opinions sont les miennes. Mais à chacun de ceux qui m'ont aidé à formuler ma pensée, ou qui par la suite m'ont fait des suggestions et des critiques, je tiens à exprimer ma profonde gratitude. Si ce livre, à cause de leur aide, suscite des idées nouvelles, des points de vue nouveaux, des discussions et, plus important encore, des initiatives dans les divers domaines de leur spécialité — contribuant ainsi, pour une modeste part à faire une vie meilleure aux futures générations d'Américains — ce sera le seul moyen pour moi de m'acquitter envers eux.

J'adresse mes remerciements au personnel de Doubleday et en particulier à Ken McCormick dont les idées m'ont été si précieuses. A Joyce Goodman aussi pour sa contribution à la dactylographie; à Jean Maine pour la persévérance, l'habileté et surtout la patience souriante avec lesquelles elle a dactylographié et redactylographié ce manuscrit ainsi que tous ceux qui l'ont précédé, enfin à Angie Novello, ma secrétaire depuis tant d'années, qui sait tout faire et qui est une sainte, tous ceux qui la connaissent s'en rendent bien compte.

Je dois une gratitude particulière à mes deux assistants juridiques, Peter Edelman et Adam Walinsky, pour la peine qu'ils ont prise à rassembler les matériaux qui font la base de ce livre. A Adam Walinsky tout spécialement, pour son aide, ses conseils et ses avis, ainsi que sa persévérance.

Quant à ma femme, jamais je ne pourrai exprimer ce que je lui dois.

Introduction

Les essais qui composent ce livre proviennent essentiellement de travaux, de voyages et de discours au Sénat depuis que j'y suis entré en janvier 1965. C'est un lieu où l'on traite les problèmes à mesure qu'ils se présentent, où l'attention et les efforts sont consacrés à la crise du moment. C'est pourquoi ces études ne proposent aucun vaste projet d'ensemble, aucun plan global pour l'Amérique ou pour le monde. Elles analysent la manière dont nous avons réagi aux défis les plus urgents et les plus exigeants qui nous ont été lancés depuis deux ans et demi.

Néanmoins le fait que ce soit précisément ces problèmes-là et non d'autres, qui ont réclamé notre attention avec le plus d'insistance, en dit fort long sur le monde dans lequel nous vivons, un monde de changements. Nous avons donné à nos enfants des possibilités jamais égalées d'instruction, de loisirs, d'expression — et pourtant ils semblent s'éloigner de nous chaque jour davantage, lancés dans des directions dont nous savons seulement — et peut-être parfois eux aussi — qu'elles sont différentes des nôtres. Nous avons voté des lois sur les droits civils d'une ampleur et d'une minutie inconnues depuis la Guerre de Sécession — et pourtant jamais le sentiment d'aliénation n'a été plus profond, ni l'hostilité plus ouverte entre les races. Nous avons acquis des richesses matérielles et réalisé des programmes gouvernementaux dépassant de très loin ce que nous rêvions il y a quelques années encore; pourtant nous nous sommes peut-être trompés dans notre compte, car les richesses et les activités nouvelles semblent détruire autant de joies qu'elles nous en apportent et les nouveaux programmes aller à l'encontre de beaucoup des buts qu'ils étaient destinés à atteindre. J'ai donc choisi pour les étudier dans ce livre, les problèmes — jeunesse, race, la ville et les réactions des collectivités devant ses ultimatums — qui sont des plus urgents mais aussi qui posent la question du changement sous sa forme la plus explosive et la plus difficile.

Dans ce monde, nous sommes la nation la plus puissante, maîtresse d'une capacité de destruction que nous osons à peine évaluer, et pourtant nos jeunes hommes luttent et beaucoup meurent dans un petit pays lointain, où notre force paraît souvent vaine. Nous recherchons l'amitié d'un bon voisinage avec les pays proches de nos frontières, nous entrons dans une grande Alliance contre les ennemis séculaires de l'humanité; pourtant nous sommes continuellement appelés plus loin et quand nous revenons nos voisins nous sont étrangers. La nation la plus populeuse prend une place toujours plus grande dans nos pensées, avec une puissance nouvelle, au milieu de convulsions déchirantes; pourtant nous en savons bien peu de choses, mise à part la conscience d'un danger croissant. Et sur tout cela plane l'ombre des nouvelles armes de guerre, menaçant à chaque instant de détruire ce qu'elles étaient destinées à défendre.

Ces sujets se sont imposés d'eux-mêmes à notre attention et à notre anxiété; ce sont les symboles d'un monde changeant, bouillonnant qui nous rappellent les paroles d'Abraham Lincoln : « Comme notre cas est nouveau, nous lui devons des pensées nouvelles et des actions nouvelles. Nous devons briser les chaînes de notre servitude ». Alors que nous nous engageons dans le dernier tiers de ce siècle — périlleux et sanglant mais aussi libérateur et exaltant — c'est là notre meilleur guide pour l'avenir.

Jeunesse

Jamais depuis la fondation de la République — alors
que Thomas Jefferson rédigeait la Déclaration d'Indépendance à trente-deux ans, que Henry Knox constituait un corps d'artillerie à vingt-six, que Alexander
Hamilton s'engageait dans la lutte pour l'indépendance
à dix-neuf, que Rutledge et Lynch signaient la Déclaration pour la Caroline du Sud à vingt-sept — jamais
jeune génération d'Américains n'a été plus intelligente,
mieux instruite, animée de plus nobles intentions que
celle-ci. Dans le *Peace Corps*[1], dans le *Northern Student
Movement*[2] dans les Appalaches, sur les routes pous-
siéreuses du Mississipi et les pistes étroites des Andes,
elle a fait preuve d'un idéalisme et d'un amour de son

1. Volontaires de la Paix. Organisation créée en 1961 pour
promouvoir la cause de la paix dans le monde, en mettant à
la disposition des pays et régions intéressés des Américains
qualifiés pour servir à l'étranger, afin de les aider à former les
les spécialistes dont ils ont besoin et d'améliorer la compréhension réciproque (N. de la T.).
2. Formé par les étudiants, Blancs et Noirs, désireux d'aider
les Noirs des villes à résoudre leurs problèmes quotidiens.
Certains donnent des répétitions à des écoliers du cycle
secondaire, pas plus de trois à la fois, pour éviter qu'ils ne se
découragent et abandonnent leurs études (N. de la T.).

pays rarement égalés et jamais dépassés dans les autres nations.

Nous lui avons témoigné notre admiration par la flatterie la moins hypocrite, celle de l'imitation dans les grandes et les petites choses. La société lancée, les clubs chics suivent ses modes quand il s'agit de l'argot ou de la longueur des jupes, écoutent sa musique, dansent ses danses. Detroit dessine ses carrosseries et construit ses moteurs sur le modèle mis au point il y a quelques années par des adolescents fanatiques d'automobiles. Le mouvement de résistance passive qui a stimulé les Noirs du Sud et abouti à la loi de 1964 sur les droits civils a commencé par quelques étudiants [1]. Et ce fut un petit groupe d'étudiants du Nord, Membres du *Mississipi Summer Project* [2] qui apprit à des milliers d'adultes comment devenir des témoins apportant leur caution personnelle aux droits civils dans des conditions difficiles et dangereuses.

Pourtant, malgré toute l'inspiration, la fraîcheur et l'imagination que nos jeunes nous ont apportées au cours des dernières années, nous nous sentons aujourd'hui profondément troublés par eux, et non sans raison. Car le fossé entre les générations toujours présent autrefois, s'élargit brusquement; les vieux ponts qui l'enjambaient s'écroulent. Nous assistons tout autour de nous à une terrible aliénation des meilleurs et des plus

1. Quatre étudiants du *Negro Agricultural and Technical College* exactement, qui le 1er février 1960 entrèrent dans un magasin de Greensboro (North Car.), et s'assirent au comptoir pour demander des cafés; comme on refusa de les servir, ils restèrent jusqu'à la fermeture. Le mouvement se répandit et constitua la deuxième phase de la révolution des droits civils (N. de la T.).

2. Organisé et dirigé en 1960 par Robert Parris, jeune Noir de Harlem alors secrétaire du *Student Non Violent Coordination Committee* sous le nom de Bob Moses Parris. Arrêté au mois d'août 1967 à la suite de manifestations devant la Maison Blanche pour la Paix au Vietnam (N. de la T.).

braves parmi nos jeunes; la forme même d'une génération semble avoir été mise sens dessus dessous en un moment. Bob Moses Parris a quitté la scène, remplacé par Stokeley Carmichael et Rap Brown[1], et derrière eux il en est d'autres, plus militants encore, qui nous offrent la sombre vision d'un avenir apocalyptique. Le recrutement pour le *Peace Corps* n'est plus aussi facile et nous entendons moins parler de programmes d'enseignement dans les ghettos noirs que de voyages, de festivités et de drogues aux noms étranges. Il y a des émeutes sur les grands boulevards de Los Angeles et dans des douzaines d'universités; des centaines de jeunes gens passent au Canada pour éviter le service militaire et un nombre impossible à déterminer en fait autant grâce à des années d'études supérieures; la proportion des suicides augmente parmi la jeunesse, de même que la délinquance. Bob Dylan, troubadour de sa génération, qui chantait autrefois les changements « que souffle le vent », balaie maintenant nos déclarations comme autant de manœuvres de propagande : « tout est du vent ».

Où nous voyons le plus nettement ce refus, cette négation, c'est dans le développement d'une culture juvénile « clandestine » dont les idées maîtresses semblent être que la participation aux affaires publiques est « la fin de tout », que le pouvoir corrompt irrémédiablement, que le salut ne peut se trouver que dans un style de vie complètement nouveau, produit des phantasmes nés de la drogue et d'une exclusive préoccupation de soi. Cette petite

1. Stokeley Carmichael a été remplacé par H. Rap Brown l'an dernier comme secrétaire du *Student Non Violent Coordination Committee*, des plus violents malgré son nom, qui s'emploie à promouvoir la politique du Black Power, le pouvoir aux Noirs. Carmichael a été accusé par le F.B.I. de collusion avec le R.A.M. (*Revolutionary Armed Movement*) organisation noire marxiste-léniniste, pro-chinoise, qui incite à la guérilla (N. de la T.).

minorité ne se contente pas de prêcher une rupture totale,
elle la vit. Dans les collectivités nouvelles qui se sont
créées depuis East Village à New York jusqu'à Haight-
Ashbury à San Francisco, ce groupe « clandestin » proclame le message de l'aliénation intégrale : « Une charge,
on part, on est parti ». Leur vie est, en tout et pour tout,
la répudiation de celle que mène l'Amérique moderne.

De tels groupes sont peu nombreux, mais beaucoup
de jeunes éprouvent de la sympathie pour ce message
de refus et de désillusion, même s'ils ne vont pas jusqu'à
la rupture totale. Les prémisses des « clandestins » sont,
j'en ai bien peur, acceptées par beaucoup trop de ces adolescents sur lesquels nous devrions pouvoir prendre
appui pour nous engager personnellement à effectuer
des changements dans la vie publique. Combien de fois
ai-je entendu de jeunes responsables — directeurs de
journaux universitaires ou organisateurs de mouvements
— exprimer leur mécontentement de la direction prise
par la société de leur pays.

Ils recherchent le changement, mais avec le sentiment
toujours plus profond que leurs efforts seront vains :
ce qu'ils éprouvent, n'est pas l'aversion qui mène à
l'aliénation totale, mais le désespoir qui mène à l'indifférence. Même ceux qui souhaitent mener une action
personnelle pour modifier les situations qu'ils réprouvent
battent en retraite devant des institutions inflexibles
dotées d'une écrasante puissance et deviennent semblables
aux autres représentants de leur génération. Eux aussi
« laissent tomber », mais en s'intégrant au « système »
qu'ils déplorent. Ils entrent dans une entreprise, une
université, un cabinet juridique non pas parce qu'ils
croient pouvoir leur apporter quelque chose, mais par
résignation, convaincus que tout effort dépensé en dehors
de leur propre carrière, de leur propre intérêt, l'est en
vain.

Ainsi nos enfants sont de plus en plus nombreux à s'éloigner de nous, indifférents, presque inaccessibles aux principes et aux arguments familiers du monde adulte. La tâche qui revient aux dirigeants, la première de toutes celles que doivent assumer les intéressés, n'est pas de condamner, ou de fustiger, ou de déplorer, elle est de rechercher la source de la déception et de l'aliénation, la raison d'être de la protestation et du dissentiment, voire d'en tirer des leçons profitables. Et peut-être constaterons-nous que ce sont les dissidents politiques et sociaux, dont les désaccords avec nous sont les plus graves, qui ont le plus à nous apprendre; car chez les jeunes comme chez les adultes la critique la plus vive accompagne souvent l'idéalisme et l'amour de la patrie les plus profonds.

SOURCES DE DÉSACCORD

Qu'est-ce qui repousse ces jeunes? Sur quoi ne sont-ils pas d'accord et que nous révèlent-ils sur eux-mêmes? Ils commencent, bien entendu, par la guerre du Vietnam. Je tiens à souligner que je ne parle pas ici de toute notre jeunesse; car enfin cette guerre est affaire de jeunes. Ceux qui se battent et qui meurent là-bas avec une bravoure et une endurance égales à tout ce que notre histoire a connu, sont jeunes. Il en est d'autres, j'ai pu le constater dans maintes universités, qui sont en faveur de l'escalade sous forme de bombardements intensifiés sur le Nord, encore que beaucoup d'entre eux soient de chauds partisans d'une prolongation des sursis accordés aux étudiants, leur devise paraissant être « escalade sans participation », ou du moins « sans moi ». Mais quand une centaine de présidents d'associations estudiantines et de directeurs de journaux universitaires, des centaines

d'anciens volontaires du *Peace Corps* et des douzaines
d'actuels boursiers de la Fondation Cecil Rhodes mettent en question les principes mêmes qui sont à la base
de la guerre, ils ne doivent ni ne peuvent être ignorés.
Parmi ces protestataires, la plupart, s'ils sont enrôlés,
accompliront leur devoir avec un courage et un sens
des responsabilités irréprochables, mais leur loyalisme
et leur patriotisme ne peuvent masquer le fait de leur
désaccord. Ils sont hostiles à ce conflit pour la même
raison que tant d'autres Américains : la brutalité et
l'horreur de toutes les guerres, la terreur qui marque
celle-ci en particulier. Mais je crois que sur eux le Vietnam a un effet traumatisant qu'il ne peut avoir sur nous.
Ils n'ont connu ni la Deuxième Guerre Mondiale, ni
même la Corée. Ce conflit s'entoure d'une dialectique
qu'ils ne comprennent, ni n'acceptent; enfants non pas
de la guerre froide mais du dégel, les souvenirs qu'ils
ont gardé du communisme ne sont pas les purges et
les camps de la mort staliniens, ni même les terribles
révélations du XXe Congrès du Parti, ni les rues de la
Hongrie. Dans le monde qu'ils voient, des États communistes peuvent être les pires ennemis les uns des autres,
voire les compagnons de route d'un Occident où le
marxisme n'est certes pas meilleur mais peut-être pas
pire que de nombreuses autres dictatures malfaisantes
et tyranniques avec lesquelles nous concluons des alliances
quand nous jugeons qu'il y va de notre intérêt.

Au moment même où la politique déclarée de notre
gouvernement est de « lancer des ponts » vers ce monde
communiste nouveau, ils nous voient dévaster au nom
de l'anticommunisme le pays de ceux que nous appelons
des amis. Quel que soit le jour sous lequel nous envi-
sagions la guerre, pour eux c'est une expédition où nous
allons tuer des enfants (que ce soit par accident, ils ne
s'en soucient pas) dans une minuscule contrée à l'autre

bout du monde. Nous parlons des engagements souscrits, du fardeau des erreurs passées et ils nous demandent pourquoi ils devraient maintenant expier des fautes commises à une époque où beaucoup n'étaient pas nés, où la plupart n'avaient pas l'âge de voter. Ils nous voient dépenser des milliards pour l'armement, alors que pauvreté et ignorance subsistent chez nous; ils nous voient accepter de livrer une guerre pour la liberté du Vietnam, mais refuser de nous battre, alors qu'il ne nous en coûterait que le centième en argent et en efforts, pour assurer celle du Mississipi, de l'Alabama ou des ghettos du Nord. Et ils voient, ce qui est peut-être le plus inquiétant de tout, qu'ils sont éloignés des décisions qui engagent le pays, que la nature même de notre système politique les exclut de toute participation dans les choix qui donneront forme à leur destinée. Telles sont au moins quelques-unes des raisons de leur hostilité à la guerre. Il n'est pas malaisé de les comprendre.

Il serait tentant, mais faux, de croire que celle-ci soit à l'origine de tous les problèmes d'une jeunesse en état d'opposition. Ils ne proviennent pas non plus d'un individu, d'un gouvernement ou d'un parti politique, les racines du mal plongent plus profond et s'étendent plus loin.

Considérons par exemple notre économie, cette merveilleuse machine à produire qui nous a rendus, à notre estime, plus riches qu'aucun peuple de l'histoire, qui nous fournit subsistance et soutien. C'est une économie de marché, ce qui signifie que la plupart des Américains sont « dans les affaires » sous une forme ou une autre. La remarque de Coolidge déclarant « l'affaire de l'Amérique, ce sont les affaires », était donc exacte, encore qu'on puisse la trouver peu édifiante. Pourtant un récent sondage parmi les étudiants prêts à sortir des universités nous apprend que 12 % d'entre eux seulement souhaitent faire une carrière de ce genre, ou la jugent digne qu'on lui consacre une vie. A coup sûr la raison en est, pour une part, que les grandes compagnies jouent un rôle extrêmement considérable dans la vie américaine et extrêmement réduit dans la solution de ses problèmes essentiels.

Droits civils, pauvreté, chômage, santé, instruction, autant de crises profondes dans lesquelles l'action des milieux d'affaires, à quelques importantes exceptions près, a été très inférieure à ce que l'on aurait pu attendre. Nous reconnaissons et nous applaudissons l'œuvre accomplie par la *National Association of Manufactures* pour la formation professionnelle, les efforts de particuliers comme Dan Kimball ou Thomas Watson [1], de compagnies comme Smith Kline & French [2]. Mais indiscutablement, le monde des affaires, pris dans son ensemble, n'a pas cherché à relever le défi de la Nouvelle Frontière. Bien sûr, on peut m'objecter que la grande affaire des affaires est de réaliser des bénéfices, qu'entreprendre davantage risque de léser les actionnaires. Mais les jeunes se demandent et nous demandent si cet argument a quelque valeur quand une seule société comme la *General Motors* ou *American Telephone & Telegraph* encaisse chaque année des bénéfices supérieurs au produit national brut de soixante-dix pays dans le monde.

Plus choquante encore pour les jeunes, comme elle l'a été depuis des millénaires pour les moralistes, est l'éthique qui mesure toutes choses à l'aune du profit. Ils ont vu certains dirigeants, dans les compagnies les plus importantes du pays, mener des conspirations pour fixer les prix, se réunir en séances secrètes pour voler

1. Respectivement ancien Secrétaire à la Marine et directeur d'IBM (N. de la T.).
2. Très importante fabrique de produits pharmaceutiques (N. de la T.).

quelques pennies par mois à des millions d'Américains. Ils nous ont vus jeter en prison des détenteurs de marijuana, tout en refusant de limiter la vente ou la publicité des cigarettes qui tuent des milliers d'Américains chaque année[1]. Ils nous ont vu hésiter à imposer les normes de sécurité les moins sévères aux automobiles, et à exiger qu'un magasin « respectable » ou une société de prêts dise la simple vérité sur les taux d'intérêt pratiqués pour les ventes à crédit. Ils ont senti que le crime organisé, empire de corruption, de vénalité et d'extorsion, demeurait florissant, non seulement toléré mais souvent recherché comme allié par des éléments importants du syndicalisme, des affaires et du gouvernement. C'est peut-être pour ces raisons que nombre d'entre eux, dans leur mépris pour les excès du matérialisme, font écho aux enseignements d'un autre jeune rebelle : « Les riches, il les a renvoyés les mains vides ».

Ils rejettent d'ailleurs beaucoup plus que ces abus de la notion de profit; ils vont jusqu'à la nature même du matérialisme dans notre société et de ce qu'il nous a apporté. Les banlieues sont « de petites boîtes sur une taupinière... rien que de la camelote, et toutes pareilles ». Ils chantent « l'argent ne peut pas acheter l'amour ». A leurs yeux nous mesurons trop souvent la qualité d'un homme au chiffre de son traitement, ou aux biens qu'il possède. En bref, ils estiment que leurs aînés ont abandonné les notions de valeur collective et d'excellence personnelle en échange des ailerons de requin sur

1. Lors d'une séance de la conférence mondiale sur le Tabac et la Santé, Emerson Foote — qui avait abandonné une situation extrêmement importante dans la publicité parce qu'il ne pouvait, en conscience, continuer à prôner les cigarettes — déclara : « J'estime que c'est mal de gagner de l'argent à tuer les gens, voilà tout. » A quoi un représentant du ministère américain de l'Agriculture rétorqua aussitôt : « Est-ce que vous voulez dire que vous ne croyez pas au système du profit? »

les automobiles ou de cette bimbeloterie que Westbrook Pegler a appelée autrefois « une variété de trucs-choses pour les immatures ».

Les institutions libérales non plus, si pénible qu'en soit la constatation pour leurs tenants, n'enchantent pas ces jeunes. La plupart des Américains ayant dépassé la trentaine, quand ils pensent aux syndicats, se réfèrent comme coordonnées à la longue lutte menée par les ouvriers pour faire reconnaître leurs droits fondamentaux, pour que les travailleurs soient autre chose que les serfs de l'industrie. Le syndicalisme a été aux premières lignes dans plus d'une grande bataille, mais la jeunesse regarde avec d'autres yeux que nous et son point de vue est tout différent. Elle estime que la jouissance a rendu les organisations ouvrières papelardes et bureaucratiques, parfois carrément discriminatoires, voire corrompues et abusives, utilisant leur force non à susciter des changements, mais à maintenir le *statu quo*, peu désireuses ou incapables d'incorporer de nouveaux membres, indifférentes aux hommes qui travaillaient autrefois dans les mines de charbon des Appalaches, tard venues dans les luttes des vendangeurs en Californie ou des ouvriers agricoles dans le delta du Mississipi. C'est là une image à deux dimensions seulement; il lui manque la profondeur burinée par cinquante années de combat, ainsi que le travail obscur mais essentiel mené aujourd'hui dans de nombreux secteurs de la nation. Mais elle contient assez de vérité dans certaines de ses parties pour que nous la prenions au sérieux et que nous comprenions le désir de changement qui anime nos enfants.

Nous nous sommes aussi complus à voir dans notre système d'éducation un solide pilier de notre collectivité libérale. Mais cette confiance n'est pas uniformément partagée. Un critique a déclaré : « L'éducation [est] par sa nature même individuelle... incompatible avec

la production en masse. Elle ne forme pas des personnalités qui se dirigent instinctivement sur la même voie...
[pourtant] nos millions d'étudiants apprennent les mêmes
leçons et passent des heures devant les téléviseurs à
regarder exactement les mêmes choses, exactement à la
même heure. Pour maintes raisons, nous tendons de plus
en plus à ignorer les différences, quand nous n'essayons
pas de les supprimer. Il semble que nous nous dirigions
vers une standardisation de l'intelligence, ce que Gœthe
a appelé « la mortelle banalité qui nous enchaîne tous ».
Celle qui a dit cela ne faisait pas partie d'une manifesta-
tion à Berkeley[1] : il s'agit d'Édith Hamilton, une de
nos grandes humanistes.

Nous entendons un son de cloche très voisin chez nos
jeunes censeurs, comme en témoigne ce porte-parole des
étudiants parlant à une réunion du conseil des Régents
à l'université de Californie : « Nous avons demandé à
être entendus. Vous avez refusé. Nous avons demandé
la justice. Vous l'avez appelée anarchie. Nous avons
demandé la liberté. Vous l'avez appelée licence. Plutôt
que d'affronter la peur et le désespoir que vous avez
créés, vous les avez appelés communisme. Vous nous
avez accusés de ne pas utiliser des voies normales. Mais
vous nous les avez fermées. C'est vous qui avez édifié
une université sur la méfiance et la malhonnêteté, ce
n'est pas nous ».

Comment ne pas sentir l'angoisse qui frémit dans cette
voix? Il peut y avoir beaucoup de choses dans ce cri,
mais à coup sûr il y a la protestation de l'individu contre
l'université en tant que bureaucratie constituée, contre
cette morne uniformité que Miss Hamilton dénonçait
aussi. Car la bureaucratie et l'uniformité sont la négation

1. Université voisine de San Francisco, spécialisée dans les
recherches atomiques et dont l'esprit frondeur a donné lieu à
des heurts assez nombreux avec les autorités (N. de la T.).

de l'individualité et le refus d'accorder une valeur quelconque à la personne humaine. Si tous sont identiques, pourquoi prêter attention à la voix d'un seul? Si nous ne sommes pas disposés à écouter, alors comment les hommes pourraient-ils être reconnus pour plus que des chiffres dans les collections de statistiques, éléments du produit national brut au même titre que des tasses à café ou des balais?

La suppression de l'individualité — cette impression de n'être écouté par personne — est plus marquée encore en politique. Télévision, journaux, revues, sont des avalanches de mots, de communiqués officiels, d'explications, de déclarations et de prises de position, des avalanches qui roulent depuis les hauteurs majestueuses du gouvernement jusqu'aux citoyens passifs. Que faire contre une avalanche? Plus important encore, le langage de la politique est souvent celui de l'hypocrisie, que nous avons acceptée trop aisément peut-être et qui répugne particulièrement aux jeunes. Il y a une génération, Orwell écrivait : « A notre époque, les discours et les écrits politiques sont en grande partie consacrés à défendre l'indéfendable. Certes des faits comme le maintien de la domination britannique aux Indes, les purges et les déportations en Russie, les bombes atomiques lancées sur le Japon, peuvent être défendus, mais seulement au moyen d'arguments trop brutaux pour être regardés en face par la plupart d'entre nous et qui ne sauraient cadrer avec les buts avoués des divers partis. Ainsi, le langage politique doit nécessairement être composé pour la majeure partie d'euphémismes, de pétitions de principe et de formules d'une nébuleuse imprécision. Des villages sans défense sont bombardés, les habitants chassés en rase campagne, les troupeaux mitraillés, les cases brûlées avec des plaquettes incendiaires : c'est ce que l'on appelle la *pacification*. Des millions de paysans sont dépossédés de leurs fermes et obligés de partir à pied, le long des routes, avec ce qu'ils peuvent porter sur le dos : c'est un *transfert de population,* ou une *rectification de frontière.* Des hommes et des femmes sont emprisonnés pendant des années, ou abattus d'une balle dans la nuque, ou envoyés mourir du scorbut dans des camps de travaux forcés au bord de l'Arctique : c'est *l'élimination des éléments indésirables*... Ce style boursouflé est lui-même une sorte d'euphémisme. Une masse de mots latins tombe sur les faits comme de la neige poudreuse, estompant les contours et recouvrant tous les détails ».

A cet égard, rien n'a changé depuis Orwell. Et si nous ajoutons à l'insincérité et à l'absence de dialogue l'absurdité d'un système politique dont les représentants élus trouvent plaisant de faire des bons mots sur des enfants mordus par les rats, nous comprenons sans trop de peine pourquoi tant de nos jeunes sont passés de l'engagement au désengagement, de la politique à la passivité, de l'espoir au nihilisme, du SDS[1] au LSD.

IMPORTANT OU PAS?

Certains, tout en admettant la désillusion des jeunes, nient son importance, assurant qu'il y a toujours eu des conflits entre les générations, et qu'ils ont toujours été résolus quand le tranche-montagne de vingt ans mûrit, pour devenir à trente un père de famille bien intégré à son groupe social. Peut-être la jeunesse se fait-elle davantage remarquer aujourd'hui parce qu'elle est plus nombreuse et qu'elle a plus d'occasions de s'exprimer, voire

1. *Students for a Democratic Society.* Oganisation à base universitaire créée en 1905 pour étendre la démocratie, dans le sens de la participation des citoyens aux décisions en politique extérieure aussi bien qu'intérieure (N. de la T.).

de manifester son irresponsabilité. Mais exagérer son
importance risquerait de détourner l'attention des tâches
réelles et sérieuses du moment, selon les critiques.

A mon avis, ce point de vue est aussi faux qu'il est
apparemment rassurant. Fût-ce au niveau le plus simple
et le plus immédiat, le pays a terriblement besoin de la
contribution que les jeunes peuvent apporter. Leur
action dans le *Peace Corps* est notre meilleur atout dans
des dizaines de pays; leur collaboration à VISTA[1] et
autres mouvements de volontaires est d'une importance
capitale pour la solution de nos problèmes intérieurs.
Et même s'ils ne dirigent pas le pays, ils sont nécessaires
pour livrer ses combats.

Ce qui est plus significatif encore, c'est que leur protestation reflète et aggrave à la fois le manque de confiance
en eux-mêmes des adultes. Les sociétés très sûres d'elles,
persuadées de leur sagesse et sachant exactement où
elles vont, ne souffrent pas de la rébellion des jeunes.
Mais si ces derniers critiquent notre engagement au
Vietnam, c'est certainement en partie parce que leurs
aînés sont divisés et incertains. S'ils rejettent un avenir
de bureaucratie constituée et de monotonie suburbaine,
c'est que leurs parents sont mécontents de leur propre
vie et se rendent compte à quarante ou cinquante ans
que l'argent et la situation ne leur ont apporté ni le
bonheur ni la fierté. S'ils méprisent les conventions de
notre politique et se moquent de nos idéaux, c'est que
nous les avons trop souvent sacrifiés au confort ou à la
commodité et que nous le sentons bien. Nous avons
soutenu de grandes guerres, consenti de grands sacrifices

---

1. *Volunteers In Service To America*. Organisation qui
permet à ceux qui le souhaitent de mener une action directe
contre la pauvreté; ses membres offrent leur aide aux collectivités qui s'efforcent de résoudre leurs problèmes économiques
et sociaux (N. de la T.).

dans notre pays et au dehors, fait de prodigieux efforts pour nous enrichir en tant qu'individus et en tant que nation. Pourtant, aujourd'hui, nous ne savons trop ce que nous avons obtenu, ni si nous en sommes satisfaits. La plupart d'entre nous se rappellent un temps où le but de la jeunesse était de grandir pour se faire admettre dans la société de ses aînés. Or il semble maintenant qu'elle ne veuille plus échanger son innocence contre la responsabilité; tout au contraire, nombre d'adultes cherchent à ressaisir les hochets de leur enfance. Ainsi, dans la mesure où nous affrontons le problème de la désaffection des jeunes, nous affrontons celui de nos propres insatisfactions, de nos propres problèmes, en tant qu'individus et en tant que société.

Enfin nous ne pouvons ignorer la désaffection des jeunes parce qu'il s'est produit une importante mutation dans la nature de la société moderne. La jeunesse constitue aujourd'hui un groupe distinct et identifiable, car s'il est vrai que beaucoup changent en prenant de l'âge, il est vrai aussi que leurs valeurs caractéristiques et spéciales sont transmises aux générations, plus nombreuses encore, des frères et sœurs qui les suivent. Les jeunes seront toujours parmi nous. Et l'aliénation d'un tel groupe impose une sérieuse tension à une société déjà éprouvée par la désaffection de nombreux intérêts divergents.

Avant la diffusion de l'instruction en masse (écoles secondaires et supérieures) les enfants passaient plus ou moins directement de la surveillance stricte des parents à la pleine responsabilité d'une vie à gagner et de leurs propres enfants à élever; c'est ainsi qu'à son treizième anniversaire le jeune Juif proclame, lors de la cérémonie du Bar Mitzvah : « Aujourd'hui, je suis un homme. » Un caractère fort important de ce système, c'est que les valeurs étaient transmises directement d'une génération à l'autre, d'où des changements lents et progressifs. Comme nous le dit Erik Erikson, l'archétype du progrès humain est l'histoire de Moïse, qui amena son peuple en vue de la Terre promise, puis mourut en laissant à Josué la tâche d'atteindre des buts sur lesquels ils étaient en parfait accord.

Mais le XXe siècle a interrompu cette antique progression. Un âge nouveau — l'adolescence — sépare maintenant l'enfance du monde adulte. C'est par définition une période qui ne connaît ni la dépendance étroite de l'enfance, ni la pleine responsabilité de la maturité, — un temps où les normes et les codes les plus importants sont ceux du groupe des contemporains, donc une solution de continuité dans la chaîne qui transmettait autrefois les valeurs tout au long des générations. C'est une culture de plein droit, libre des restrictions et des exigences qui modèlent les conceptions du reste de la société — presque une autre planète.

L'Amérique est le pays où l'adolescence tient la plus grande place et exerce la plus grande influence. Avec l'instruction secondaire d'abord, puis actuellement des études supérieures poursuivies par plus de la moitié de nos enfants, nous avons allongé la durée et élargi le rayon d'action de cette période unique. Ce faisant, nous avons provoqué des divisions encore plus marquées entre les générations, des changements encore plus rapides dans les valeurs, les attitudes et les croyances. Mais la continuité des convictions partagées par tous est d'une importance vitale pour une société. Bien plus, ce sont ces attitudes communes qui la créent et la définissent, qui font d'elle plus qu'un rassemblement d'étrangers occupant le même territoire géographique. Lorsque j'allais à l'école, le succès sans égal de l'expérience démocratique américaine et la stabilité du bipartisme étaient expliqués par la communauté des valeurs et des croyances, au contraire de pays comme la France et l'Italie où les esprits sont divisés sur des questions fondamentales telles que le rôle de l'Église, les institutions de la démocratie représentative, ou les avantages respectifs des nationalisations et de l'initiative privée.

C'est précisément cette impression d'accord fondamental qui est rejetée aujourd'hui par notre jeunesse, et cela en un temps où beaucoup d'autres renient aussi les principes et les structures essentiels de la nation. Des gouffres se creusent actuellement entre Noirs et Blancs, entre droite et gauche; les *Minutemen*[1] n'ont rien de commun avec le *Revolutionary Armed Movement*[2] si ce n'est la conviction qu'ils ont le droit d'employer les armes et la violence contre des compatriotes avec lesquels ils sont en désaccord. Ces divisions, qui ont des causes nombreuses et diverses, peuvent d'ailleurs exister tout à fait indépendamment les unes des autres. Le « hippie » rejetant l'opulence et l'action est fort éloigné du métayer noir ou de son frère chômeur dans les taudis urbains qui ont, eux, un besoin désespéré d'action pour arriver à obtenir fût-ce une parcelle de cette opulence que l'autre méprise. Mais l'effet produit par ces deux dissidences dépasse de beaucoup leur somme. Car en un certain point — qui peut dire où et sous quelles tensions? — le danger existe qu'un nombre trop grand de nos semblables ne partage plus les mêmes desseins, la même conception du présent, la même vision de l'avenir, le danger que notre politique et notre vie perdent une grande partie de l'élan qui les porte vers l'avant, parce que nous ne serons plus d'accord sur le but que nous

1. Reconstitution remontant à 1951 de groupes militaires portant ce même nom et formés en 1774 dans les colonies d'Amérique. Cette organisation se déclare vouée à promouvoir le respect de la Constitution et des idéaux de la liberté ainsi qu'à combattre les ennemis de ceux-ci. (N. de la T.)
2. Cf. note, p. 19.

voulons atteindre — ni même sur l'endroit où nous nous
trouvons pour l'heure.

Certains proclament que bien loin de craindre ces
divisions, ils s'en réjouissent, voyant dans une « politique
de confrontation » la possibilité de changements radicaux
que, semblables à tous les révolutionnaires, ils croient
favorables à leurs desseins. Je ne partage nullement
cette joyeuse assurance. Certes, il est salutaire que nous
comparions nos vues *ensemble*, dans la conscience de
desseins communs et d'une commune bonne volonté.
Mais un face à face par-dessus des abîmes d'hostilité et
de défiance risque fort d'aboutir au désastre, tout comme
le rejet intempérant et personnel des normes généralement
ment acceptées en matière de parole et de comportement [1].

AUTRES PAYS, AUTRES JEUNESSES.

L'aliénation de la jeunesse n'est pas un phénomène
réservé aux U.S.A. Depuis des décennies, les étudiants
d'Amérique latine sont des critiques militants et furieux

1. Le passé nous fournit de terribles exemples des conséquences qu'entraîne une totale désaffection. Voyez plutôt cette description de l'Europe dans les années précédant la Deuxième Guerre Mondiale : « Les prolétariens culturels de l'Europe du XXe siècle ont suivi ceux qui leur faisaient miroiter la promesse d'empires millénaires, de connaissances secrètes, de missions d'une importance historique prodigieuse, l'emportant sur toutes les convictions et les principes moraux du passé. Et ils ont vilipendé ceux qui conservaient les normes ou les préjugés d'une société ancienne. Communistes, Nazis, Fascistes, tous réservaient leurs attaques les plus frénétiques à la bourgeoisie de leur propre société et des démocraties européennes subsistantes, qui, malgré leur aveuglement et leur incompétence, s'accrochaient encore aux structures délabrées du libéralisme du XIXe siècle, de l'humanisme des Lumières et du christianisme traditionnel. » (Stillman et Pfaff, *The Politics of Hysteria*.) Les passions ainsi décrites rappellent fort certaines attitudes extrémistes adoptées aujourd'hui aux U.S.A.

de leur société; en Corée, en Turquie et en Indonésie, ils ont contribué à renverser leur gouvernement. En Afrique du Sud, ils résistent à l'ingérence toujours plus marquée du pouvoir. Les Européens sont eux aussi inquiets de voir l'adolescence faire de plus en plus bande à part; les étudiants anglais se révoltent contre l'auguste *London School of Economics*, prenant ouvertement modèle pour la théorie et la tactique sur les rebelles de Berkeley. Il n'est pas jusqu'au monde communiste où les grondements d'une minorité juvénile insatisfaite ne se fassent entendre, dénonçant l'hypocrisie et réclamant la sincérité. Les étudiants de Prague ont choisi comme roi de leur fête annuelle non pas un héros marxiste-léniniste, mais le poète beatnik américain, Allen Ginsberg[1]. La jeunesse soviétique écoute non pas le komsomol, mais des poètes comme Andrei Voznesensky dont le refus d'un monde de pauvreté et de mensonge officiel rend un son très semblable à certaines voix américaines :

> Quand je vais voir,
> La façon dont certains vivent,
> Et regarde alentour, consterné,
> La honte me brûle les joues
> Comme le plat d'un fer.
>
> Nous tenons notre langue, piteusement,
> Tout au plus quelques toussotis-bafouillis...
> Le mensonge est écrit sur nos faces grasses
> Qui devraient se cacher dans des pantalons...

---

1. Il est intéressant de noter que Ginsberg, parfois attaqué pour son extrémisme, a été expulsé aussi bien de Tchécoslovaquie que d'U.R.S.S. Les communistes en place, comme tous les autres bureaucrates totalitaires, n'ont aucune sympathie pour les révolutionnaires.

De toute évidence, ce sont là des phénomènes différents, des jeunesses différentes. L'étudiant latin ou asiatique peut se trouver aux prises avec une répression brutale et la stagnation de siècles accumulés; mais il n'est pas nécessairement coupé de tous ses aînés, ni de la politique conventionnelle de son pays. Les courants politiques et intellectuels de ce dernier incitent sa fureur à s'épancher vers l'extérieur en un nationalisme passionné, réactionnaire, une lutte contre l'Occident dominateur et triomphant — les États-Unis surtout — ainsi que les forces et éléments de son propre pays qui s'y identifient. Ces sentiments sont partagés par des partis et des mouvements où toutes les générations se retrouvent. Il peut protester, il peut être révolutionnaire sans rupture totale.

Le rôle de la jeunesse rebelle dans les pays communistes est déterminé par sa propre dynamique et par les circonstances. Il est de participer à la lutte contre les bureaucrates, les censeurs politiques et les totalitaires endurcis, afin d'obtenir une plus grande liberté d'expression personnelle, aussi bien en parole et en poésie qu'en habillement. A bien des égards, cette action est moins complexe, si elle est parfois plus dure, que celle entreprise par la jeunesse américaine; elle produit néanmoins sa déchirure caractéristique entre les générations; cela, tous les chefs communistes sont en train de le découvrir. Exactement comme George Kennan l'avait prédit il y a quinze ans, les fourberies et les crimes atterrants du totalitarisme ont fini par écœurer et par assommer tout le monde, y compris ceux qui les commettent.

Le jeune Américain, lui, a dépassé de loin ces combats. Il ne peut chercher ailleurs la source des maux dont souffre sa société, car il vit aux États-Unis, non pas dans une contrée pauvre et luttant pour subsister. Il ne peut pas non plus se battre pour la liberté d'expression — elle lui est reconnue, mais il la juge inutile et inefficace pour améliorer son pays. Un de leurs porte-parole l'a dit un jour : pour eux l'absence de censure est le signe irréfutable que personne ne dit rien qui vaille la peine de l'être. En outre, la jeunesse des autres pays peut encore voir dans son action une œuvre de développement économique, qu'elle soit accomplie au moyen de changements intérieurs révolutionnaires ou en mettant fin à la domination — même imaginaire — de l'Occident. Mais le jeune Américain, tout comme sa nation, possède déjà une opulence qui dépasse de loin les rêves les plus lointains des autres. Le seul problème, c'est qu'il ne sait pas à quoi elle peut servir[1].

NÉCESSITÉ DE L'ACTION

Comprendre ou voir clairement n'est donc pas suffisant. Le fossé entre les générations ne sera jamais complètement comblé, mais il faut l'enjamber. Car la liaison entre les groupes d'âges différents est essentielle pour le pays à l'heure présente et plus encore celle avec l'avenir, car elle conduit en un certain sens au cœur même de nos vies. Quelles que soient nos divergences, quelle que soit leur profondeur, il est vital pour nous comme pour eux, que les jeunes sentent la possibilité du changement, qu'ils soient entendus, que les folies et les cruautés du

---

1. Bien évidemment le problème des jeunes Noirs américains ne tient pas à un excès d'opulence ou de liberté. Comme ceux des anciennes colonies africaines ou asiatiques, ils peuvent projeter leurs frustrations vers l'extérieur, vers la société blanche; ils peuvent s'associer, dans une commune rage, à certains au moins de leurs aînés, comme le défunt Malcolm X. Mais ils ont aussi un handicap qui leur est propre : en dernière analyse, ils sont plus américains que noirs. Ils ont droit à l'opulence et à la puissance de l'Amérique blanche, mais ils ne savent s'ils peuvent ni même s'ils veulent en prendre leur part.

monde cèdent, fût-ce à leur corps défendant, devant
les sacrifices qu'ils sont prêts à faire. C'est cela surtout
que nous recherchons, ce sentiment d'une possibilité.

Il doit commencer avec le dialogue, qui est beaucoup
plus que la liberté de parole. C'est le désir d'écouter et
d'agir. Dans la mesure où les jeunes ne font que refléter
des mécontentements communs à leurs aînés, ils soulèvent
des questions qui devraient nous préoccuper tous. Et
quand ils réclament des occasions de coopérer au bien
de l'humanité et de modeler leur propre destin, comme
tant l'ont fait au sein du *Peace Corps* ou du *Civil Rights
Movement*[1], ils confèrent une urgence plus grande à
un désir que nous partageons tous : rendre nos vies
utiles à nous-mêmes et à nos semblables.

Ainsi donc, pour faire naître ce sentiment vital de possibilité, pour relever le défi que nous lancent les jeunes,
nous devons nous souvenir que l'idéalisme et la moralité
— aussi bien en politique que dans notre vie — ne sont
pas seulement un espoir pour l'avenir et ne doivent pas
être seulement un regret du passé. Même dans le style
d'aliénation totale qu'ils ont choisi, nombre d'entre
eux se proposent non pas d'abandonner mais d'améliorer
la société. Leurs « universités libres » aux U.S.A. tentent
d'offrir des solutions provocantes et solides à la fois
pour remplacer celles de l'instruction conventionnelle.
Les bizarres « Provos » d'Amsterdam ont fait élire un
des leurs au conseil municipal et proposé des moyens
sérieux, encore que peu orthodoxes, pour résoudre
certains des problèmes de la ville, tels que pollution de

---

1. Mouvement aux nombreuses ramifications destiné à l'action directe non violente contre la ségrégation et la discrimination raciales sous toutes leurs formes. Un organe important est le CORE (*Congress of Racial Equality*), créé en 1942,
qui encourage entre autres les parents noirs à envoyer leurs
enfants aux écoles intégrées, forme des étudiants en vue des
manifestations de résistance passive, etc. (N. de la T.).

l'air et embarras de circulation. Nous pouvons aider à
créer un lien entre l'idéalisme pratique de ces adolescents
et notre tradition de contestation morale. Nous devons
aussi nous rappeler combien il doit être difficile pour les
jeunes dissidents d'aujourd'hui d'avoir pour seul exemple
la génération silencieuse et passive des années 1950.

Certaines de leurs idées peuvent nous paraître uto-
piques, certaines de leurs positions excessives. Pourtant
leur énergie et leurs capacités ne sauraient faire de doute,
non plus que leur volonté sincère de créer' un monde
meilleur et plus honorable. Maintenant, c'est à nous de
faire l'effort d'assumer leurs causes, de les enrôler au
service des nôtres, d'apporter à leur imagination et à
leur audace, la perspicacité et la sagesse de notre expérience.

Chaque génération a sa préoccupation dominante,
qu'il s'agisse de terminer la guerre, d'effacer l'injustice
sociale, ou d'améliorer la condition ouvrière. Les jeunes
de notre temps semblent avoir choisi la dignité de l'individu. Ils exigent la limitation des pouvoirs excessifs,
un système politique qui sauvegarde le sentiment de la
communauté humaine, un gouvernement qui parle directement et honnêtement à ses citoyens. Nous ne pourrons
obtenir leur engagement qu'en démontrant la possibilité
d'atteindre ces buts par l'effort personnel. Les chances
sont trop grandes, les enjeux trop élevés pour ne léguer
à la génération qui monte que la prophétique lamenta-
tion de Tennyson :

> Hélas que serai-je à cinquante ans
> Si la nature me garde en vie,
> Moi qui trouve le monde si amer
> Quand j'en ai à peine vingt-cinq?

La race et la ville
Taudis et collectivité

D'ici à quelques années, les quatre cinquièmes des Américains vivront dans les villes[1]. Pour nous tous, elles sont des foyers de la culture, de la mode, des finances et de l'industrie, des sports et des communications, en bref le centre des possibilités de la vie américaine. Mais elles sont aussi le centre de ses problèmes : pauvreté et haine raciale, instruction insuffisante, vies avortées et tous les autres maux de la nouvelle nation urbaine — entassement et saleté, insécurité et découragement —

1. En un certain sens, ce chiffre peut prêter à confusion; le bureau des Recensements qualifie d'« urbaines » toutes les agglomérations de plus de 2 500 habitants; or les augmentations les plus notables de la population « urbaine » se produisent dans les banlieues des grandes villes, non pas dans ces villes elles-mêmes. Mais, dans un sens plus large, il est exact de compter la plupart des résidents de ces banlieues comme habitant les villes qui ont englobé en fait des milliers de villages et de bourgades avoisinantes. Presque tous les traits caractéristiques que nous associons à l'idée de résidence — l'endroit où quelqu'un travaille, les journaux qu'il lit, les équipes sportives qu'il soutient, la manière dont il s'identifie avec les autres — tous nous indiquent bien que les habitants de ces banlieues, c'est-à-dire plus de 80 p. 100 des Américains qui seront bientôt classés comme « urbains », sont en fait citoyens de la métropole autour de laquelle gravite leur vie.

qui n'épargnent que les plus heureux et certains des plus riches.

Ses problèmes s'étendent bien au-delà du centre de la ville. La simple croissance en étendue a projeté les banlieues à travers la campagne, imposant de redoutables surcharges à notre système de transports et d'adduction d'eau, d'instruction et de santé publique, cependant que les moyens de récolter des fonds pour assurer ces services vitaux se trouvaient irrémédiablement dépassés. Ce développement galopant a pollué notre eau, empoisonné notre air, nous coupant de tout contact avec le soleil, les arbres et les lacs. Les structures administratives se sont effondrées, tandis que de nouveaux organismes proliféraient, morcelant les tâches et dispersant les énergies entre des douzaines de services éloignés et sans coordination. Les relations se sont rompues entre les individus et les institutions de la société, voire entre les individus eux-mêmes qui sont ainsi devenus, de plus en plus, à la fois les responsables et les victimes de la froideur, de la cruauté et de la violence. Au cours des quarante années à venir, le chiffre de notre population doublera et l'ampleur de nos problèmes aussi. Il nous faudra construire autant d'habitations, d'hôpitaux et d'écoles que depuis l'origine de la nation. Bien plus, nous devrons trouver de la place pour nous tous, prévoir l'aménagement des lieux de notre vie, de notre travail et de nos loisirs, la manière dont nous pourrons reconstruire une communauté, où chaque homme trouve sens et importance à son existence individuelle ainsi qu'aux contributions qu'il apporte à celle des autres. La tâche est immense. Mais c'est le moins que nous puissions faire si nous voulons que nos villes soient des havres de dignité et de sécurité, d'animation stimulante et d'enrichissantes réalisations, — si nous voulons que notre société mérite le nom de civilisation.

LA VILLE INTÉRIEURE.

Mais de tous nos problèmes, le plus immédiat et le plus pressant, celui qui menace de paralyser nos possibilités d'action, d'obnubiler notre vue de l'avenir, c'est la misère des habitants du ghetto et la violence qu'elle engendre — explosions brutales qui retentissent ici et là à travers tout le pays, projetant devant elles la peur et la colère, laissant derrière elles la mort et la dévastation. Nous sommes en ce moment — et nous y resterons peut-être pendant un certain temps encore — au milieu de ce qui devient rapidement la crise intérieure la plus terrible et plus aiguë que le pays ait eu à affronter depuis la guerre de Sécession. Ses conséquences atteignent tous les foyers, apportant avec elles la conviction qu'un échec dans la solution de ce problème signifierait un échec dans tous les autres secteurs de la crise urbaine, car les émeutes qui ont eu lieu — et qui, nous le savons, risquent fort de se produire à nouveau dans l'avenir — représentent une intolérable menace pour tous les Américains, qu'ils soient noirs ou blancs, pour la tranquillité d'esprit et la sécurité des personnes, l'ordre de la collectivité, tout ce qui fait que la vie vaut d'être vécue. Nous ne pouvons tolérer que la violence de quelques-uns compromette le bien-être de l'écrasante majorité et les espoirs de progrès de tous. Les meneurs, ceux qui incitent à l'incendie et au pillage, doivent sentir toute la force de la loi, et la force de la loi signifie très exactement l'arrestation immédiate et la punition de ceux qui la transgressent. Quoi qu'en dise Rap Brown, les rues de l'Amérique ne sont pas les jungles du Vietnam. Mais la force de la loi ne signifie pas un déchaînement de meurtres insensés et inutiles par ceux qui agissent au nom du gouvernement.

En outre, faire efficacement respecter la loi n'est qu'un début. Ne nous berçons pas d'illusions. Punition n'est pas prévention. L'histoire n'offre qu'un piètre réconfort à ceux qui pensent que les griefs et le désespoir peuvent être subjugués par la force. Comprendre ne veut pas dire tout permettre, mais ne pas comprendre est la plus sûre garantie d'échec. Les émeutes ne sont pas des crises qui puissent être résolues aussi vite qu'elles surgissent. Ce sont les symptômes de conditions qui existent depuis trois siècles, rendues plus périlleuses et plus aiguës aujourd'hui par les tensions de la vie moderne.

Le problème ne disparaîtra pas non plus de lui-même. Vingt millions de Noirs américains, cinq millions de Mexicano-Américains, près d'un million de Porto-Ricains et un demi-million d'Indiens sont des réalités. Les taudis aussi, de même que l'oisiveté, la pauvreté, le manque d'instruction et les habitations délabrées. Les espoirs déçus et les attentes frustrées sont des réalités. Par-dessus tout, la conscience de l'injustice et la volonté passionnée de la faire cesser sont d'inéluctables réalités. Ainsi, nous pouvons affronter nos difficultés et tenter de les surmonter grâce à l'imagination, au dévouement, à la sagesse et au courage. Ou nous pouvons nous en détourner — nous provoquerons alors la répression, des souffrances humaines et des dissensions civiles toujours plus aiguës, laissant à nos enfants un problème aux dimensions infiniment plus terribles et menaçantes.

Le danger est déjà grave à l'heure présente, danger d'une division aggravée entre Amérique blanche et Amérique noire, danger de voir la peur engendrer le ressentiment et le ressentiment l'hostilité qui à son tour engendrera la peur. Car nous vivons dans des mondes différents et nous ne voyons rien sous le même aspect. Aux yeux de la majorité blanche, d'un homme animé par des sentiments honorables et le souci de la moralité, le monde noir est en progrès continu et régulier. Il a vu en quelques années toute la structure d'une législation discriminatoire s'écrouler. Il a entendu des Présidents se faire les porte-parole de la justice raciale, cependant que des Noirs entraient au gouvernement, au Sénat et à la Cour Suprême. Il a payé des impôts pour remédier à la pauvreté et financer des programmes d'instruction, il a vu ses enfants risquer leur vie pour inscrire des électeurs au Mississipi. Dans ces conditions, il se demande en quoi l'évolution actuelle de la situation peut paraître si critiquable.

Mais si nous regardons avec les yeux du jeune habitant des taudis — Noir, Porto-Ricain, Mexicano-Américain — tout apparaît sous un jour différent et le monde est un lieu sans espoir. Il y a de fortes chances pour qu'il soit né dans une famille sans père, souvent en raison des lois sociales qui font d'un foyer désuni la condition des secours. Il a deux fois plus de risques de mourir au cours de sa première année que les enfants nés en dehors du ghetto et, parce que sa mère a rarement consulté un docteur, sept fois plus d'être arriéré mental. Il passera peut-être son enfance entassé avec des adultes dans une ou deux pièces, sans équipement sanitaire ni chauffage convenables, en compagnie des rats pendant la nuit. Il fréquentera une école où on ne lui enseignera pas grand-chose qui puisse l'aider dans un monde étranger. Il aura trois chances sur dix de décrocher un diplôme dans une école secondaire et, s'il y parvient, une chance sur deux seulement d'avoir une instruction équivalente à la huitième[1].

1. Il ne sera peut-être pas inutile de rappeler au lecteur français qu'aux U.S.A., l'instruction primaire commence à la classe de 1re où les enfants entrent en principe à 6 ans et se poursuit jusqu'à la 6e; après quoi, le cycle secondaire va de la 7e à la 12e qui s'achève donc normalement à 17 ans (N. de la T.).

Un jeune universitaire qui enseignait dans une école du ghetto résume ainsi la situation : « Les livres sont des rossignols, la peinture s'écaille, la cave pue, les maîtres vous traitent de negro et la fenêtre vous dégringole sur la tête[1] ».

Par la suite, les choses ne s'améliorent pas. Les magasins font payer des prix exagérés pour des marchandises de mauvaise qualité; 43 % des locaux d'habitation dans les ghettos sont au-dessous des normes, surpeuplés, et bien qu'il y ait dans la ville de New York quelque 250 000 Porto-Ricains d'âge scolaire, trente-sept d'entre eux seulement sont allés à l'université au cours d'une année récente prise comme base de statistique.

Pis encore, les habitants du ghetto et du barrio comptent une proportion de « sans emploi » bien supérieure à celle que le reste du pays a connue pendant le paroxysme de la Grande Dépression. Si le chômage de cette époque a été considéré comme une catastrophe nationale — et c'en était une — on trouve aujourd'hui dans nos villes des douzaines de cas plus graves encore. Au reste les statistiques officielles ne dévoilent pas toute l'ampleur de la crise, bien qu'elles en disent déjà assez long. Elles nous indiquent que dans les îlots de paupérisme — Noirs de Hough, Mexicano-Américains de East Los Angeles, Blancs des Appalaches, Porto-Ricains de East Harlem, Indiens des réserves — le taux de chômage dépasse le triple de la moyenne nationale[2]. Mais ces chiffres ne

---

1. Dans une école secondaire que j'ai visitée un certain nombre de fois et qui n'a rien d'exceptionnel, située dans la ville la plus riche de l'État le plus riche du pays le plus riche du monde, 25 p. 100 des élèves de 9e sont au niveau de la 4e ou au-dessous; la moitié ne dépasse pas celui de la 6e.

2. Cette étude se borne au paupérisme urbain. Mais plus d'un tiers des pauvres du pays vivent dans les régions rurales où la révolution des techniques agricoles et le manque d'industrialisation se sont déjà combinés pour chasser des milliers d'habi-

rendent pas compte de toute l'ampleur du problème, parce que un cinquième à un tiers des hommes adultes du ghetto échappent à l'appareil gouvernemental qui ne parvient même pas à les identifier. Ils demeurent inconnus, sans domicile fixe, sans occupation, errant à travers la ville, séparés de leur famille, sans que leurs

tants dans les villes, à la recherche d'une vie décente. Pourtant, des milliers demeurent encore sur place — Blancs des Appalaches, Noirs des régions cotonnières, Hispano-Américains du Nouveau Mexique septentrional, Esquimaux de l'Alaska.

Dans le seul delta du Mississipi où je me suis rendu en avril 1967 avec la sous-commission sénatoriale du Paupérisme, il y a en ce moment 40 à 60 000 personnes qui n'ont littéralement pas un cent, même pas un dollar par mois qui leur permettrait d'acheter des tickets d'alimentation fédéraux pour ne pas mourir de faim. Les ouvriers agricoles saisonniers ont été laissés complètement à l'écart des grands courants économiques, avec des salaires moyens de 1 200 dollars par an pour les travaux des champs et 600 dollars pour divers bricolages. Les camps où je les ai vus vivre et les conditions de travail sont scandaleux, il n'y a pas d'autre terme. Dans les réserves des Indiens, le taux de chômage s'élève à 80 p. 100 et la moyenne de vie ne dépasse pas 42 ans. Au cours de ces dernières années, le gouvernement les a incités à s'établir dans les villes sans les préparer aux difficultés et aux complications qu'ils allaient y rencontrer. Les problèmes qui en résultent sont immenses. Un programme concernant la ville, quel qu'il soit, doit inclure tous ces Américains, non pas seulement parce qu'ils méritent une vie meilleure — ce qui serait déjà une raison suffisante — mais parce que si ces habitants des zones rurales trouvent sur place de meilleures possibilités, les villes auront moins de peine à aider ceux qui ont déjà décidé et décideront encore à l'avenir de venir s'installer chez elles.

En fait, je crois que nos problèmes urbains ont été aggravés par un manque d'équilibre dans notre politique. Les subventions agricoles ont enrichi les gros producteurs et chassé les petits fermiers de leurs exploitations familiales. Nous avons payé les producteurs de coton pour qu'ils ne produisent pas, mais nous n'avons rien prévu pour ceux qui y perdaient leur gagne-pain. Si nous voulons redresser ce déséquilibre et permettre à ceux qui le désirent de rester chez eux, il nous faudra consacrer autant d'attention au développement des communautés rurales qu'à celui des agglomérations urbaines.

semblables s'en soucient plus que de moineaux ou d'allu-
mettes brûlées. Une étude récente indique que le dernier
recensement a probablement « perdu » 10 % de tous
les Noirs. Si l'on fait entrer en ligne de compte ces bataillons de disparus, ainsi que tous ceux qui, ayant perdu
espoir et courage, ne cherchent plus de travail, le taux
réel du chômage dans le ghetto typique est non pas de
10 ou 15 %, mais de 40 %. Si c'était celui de la moyenne
nationale, nous aurions 30 millions de « sans emploi »
aujourd'hui au lieu de 3. Et parmi ceux qui ont un travail, plus d'un quart gagne moins de 60 dollars par
semaine, c'est-à-dire pas assez pour que chaque membre
d'une famille de quatre personnes puisse manger 70 cents
de nourriture par jour, moins que le secours accordé
à une famille de cette importance dans de nombreuses
villes [1].

1. Arrêtons-nous un instant à ces chiffres du Ministère du
Travail et du bureau des Recensements. Ce dernier estime que
dans un ghetto « typique » de 200 000 personnes, un quart
soit 50 000 sont des hommes adultes. Ainsi qu'il a été indiqué
plus haut, une moyenne de 26 p. 100 échappe au recensement.
Donc, sur ces 50 000, 13 000 sont à la dérive. On peut en
trouver 4 000 autres qui ont cessé de chercher du travail et
pour lesquels il n'y en a d'ailleurs pas. Donc 17 000, soit plus
d'un tiers, sont hors circuit. Par les procédés traditionnels, le
Ministère du Travail en dénombre de son côté 3 500 environ,
d'où un total de 20 500, soit 41 p. 100. Deux mille environ
travaillent à temps partiel; 5 500 gagnent moins de 60 dollars
par semaine, c'est-à-dire moins que leur subsistance. En conclusion, sur 50 000 hommes adultes dans un îlot de taudis typique,
29 500 seulement, soit 59 p. 100, ont un travail quelconque,
et 22 000, soit 44 p. 100, un emploi à plein temps leur rapportant
plus de 60 dollars par semaine.
Une récente statistique sur le « sous-emploi » établie par le
Ministère du Travail met en lumière une autre dimension du
problème. Elle comprenait les chômeurs complets décomptés
suivant les normes conventionnelles, ceux qui travaillent à
temps partiel, ceux qui travaillent à plein temps mais sans gagner
de quoi subsister, la moitié de ceux qui ne font plus partie de
l'effectif des travailleurs et une évaluation prudente de ceux qui

En outre, le ministère du Travail dans son rapport de 1967 sur l'état de la main-d'œuvre, déclare carrément que « les conditions économiques et sociales, dans les zones de taudis, bien loin de s'améliorer, se détériorent »; il indique par exemple que dans un quartier de Los Angeles où la proportion de Mexicano-Américains est très forte, le revenu familial réel — déjà inférieur d'un tiers à la moyenne nationale — a diminué de 8 % entre 1959 et 1965, alors que celle-ci s'élevait de 14 %. De juin 1965 à juin 1966, 950 000 emplois ont été créés pour les jeunes, mais 33 000 seulement, soit 3,5 %, sont allés à des Noirs. Un représentant du Ministère du Travail a expliqué que ces jeunes « n'avaient pas de relations » !

Il y a pourtant des relations qu'ils peuvent établir. A quelques rues de distance, ou sur son écran de télévision, l'adolescent voit les merveilles de l'Amérique blanche qui se multiplient, voitures neuves, maisons

ont échappé au recensement. Dix ghettos ont été ainsi analysés et les résultats suivants obtenus :

Région	Taux de sous-emploi (%)
Boston	24,2
Nouvelle-Orléans	45,3
New York : Harlem	28,6
East Harlem	33,1
Bedford-Stuyvesant	27,6
Philadelphie	34,2
Phœnix	41,7
St-Louis	38,9
San Antonio	47,4
San Francisco	24,6

Ces chiffres sont encore probablement au-dessous de la réalité, puisqu'ils ne comprennent qu'une fraction des hommes qui ne font plus partie des effectifs, aucune femme et une fraction seulement de ceux qui n'ont pas été recensés.

neuves, appareils à conditionner l'air, barbecues dans
les jardins. Tous les jours la publicité télévisée lui répète
que la vie n'est pas possible sans les dernières productions de notre société axée sur la consommation. Seulement, il ne peut pas les acheter. On lui dit que la condition du Noir progresse. Mais qu'est-ce que cela signifie
pour lui? Il ne saurait ressentir les progrès réalisés par
les autres et nous ne pouvons tout de même pas compter
sérieusement qu'il soit reconnaissant de ne plus être
esclave ou d'avoir le droit de voter et de manger dans
certains restaurants. Car il compare sa vie non pas à
celle du passé, mais à celle des autres Américains. Ses
frères et lui-même, comme Daniel O'Connell le disait
des Irlandais, « ont été rendus plus avides de liberté
par la goutte qui est tombée sur leurs lèvres desséchées ».
Aujourd'hui comme toujours, c'est au moment où la
soumission cède à l'expectative, où le désespoir est
effleuré par la conscience d'une possibilité, que le désir
humain et la passion de la justice déchaînent leurs forces.

De quel poids ce jeune homme, ce jeune Américain
doit-il se sentir écrasé, lui, qui passionnément désireux
de croire et croyant à moitié se trouve emmuré dans
son taudis, avec une instruction inférieure, incapable
de trouver un emploi, en butte aux préjugés déclarés
et à l'hostilité subtile d'un monde blanc, ne pouvant
ni modifier sa condition, ni déterminer son avenir!
Certains lui disent de travailler pour s'élever, comme
d'autres minorités l'ont fait et c'est en effet la solution.
Car il sait, et nous savons que seuls ses propres efforts
pourront lui valoir l'égalité totale. Mais comment travailler? Les emplois ont fui dans les banlieues, ou ils
ont été remplacés par des machines, ou ils sont désormais
hors de portée pour ceux qui ont une instruction et
des qualifications limitées.

Il se sent rejeté de cette société à laquelle il appartient

pourtant par sa naissance et son allégeance naturelle. Et c'est précisément chez les jeunes les plus dynamiques et les plus résolus que la frustration est la plus amère; c'est là, et non pas dans les mascarades frénétiques des batteurs d'estrade révolutionnaires, que se situe le foyer du nationalisme noir et du « racisme inversé ». Le jeune violent du ghetto ne proteste pas seulement contre sa condition, il essaie d'affirmer sa valeur et sa dignité d'être humain, de nous dire que si nous méprisons sa contribution, nous devons au moins respecter sa puissance. Mais c'est la plus destructive des tentatives et la plus propre à ruiner sa cause. Ce n'est pas une révolution, car le mot signifie prise de pouvoir, or les partisans de la violence ne vont certes pas renverser le gouvernement de la nation; quand Rap Brown menace de « brûler l'Amérique », il ne parle pas en révolutionnaire, mais en anarchiste. Ce qu'il recherche, ce n'est pas une vie meilleure pour les Noirs, mais la dévastation du pays, ou, comme l'a dit William Pfaff « un programme de mort et non de vie ». Au reste il l'a bien prouvé et dans toute l'Amérique.

Nous ne pouvons pas abandonner le jeune Noir à de tels meneurs, ni laisser sa protestation dégénérer en un tel désespoir. L'histoire nous a placés tous, Noirs et Blancs, à l'intérieur d'une même frontière, sous les mêmes lois. Tous, depuis le plus riche et le plus puissant des hommes jusqu'au plus faible et au plus affamé des enfants, nous possédons un trésor commun : le nom d'Américain. Que signifie-t-il? Ce n'est pas aisé de le savoir. Mais au moins pour une part, être Américain, c'est avoir été réprouvé et étranger, avoir parcouru les chemins de l'exil et savoir que celui qui renie en ce moment le réprouvé et l'étranger parmi nous renie aussi l'Amérique.

COMPRENDRE NOS FAUTES PASSÉES.

Notre action doit être tout entière dirigée vers un double but : d'une part faire du cœur de nos villes un lieu où les hommes puissent élever leur famille et mener une vie convenable, d'autre part donner aux habitants du ghetto la possibilité de développer leurs talents et de reconnaître les virtualités qu'ils ont en eux. Mais avant de réaliser ces objectifs, il nous faut comprendre les erreurs que nous avons tous commises par le passé. Loin de moi la pensée d'accabler les hommes et les femmes dévoués qui ont travaillé pendant trente ans pour créer nos programmes d'aide sociale actuels. Ils ont sauvé d'innombrables vies, ils ont rendu le pays meilleur et ils sont notre seul moyen d'action jusqu'à présent, puisque les États et les administrations locales n'ont pas pu, ou pas voulu faire face aux besoins. Mais il est tout aussi vrai que ces programmes n'ont pas été suffisants et qu'ils ont parfois fait surgir des problèmes auxquels nous ne nous attendions pas. Il nous faut prendre conscience des uns et des autres, des programmes et des difficultés inattendues, pour pouvoir établir des plans d'avenir. Car, ainsi qu'un historien contemporain l'a noté : « Suivre l'enchaînement des échecs tout le long de la route jusqu'au désastre, ce n'est faire preuve ni de courage, ni de discipline. La tragédie est un instrument pour acquérir la sagesse, non pas un guide pour orienter une vie ».

Nous avons pris pour objectif certains aspects particuliers de nos problèmes en laissant de côté les grands desseins, si même nous ne les compromettions pas. Les programmes fédéraux de logement et de routes ont accéléré le déplacement vers les banlieues des familles à revenus moyens et des entreprises les plus diverses, sans tenir compte de la diminution de ressources et de l'abaissement de l'assiette des impôts qui en résultaient pour la ville elle-même.

Plus important encore, le système de l'aide sociale que nous fournissons aux pauvres n'est qu'une série de distributions gratuites, une économie séparée, presque une nation séparée, un écran de services gouvernementaux qui nous isole des pauvres.

A un moment donné, nous avons cru que la construction par l'administration d'habitations à loyer bon marché était la solution. Mais, ainsi qu'une femme de Saint-Louis l'a dit à propos du groupe Pruitt-Igoe : « Ils voulaient améliorer le sort des pauvres. Ils ont démoli un taudis et puis ils en ont fait un autre. » Les ensembles ont été bâtis sans que personne se demande ce qu'il adviendrait des futurs habitants, s'ils pourraient trouver du travail et où, si les enfants auraient des écoles, ce qu'ils feraient quand ils seraient malades et même comment ils se rendraient en ville, en bref sans chercher à résoudre les problèmes qui faisaient, précisément, que ces gens avaient besoin de secours. Résultat : trop de ces groupes sont devenus des lieux de désespoir et de danger pour les résidents, empoisonnés par des taux d'occupation dérisoires, des vols, des rixes et des beuveries. Dans de nombreux cas, ce triste sort a été évité uniquement par des mesures discriminatoires comme celles qui sont pratiquées dans la ville de New York, afin d'écarter les familles « à problèmes » — celles bien entendu qui ont le plus besoin d'aide — alors que d'autres peuvent en profiter avec des revenus qui atteignent 9 000 dollars par an. Ce n'est pas un hasard si 639 000 logements de ce type seulement ont été construits en trente ans et si 80 % sont dans des villes de moins de 25 000 habitants. Ce n'est pas non plus par hasard si le plafond actuellement autorisé par le Congrès n'est que de 60 000

unités par an. Ce ne doit pas être non plus une surprise
d'apprendre que moins de la moitié du nombre autorisé
a été effectivement construite[1].

Au cours des dernières années, on en est venu à considérer l'instruction comme la vraie solution et en 1965,
le Congrès a voté un programme historique pour les
défavorisés. Mais les efforts faits par le passé pour améliorer les conditions de vie simplement en consacrant
plus d'argent à l'instruction n'ont pas remporté de
notables succès. Une étude faite récemment par l'Institution Brookings ne relève que 5 % de corrélation
entre l'accroissement des crédits pour l'instruction dans
le ghetto et de meilleurs emplois dans la vie par la suite.
A coup sûr, cela tient en grande partie à une discrimination dans l'emploi : le diplômé d'université noir moyen
ne gagne pas plus, au cours de sa vie, qu'un Blanc qui
a quitté l'école en huitième.

Mais les écoles ne sont pas non plus sans reproche
et l'argent seul n'est pas toute la réponse. Le journaliste

1. La rénovation des vieux quartiers a apporté son lot de
problèmes, car nous demandons rarement leur avis à ceux
dont les maisons vont être rasées et nous pensons trop peu
à ce qu'ils deviendront une fois l'opération faite. Aujourd'hui
encore, ce genre de travaux, l'extension du réseau routier et
la construction de nouveaux ensembles à loyer modéré contraignent de nombreuses personnes à quitter leur habitation et leurs
affaires, sans que les sommes allouées leur permettent de remplacer ce qu'elles perdent. Quelqu'un qui a peiné des années
afin de purger une hypothèque se verra peut-être offrir 3 000 dollars pour sa maison, alors qu'il lui en coûtera 15 000 pour en
acheter une équivalente — si toutefois il peut la trouver dans
un quartier où on l'accueillera. Un coiffeur, un épicier qui ont
parfois passé des années à se constituer une clientèle et un fnnds
de sympathie dans leur voisinage, touchent une compensation
pour le seul bâtiment, ou même les aménagements, s'ils sont
locataires. S'installer ailleurs et remonter leur affaire coûtera
beaucoup plus que ce qu'on leur a donné. Cependant tous
les efforts faits en vue de modifier cette législation inique ont
été vains.

Murray Kempton a signalé récemment le cas d'un illettré fonctionnel qui était sorti de l'école secondaire avec son diplôme sans que personne ait jamais signalé qu'il ne savait pas lire. Un jeune Noir de Washington a déclaré : « Ils m'ont donné mon diplôme mais je ne savais rien, j'avais des notes minables. Je crois qu'ils ont voulu se débarrasser de moi. » Au cours d'une année récente, les écoles professionnelles de New York ont dépensé près de 1 500 dollars par élève, alors que leurs diplômés avaient en moyenne trois ans de retard sur le niveau de l'école primaire; un garçon qui comptait parmi les meilleurs de l'une d'elles et voulait être plombier, n'a pas pu passer l'examen d'entrée prévu par le programme d'apprentissage du syndicat de cette profession, épreuve du niveau de la 8e. Pourtant des résultats sont possibles : des classes de repêchage dirigées par le professeur Kenneth Clark de City College, New York, ont préparé des jeunes gens à ces examens d'apprentissage et ils y ont obtenu les meilleures notes jamais données.

Trop souvent, les écoles n'apprennent rien. L'enfant moyen de Harlem perd dix points dans son QI entre la troisième et la sixième; il est plus loin derrière son contemporain blanc qu'il y a trente ans. Les enfants sont soumis à des tests et placés dans des classes spéciales pour « élèves lents » où ils restent, souvent victimes des prévisions faites sur leurs possibilités. Lors d'une récente expérience, les professeurs ont été avertis à la rentrée que certains de leurs enfants avaient un QI plus élevé que les autres; en fait, ce n'était pas vrai, ils étaient pratiquement tous égaux. Seulement, à la fin de l'année scolaire, ils ne l'étaient plus; les élèves que les maîtres avaient cru supérieurs l'étaient devenus, les autres, ceux qui étaient censés moins capables d'apprendre, avaient moins appris. La réalisation de prévisions souvent aussi peu fondées se poursuit tous les jours dans les écoles du ghetto.

Il est rare que les établissements scolaires soient tenus à un minimum de résultats, fût-ce les plus élémentaires. On pourrait s'attendre raisonnablement, par exemple, que tous les enfants sortant de l'école soient en mesure de passer l'examen d'entrée dans les Forces Armées qui équivaut à la 8e et fait appel à des connaissances vraiment minimales. Or, avec tout l'argent que nous dépensons actuellement pour nos écoles, la moitié des enfants pauvres — les deux tiers de tous les Noirs — sont déclarés inaptes au service et la plupart d'entre eux parce qu'ils ont échoué à cette épreuve élémentaire. Quand les enfants n'apprennent pas, ce sont eux que nous blâmons, les méthodes et les normes du système scolaire étant apparemment jugées immuables. Mais que dirions-nous d'un docteur qui, en cas d'échec du traitement, blâmerait le malade? Si la pénicilline échoue, il essaie un autre remède, ou une opération, ou quelqu'une des nombreuses armes dont il dispose. Il assume une responsabilité — celle de guérir le patient — et lutte jusqu'à ce qu'il s'en soit acquitté. Il faut donner aux écoles les moyens — et leur imposer l'obligation — de faire la même chose, de tenter des expériences et de vérifier leurs résultats jusqu'à ce que la meilleure façon de procéder soit trouvée[1].

1. C'est pour toutes ces raisons que j'ai proposé un amendement à la loi de 1965 sur l'instruction élémentaire et secondaire tendant à ce que les résultats de tous les programmes locaux financés aux termes de cette loi, soient évalués au moyen de tests objectifs du niveau des élèves avant et après. Il a été adopté, grâce à la coopération de Francis Keppel, alors *Commissioner of Education*. [Note de la T. : Directeur de l'*Office of Education*, d'abord chargé de réunir des statistiques et des documents destinés à vérifier et à faciliter les progrès de l'instruction, puis, par la suite, de répartir des secours financiers fédéraux pour

Aux bureaux du gouvernement qui isolent les pauvres de la communauté doivent être ajoutés ceux qui dispensent les soins médicaux. Car nous soignons — quand nous soignons — dans d'énormes hôpitaux municipaux à l'aspect rébarbatif, des services d'urgence et des dispensaires où les malades attendent des heures pour être examinés par un médecin qu'ils n'ont jamais vu et qu'ils ne reverront peut-être jamais. Le personnel est parfois discourtois, il est toujours débordé. Des attentes de huit heures au service d'urgence du *Columbia District General Hospital* n'ont rien d'exceptionnel et la situation n'est pas très différente ailleurs dans le pays, à Kings County (Brooklyn), Cook County (Chicago) ou Los Angeles County. Le résultat : souffrances inutiles, arriération mentale, incapacité permanente souvent, tout cela à grands frais non seulement en vies gâchées mais en dépenses provoquées par les maladies graves et les infirmités tant au plan de l'hôpital qu'à celui des services sociaux. Bien sûr, les docteurs de famille sont rares et c'est une des raisons pour lesquelles médecine préventive et contrôles réguliers, surveillance prénatale et surveillance des bébés bien portants sont autant de notions étrangères aux pauvres. Pourtant, de tous les programmes et services qui ont privé les nécessiteux de leur dignité et en ont fait une nation à part, l'Assistance publique occupe la première place. D'abord, elle est totalement

des programmes spéciaux]. Le but en était de vérifier les résultats de ces programmes dans des écoles comparables — zones de taudis ensemble, banlieues ensemble, etc. — afin de voir celles qui apprenaient le plus de choses et celles qui en apprenaient le moins, et en définitive si les enfants avaient profité ou non de l'octroi des crédits. Mais malheureusement dans tout le pays, les directeurs d'école ont fait obstruction à la mise en œuvre de cet amendement, aussi aucune analyse d'ensemble n'a-t-elle pu être faite et le but de la mesure n'a pas été atteint. Nous ne savons pas si nos milliards de dollars ont apporté la moindre amélioration dans l'instruction des écoliers.

insuffisante en ce qui concerne à la fois ce qu'elle donne et le nombre de personnes à qui elle le donne. Dans la plupart des États, les sommes qu'elle alloue ne suffisent pas à assurer un minimum de subsistance : 55 à 60 dollars pour une famille de quatre personnes au Mississipi, 170 dollars par mois pour une même famille dans l'Ohio industriel et urbanisé; plus de la moitié étant en général absorbée par le loyer, il reste bien peu de chose pour la nourriture, l'habillement et les autres besoins. Dans l'ensemble, l'Assistance aide moins d'un quart de ceux qui sont pauvres; moins de la moitié d'entre eux sont en droit d'obtenir ses secours.

Ces derniers ont d'ailleurs trop souvent pour rançon des foyers brisés et une recrudescence de l'illégitimité. En effet, dans la plupart des États, les enfants ne peuvent recevoir des secours que s'il n'y a point d'homme dans la maison. Il n'existe aucun programme fédéral et fort peu de programmes locaux prévoyant une aide aux familles dont le chef travaille, mais ne gagne pas assez pour les faire vivre. L'Assistance ne prend les enfants en charge que s'il quitte son foyer. Bien rares également sont les États qui aident les familles dont le père est en chômage et vit chez lui. En raison du manque d'emplois et des conditions imposées par l'assistance, une femme a plus de facilités pour nourrir ses enfants si elle n'est pas mariée. Elle peut avoir des enfants illégitimes et obtenir des secours. Mais si elle se marie et si son mari n'a pas de travail, il est obligé de rester en dehors de chez lui pour que sa famille soit aidée.

Nous savons pourtant que des liens familiaux solides sont importants pour le développement du pays; nous savons que la sécurité financière est importante pour la stabilité des familles; nous savons que les gains du père sont un facteur de force important. Mais dans le traitement que nous appliquons aux pauvres, nous avons décidé qu'il en serait autrement; pour eux le prix de l'assistance sera souvent l'union de la famille que nous plaçons si haut. Après quoi, pour faire bonne mesure, nous leur reprochons de ne pas avoir des familles stables comme leurs autres compatriotes.

Ceux qui s'adressent à l'Assistance la trouvent souvent restrictive et bureaucratique, en raison non seulement des formalités longues et compliquées qui la précèdent, mais des enquêtes minutieuses et humiliantes qui la suivent. Nombreux sont ceux qu'elles découragent de faire une demande. Et si une mère recevant des secours arrive à trouver du travail, nous lui retirons un dollar sur cette aide pour chacun de ceux qu'elle gagne, piètre encouragement à chercher un emploi. Ce qu'une mère de Cleveland a dit à la Commission des Droits Civiques est très caractéristique. Selon elle, certaines mères recevant l'aide pour les enfants à charge vont en cachette travailler à la journée « parce que ça tient pas debout d'aller chercher du travail [ouvertement]... pour acheter à manger, si on nous retire l'argent à la fin du mois ». Il n'est donc pas surprenant que l'assistance ait créé un cycle de subordination et de dépendance aussi détestable pour celui qui donne que pour celui qui reçoit.

Mais parmi tous les échecs liés aux problèmes du paupérisme, le plus grave est l'incapacité où nous sommes de fournir des emplois. Voilà un aspect des difficultés dans lesquelles se débattent les villes que l'action fédérale a à peine effleuré. Aucun programme gouvernemental actuellement en vigueur n'offre une perspective sérieuse de remédier au problème du chômage et d'éviter par là l'engrenage inefficace, ruineux et dégradant d'une assistance qui va à l'encontre des buts qu'elle se propose. La loi sur le Développement et la Formation de la main-d'œuvre, la loi sur l'Enseignement professionnel, la loi sur l'Instruction primaire et secondaire, toutes ces tentatives et bien d'autres encore se poursuivent depuis des années sans produire grand effet sur le monde des taudis. Des programmes plus récents dans le cadre de la loi sur les débouchés économiques, contiennent quelques promesses, mais dans les zones de paupérisme, le chômage n'en continue pas moins à augmenter.

Les raisons de l'échec subi par les programmes fédéraux concernant la main-d'œuvre sont aisées à trouver. D'abord, nous avons continuellement formé des travailleurs en vue d'emplois qui n'existaient pas. En effet, ces derniers sont rares dans les secteurs à bas salaires et n'offrent pour la plupart aucune possibilité de promotion ni d'avancement. En outre, parmi les habitants des taudis, beaucoup n'ont pas les moyens d'aller chercher du travail loin de leur quartier. Le Secrétaire au Travail, Willard Wirtz, a déclaré devant le Congrès que « la plupart des chômeurs dans les taudis » sont « conditionnés par un siècle d'insécurité », au point que des distances « dépassant six ou huit blocs d'immeubles à partir de leur domicile » posent de graves problèmes. Pourtant, la majorité des emplois nouveaux est beaucoup plus éloignée que cela des bas-quartiers. D'ailleurs, même si nous arrivions à persuader les indigents urbains d'aller travailler très loin de chez eux, la plupart des villes sont dépourvues de transports en commun permettant de les y conduire pour un prix qu'ils puissent donner. Il n'existe pas non plus de logements bon marché, ni aujourd'hui ni dans un avenir prévisible, à proximité des nouvelles possibilités d'emploi qui sont créées.

Certains responsables de la formation des travailleurs se consacrent surtout à ceux qui ont déjà certaines qualifications, évitant ainsi des déchets considérables qui nuiraient à leurs statistiques au moment de présenter les demandes de crédit pour la poursuite du programme. En outre, le service de l'Emploi a mis fort longtemps à pénétrer jusque dans les zones de paupérisme pour y trouver ceux qui demandent du travail et à chercher les employeurs qui voudraient les embaucher. En gros, il a beaucoup trop fonctionné comme un bureau de placement privé, satisfaisant les demandes des patrons à mesure qu'il les recevait.

J'ai présenté ces observations moins pour critiquer que pour suggérer qu'à mon sens notre action présente et nos plans d'avenir doivent être examinés de très près. Trop souvent par le passé, nous nous sommes enlisés dans le débat traditionnel entre libéraux et conservateurs, sur le point de savoir si nous devions ou non consacrer des fonds gouvernementaux plus importants à ces programmes. Ce que nous n'avons pas étudié, c'est l'effet qu'ils pouvaient avoir sur ceux que nous cherchions à aider, voire s'ils en avaient un. Il nous faut tracer de nouvelles voies et trouver de nouvelles solutions. La guerre à la pauvreté, les villes-modèles, la collaboration dans la législation sur la santé publique, autant d'efforts qui vont dans ce sens. Mais nous devons réexaminer plus à fond ce que nous avons fait par le passé et ce que nous avons l'intention de faire dans l'avenir.

LA CLEF : DES EMPLOIS DANS LE GHETTO.

La crise de l'emploi est notre échec le plus grave, à la fois mesure et cause du fossé qui s'est creusé entre le pauvre et le reste de la collectivité. Plus que la ségrégation dans le logement et l'école, plus que les différences d'attitude ou le genre de vie, c'est le chômage qui fait du nécessiteux urbain un être à part. Être en chômage, c'est ne rien avoir à faire, ce qui signifie ne rien avoir à faire avec le reste d'entre nous.

Nous gagnons notre vie et celle de notre famille, nous

62 *Vers un monde nouveau*

nous procurons le confort et les agréments de l'existence par notre travail. Plus important encore, ne pas en avoir, ne présenter aucune utilité pour ses semblables, c'est être cet « homme invisible » dont Ralph Ellison a parlé si éloquemment. Ainsi que l'écrivain John Adams, il y a un siècle et demi : « La conscience du pauvre a beau être parfaitement nette, il a honte... Il se sent hors de la vue des autres, tâtonnant dans l'obscurité. L'humanité ne lui prête aucune attention. Il erre à l'abandon. Au milieu d'une foule, à l'église, sur un marché... il est tout autant perdu dans l'obscurité que s'il était dans un grenier ou une cave. Ni désapprouvé, ni critiqué, ni blâmé, il n'est pas vu, simplement... Or, être totalement ignoré et le savoir est intolérable. Si Crusoë sur son île avait eu la bibliothèque d'Alexandrie à sa disposition et la certitude qu'il ne reverrait jamais un visage humain, aurait-il ouvert un seul volume? ».

Tous les services, toutes les commissions qui ont étudié le paupérisme urbain ont conclu que le chômage était notre problème le plus grave. La Commission McCone a enquêté à Los Angeles — et déclaré que le danger le plus sérieux à Watts était le chômage. L'étude de Kenneth Clark, pionnier dans ce domaine, portait sur Harlem — et déclarait que le problème-clef était le chômage. La Coalition Urbaine [1] a examiné toutes les villes, et déclaré que la première difficulté à vaincre était le chômage.

Pour nous attaquer le plus directement possible aux insuffisances de nos programmes sociaux, nous devons accorder la priorité absolue à la création d'emplois sûrs. Il n'y a aucune autre solution sérieuse. Il n'y a 'aucun moyen de rendre le système actuel vraiment efficace,

1. Organisation privée créée en 1967 pour collaborer avec les gouvernements à la recherche de solutions aux problèmes urbains. Elle est dirigée par John A. Gardner, ancien Secrétaire du Department of Hecelth, Education and welfare (N. de la T.).

aucun moyen de mettre fin aux fausses efficiences par
des replâtrages et des rapiéçages, nouvelle extension
massive des services d'assistance ou nouvelle profusion
des orienteurs, conseillers et psychiatres, que ce soit
au niveau du bloc d'immeubles, du quartier ou de toute
autre base. Ces éléments ont leur rôle à jouer, certes,
mais ni des assistants sociaux multipliés, ni des allocations plus élevées ne pourront rendre dignité et confiance
en soi à l'homme sans travail : aux États-Unis, vous
êtes ce que vous faites. Un militant noir de Philadel-
phie, Cecil Moore, a dit un jour que l'assistance était
ce qui pouvait arriver de pire à un Noir et une position
aussi extrême n'est pas sans justification dans les faits [1].

Le plein emploi est le but, mais non pas un programme
par lui-même. Pour mener une action sérieuse, il faut
s'attaquer à la pathologie fondamentale du ghetto dans
le cadre d'un développement qui coordonne les mesures
concernant l'emploi avec trois autres domaines essentiels :
instruction, logement, sens de la communauté. Bien sûr,
il est d'autres problèmes, d'autres programmes et qui
ont leur importance : police, loisirs, santé, etc. Mais
ces questions ne trouveront leur réponse qu'en liaison

---

1. Contrairement à ce que croient certains, fournir des emplois réduira le coût de l'assistance. Sur les 7,3 millions de personnes actuellement prises en charge, 850 000 sont des femmes
chefs de famille et 2,6 millions les enfants mineurs de ces mêmes
familles. Donc, plus de 50 p. 100 des fichiers de l'assistance
fédérale sont occupés par des familles dont le père est absent.
Toutes les études sur le paupérisme et sa pathologie montrent,
sans exception, que dans leur immense majorité ces hommes
sont absents précisément parce qu'ils n'ont pas de travail, qu'ils
ne peuvent assurer l'existence des leurs et que ce départ est
le seul moyen de faire obtenir des secours aux enfants. Donner
une possibilité réelle de trouver un emploi aux pères et aux
maris absents, ainsi qu'aux pères et aux maris de l'avenir per-
mettra à nombre de ces familles de se réunir et à d'autres de
rester ensemble, contribuant ainsi à réduire l'assistance, la
dépendance — et leur coût, aussi bien financier qu'humain.

avec une action vigoureusement menée contre les problèmes fondamentaux. Une force de police, par exemple, peut déployer les plus grands efforts d'imagination et d'énergie pour améliorer les relations avec la communauté, mais il faut bien qu'elle fasse respecter la loi. Si la pauvreté pousse à commettre des vols dont les auteurs devront bien être arrêtés, ou à ne pas payer les loyers, ce qui entraînera des expulsions même si aucun relogement n'est possible, la police supportera forcément le poids du ressentiment qui s'ensuivra. Prenons un autre exemple. Les loisirs et les distractions sont chose excellente, nous en avons tous besoin. Mais la donation d'une piscine ne remplace pas un père absent, ni le salaire de ce père absent, dont le fils volera peut-être un maillot de bain pour pouvoir profiter de la piscine. Ce n'est pas un miséreux, mais Winston Churchill, petit-fils de duc, qui a dit : « Pour être libre, il faut avoir un peu d'argent. »

Donc, tout plan réaliste doit commencer par une mise en perspective : apprendre aux collectivités frappées de paupérisme à se suffire et à déterminer elles-mêmes leur destin est l'affaire capitale. En droit, tous les Américains doivent être parfaitement libres de choisir le lieu où ils veulent vivre, selon les possibilités de leur budget. Mais dans la réalité, cette liberté exige que la sécurité financière et sociale soit d'abord assurée. Donc, le problème immédiat est de permettre à l'immense majorité des pauvres d'y atteindre là où ils se trouvent actuellement. Et il est essentiel qu'ils le fassent en tant que Noirs, Portoricains, Américano-Mexicains, bref en tant que communauté.

Ce besoin ressort avec une particulière netteté dans le cas des Noirs. Alors que des dizaines de milliers se sont faits, à titre individuel, des situations qui leur assurent sécurité, éminence et satisfaction au sein de la grande société américaine, il leur manque cette réussite collective qui est plus que la somme des réussites individuelles. La plupart en effet demeurent dans leurs ghettos et ceux qui cherchent à s'en échapper, ceux mêmes qui y sont parvenus, se heurtent chaque jour aux notions préconçues qui les jugent en tant que membres de leur groupe ethnique ou national. Nous nous identifions tous avec l'un quelconque d'entre eux au sein de la nation américaine. Même pour les minorités les plus anciennes, les stigmates de l'appartenance à un groupe méprisé ont souvent été accablants, comme en témoignent les nombreux noms raccourcis ou les changements de religion. Mais le Noir, lui, garde sa couleur de peau pour la vie; jamais il ne peut être jugé par tous exclusivement sur sa valeur ou son comportement personnels. Dès l'instant de sa naissance, il porte une marque distinctive dont il ne pourra se débarrasser.

Puisqu'elle est indélébile, il faut qu'elle devienne un signe d'honneur et de fierté. Certains, invoquant le « pouvoir noir » pour prêcher la violence et la haine en ont fait un slogan de terreur; mais pour d'autres il représente ce sentiment d'assurance et de solidarité, cette réussite collective — en politique, dans les affaires, le syndicalisme, peu importe — qui ont été la base sur laquelle les minorités anciennes se sont pleinement intégrées dans la vie américaine. C'est Floyd McKissick[1], un des chefs noirs les plus militants, qui l'a dit : « Mettre une totale confiance dans l'intégration — ce qui revient à compter sur l'acceptation de l'homme blanc — va droit à l'encontre de ce sentiment d'une destinée librement déterminée... si étroitement lié à la satisfaction de la réussite ». Cette déclaration va peut-être un peu trop

1. Attorney à Durham (Caroline du Nord), président national du CORE (N. de la T.).

loin. Mais elle doit attirer notre attention sur la nécessité
urgente d'une action pour aider les hommes du ghetto
à acquérir la maîtrise de leur avenir. Il faut que nous
les aidions à égaler, voire à dépasser les réalisations de
la société dans son ensemble, à édifier des communautés
dans la sécurité, la dignité et l'accomplissement. Quand
ce sera fait — quand avoir la peau noire et venir de Harlem
ou de Hough équivaudra à proclamer : « Je participe à
une grande entreprise créatrice dans la vie de la nation »
— alors et alors seulement la promesse d'égalité souscrite
par l'Amérique sera tenue.

Cependant, il est évident que nous ne pouvons qu'aider;
si de telles communautés doivent se constituer, le principal effort doit venir des Noirs, de leur travail et de leur
sacrifice. Mais trop de ceux qui ont gravi l'échelle de
l'instruction et de la réussite se soucient fort peu des
problèmes de leurs frères restés aux échelons inférieurs.
C'est seulement maintenant que de nombreux mouvements noirs commencent à tourner leur attention vers
les jeunes des ghettos et pour certains il est peut-être
trop tard. Les chefs des principales organisations l'ont
dit franchement devant le Congrès : ils n'ont aucun
contact, aucuns rapports avec les adolescents déçus, aigris
et parfois violents. De toute manière, il faut que l'effort
continue. L'élimination de la pauvreté et du besoin est
une responsabilité qui nous incombe à tous. Mais pour
résoudre ce problème, les Noirs doivent prendre eux-
mêmes la direction de leurs semblables afin d'édifier
leurs propres communautés.

Ce développement doit avoir pour point de départ
une indépendance économique individuelle et collective
qui permette au moins d'échapper à une suggestion
dégradante et paralysante. A bien des égards, les ghettos
du paupérisme sont en face de problèmes analogues à
ceux d'un pays sous-développé en Afrique ou en Asie.

Ils se trouvent pratiquement en dehors du grand cycle investissement — production — consommation. C'est celui-ci qu'il faut étendre afin qu'il englobe la ville intérieure : des investissements pour créer des emplois productifs qui assureront aux travailleurs les moyens dont ils ont besoin pour consommer.

Afin d'exercer le maximum d'action sur les problèmes du paupérisme, les nouvelles entreprises doivent être installées et les nouveaux emplois créés dans le ghetto même.

La multiplication de débouchés nouveaux dans les bas quartiers urbains aura un effet géométrique en quelque sorte. De nouveaux commerces de détail et des services — restaurants, drugstores, coiffeurs, teintureries, magasins d'habillement — seront nécessaires pour satisfaire les demandes des nouveaux salariés. L'expérience de la loi sur le développement zonal nous montre que pour trois emplois créés dans une nouvelle affaire industrielle, deux à trois autres peuvent l'être dans les secteurs secondaires et les services connexes.

Mais par-dessus tout, l'implantation des investissements et des emplois à l'intérieur des bas-quartiers est capitale en elle-même. En premier lieu elle fera progresser la réussite collective, la stabilité familiale, la fierté civique. Mais aussi, et c'est important, elle mettra fin à leur isolement, elle aidera à faire entrer dans le grand courant de la vie américaine non seulement les individus qui les habitent, mais toute la communauté. Il est essentiel qu'enfants et jeunes gens voient des changements et des développements se produire grâce au travail de leurs pères et de leurs frères, exemples vivants qui apportent des espoirs concrets.

Deux catégories principales d'emplois surtout devront être développées : ceux qui satisferont les besoins de la communauté et ceux qui ressortissent aux industries privées.

La première offre des possibilités énormes. Nos villes ont terriblement besoin d'être rebâties, surtout en leur centre; dans la plupart des grandes agglomérations, les vastes blocs destinés à accueillir le flux des immigrants venus des régions rurales et de l'étranger au début du siècle auraient dû depuis longtemps être rénovés ou reconstruits. On peut en dire autant des édifices publics. Il est notoire que les hôpitaux, les écoles et les universités au cœur des villes sont dans un état de délabrement avancé. Les plages de nos cités sont polluées, leurs parcs ravagés, les terrains de jeux insuffisants pour les besoins minimaux de la jeunesse. Or, au cours des années à venir, ces besoins vont se multiplier à une cadence presque inchiffrable. Si nous commençon dès maintenant à réparer les ruines du passé et à assurer les besoins de l'avenir, nous pouvons créer des centaines de millions d'emplois nouveaux directement et des millions indirectement.

Il nous faut aussi un personnel très nombreux pour les écoles, les cliniques, les centres culturels lorsqu'ils seront construits. Aujourd'hui déjà, nous souffrons d'un déficit grave d'infirmières, de professeurs, de policiers, de conseillers sociaux, déficit qui pourrait être réduit en employant pour les aider des membres de la collectivité qu'ils servent et en donnant à ceux-ci la possibilité de gravir les échelons de la profession au fur et à mesure de leur formation. Le Président de la Commission de l'Automation, par exemple — qui réunit des personnalités distinguées du monde des affaires, des universitaires et des chefs syndicalistes — a signalé l'existence de 5 300 000 emplois potentiels dans les services publics : santé, assistance, écoles, police, loisirs et hygiène.

Et si les besoins sont grands sur le plan des collectivités, ils ne le sont pas moins dans le secteur privé.

Nous pouvons — et nous devons — faire des ghettos les centres d'industries productives et profitables, créant ainsi des emplois honorables et non pas des bureaux de bienfaisance pour les hommes et les jeunes gens qui languissent aujourd'hui dans l'oisiveté.

Mettre ces situations, aussi bien publiques que privées, à la portée des habitants de tous nos Harlem, ce serait leur dire qu'il y a un espoir, qu'il y a un avenir, que nous sommes tous sincèrement résolus à changer les conditions dans lesquelles ils vivent[1].

UN PROGRAMME POUR LE CENTRE URBAIN.

Quel est donc le contenu du programme ? Un principe directeur est qu'aucun plan ne réussira s'il repose exclusivement sur le maintien de crédits gouvernementaux massifs, dépendant eux-mêmes du vote annuel des assemblées. Certes le gouvernement devra jouer un rôle clef à tous les niveaux, fédération, État et localités. Mais s'en remettre entièrement à lui serait une lourde erreur. Non seulement le coût en serait astronomique pour les contribuables, mais le plan et par là les habitants du ghetto dépendraient entièrement de la politique, des crédits annuels et de la faveur d'autrui. Il faut au contraire que ces projets se financent eux-mêmes, qu'ils

---

1. La crise dans l'emploi a été à l'origine d'une proposition de loi dont j'ai été co-signataire et que la commission sénatoriale du Travail a jointe aux amendements de 1967 sur le paupérisme. Il s'agissait d'un programme de 2,8 milliards pour créer dans l'ensemble du pays 200 000 emplois immédiatement et 250 000 autres en 1968 — emplois liés aux tâches que j'ai énumérées plus haut. Bien qu'il ne puisse apporter qu'une solution partielle à la crise, il aurait, s'il était adopté, un effet instantané d'une importance décisive.

créent des ressources nouvelles pour la communauté, qu'ils accélèrent l'amélioration de sa santé économique.

C'est pourquoi il est indispensable que nous mobilisions les énergies, les ressources et les talents de l'entreprise privée pour cet effort national si urgent. Presque tous nos grands programmes ont été mis au point à Washington. Leurs crédits ont été votés par les assemblées parlementaires. Ils ont été mis en œuvre par des organismes gouvernementaux. J'ai appuyé ces efforts, j'ai réclamé leur extension. Je crois toujours qu'ils sont utiles, nécessaires et dignes d'être soutenus beaucoup plus qu'ils le sont actuellement. Mais le plus fervent de leurs partisans est bien obligé de convenir qu'ils sont insuffisants.

S'en remettre exclusivement, voire principalement, à l'action du gouvernement, c'est ignorer les traditions qui ont donné leur forme à la vie et à la politique américaines. Ignorer la contribution que l'entreprise privée peut apporter, c'est livrer bataille avec une section, alors que de grandes armées sont laissées de côté. En effet, l'entreprise privée n'est pas seulement une partie de l'Amérique parmi de nombreuses autres, mais le muscle, la force même du pays. Tout l'engrenage si complexe de l'économie — les moyens par lesquels nous joignons notre effort à celui de nos semblables pour fabriquer des marchandises, construire des routes, amener les produits alimentaires sur notre table, les vêtements sur notre dos — tous cela est le fait de l'entreprise privée. Elle a créé des emplois pour des dizaines de millions d'Américains aujourd'hui en activité et la relative absence de sa participation est à mon avis la cause principale de notre échec dans le problème du chômage qui frappe les zones urbaines de paupérisme.

Cette absence n'est pas due à une faillite du sens des responsabilités, ni à un refus délibéré. Nombreux sont les hommes d'affaires conscients du défi et désireux de le relever. Mais enfin les sociétés ont des comptes à rendre aux actionnaires. Les investissements dans les régions pauvres seront certainement plus onéreux et plus difficiles qu'ailleurs et c'est pourquoi ils s'en sont tenus à l'écart ces derniers temps. Terrain, transports, assurances contre l'incendie et le vandalisme, formation des travailleurs, surveillance spéciale, tout cela y coûte si cher que, dans l'état actuel des choses, les investissements ne seraient pas rentables. Si l'entreprise privée doit jouer là son rôle à plein, il faut que le gouvernement lui aide à compenser ces frais accrus.

Le moyen le plus efficace d'encourager l'implantation de nouvelles affaires dans les zones urbaines de paupérisme est le dégrèvement fiscal. L'idée n'est ni nouvelle, ni révolutionnaire : tout au contraire, elle est mise en pratique depuis la fondation de la République. De 1792 jusque bien avant dans les années 1830, le gros des dépenses fédérales a été consacré aux améliorations intérieures — routes et canaux en particulier — qui ouvraient de nouveaux territoires à la colonisation. Pendant tout le XIXe siècle, le gouvernement a encouragé la construction des chemins de fer en offrant des concessions fort libérales de terrain des deux côtés de la voie, terrain que les compagnies vendaient pour faciliter le remboursement de leurs investissements. Au cours de ce siècle, des pratiques semblables se sont répandues dans tous les domaines de notre économie. Pour augmenter nos exportations. nous avons créé une Banque Export-Import qui garantit et assure les ventes à crédit en dehors du pays. Pour aider au développement international, nous garantissons les investissements privés américains à l'étranger. Pour encourager le maintien d'une marine puissante, nous subventionnons la construction et l'achat de navires. Le ministère de la Défense estime que ce dernier poste représente 700 millions de dollars par an.

Nous avons fait usage de la législation fiscale pour inciter personnes privées et entreprises à investir dans les secteurs, les temps et les lieux jugés souhaitables. Afin d'encourager les investissements à long terme, nous avons fixé un plafond de 25 % au prélèvement sur la valorisation du capital. Afin d'encourager les dons aux œuvres charitables, nous autorisons à les déduire des revenus de l'année. Afin d'encourager la production de pétrole et de minerais, nous accordons des compensations pour l'épuisement des réserves. Afin d'encourager la construction de silos à grains et d'usines travaillant pour la défense nationale, nous accordons des taux de dépréciation plus rapides que la normale. Afin d'encourager les investissements dans les biens d'équipement plutôt que dans les stocks et les biens de consommation, nous avons accordé des crédits d'impôt pour leur cas, suspendu puis rétabli ces avantages, selon que nous voulions ralentir ou accélérer les placements [1].

Au mois de juillet 1967, j'ai présenté deux projets de loi tendant à accorder des dégrèvements fiscaux pour

---

1. Le principe permettant d'utiliser la fiscalité pour encourager certains investissements s'applique tout aussi bien au lieu de leur implantation. C'est là un fait qui a été reconnu à la fois par le Président Kennedy et par le Président Johnson qui ont tous deux recommandé les crédits d'impôt pour inciter les entreprises américaines à investir dans les pays sous-développés. Selon la loi sur les Investissements à l'Étranger, comme aux termes des traités avec la Thaïlande et Israël, la notion d'avantage fiscal pour les affaires répondant aux conditions a été présentée comme le moyen clef d'aider ces pays à réaliser la stabilité économique. Au reste son efficacité a été démontrée par l'opération menée à Porto-Rico. Là un système d'exonérations fiscales, soigneusement garanti par notre propre code du Revenu Intérieur, a contribué, depuis 1948, à faire surgir de terre plus de 1 100 usines et fabriques diverses. Le produit de l'industrie a été multiplié par 6, le revenu par tête d'habitant a triplé et

les investissements dans les zones de paupérisme, où qu'elles se trouvent aux U.S.A. Le premier prévoit des crédits d'impôt, un taux de dépréciation accéléré et des déductions additionnelles au prorata de la main-d'œuvre employée pour les firmes acceptant d'implanter des industries dans ces zones ou à proximité et de créer au moins vingt postes nouveaux, dont les deux tiers ou plus occupés par les habitants de la région. Le second prévoit des avantages analogues ainsi que des prêts à intérêt réduit pour les firmes construisant des logements à faible loyer dans ces mêmes secteurs. Les dispositions de ces projets sont complexes, mais leur but est très simple : accorder aux industries qui s'installent dans les régions défavorisées des avantages comparables à ceux dont jouissent celles qui s'installent à l'étranger[1].

le nombre des ouvriers en a fait presque autant. Aujourd'hui l'économie de cette petite île a un taux d'accroissement annuel qui dépasse 9 p. 100, donc très supérieur à celui des États-Unis dans leur ensemble.

1. Aux termes du projet sur l'encouragement à l'industrie — officiellement dénommé « Loi sur le développement de l'emploi urbain et rural » — une affaire désireuse de s'installer dans une région défavorisée demanderait l'accord de la municipalité et des habitants de celle-ci. Elle s'engagerait à embaucher un minimum de vingt ouvriers dont les deux tiers résideraient dans la région, ou auraient de faibles ressources. Ils recevraient tout en travaillant, une formation professionnelle, sous les auspices du ministère du Travail.

En retour, l'affaire bénéficierait des avantages suivants :

Crédit de 10 p. 100 sur les machines et l'équipement au lieu du maximum normal de 7 p. 100.

Crédit de 7 p. 100 sur le coût de la construction ou de la location.

Report de crédit portant sur les trois dernières années imposables et les dix années à venir.

Évaluation de la dépréciation fixée à 66 2/3 p. 100 de la durée normale et applicable aux biens mobiliers et immobiliers.

Report des pertes d'exploitation sur dix années imposables.

Déduction spéciale de 25 p. 100 additionnels sur les salaires

Mais il faut que la venue de l'entreprise privée soit compatible avec la vie et l'esprit de la communauté, que son rôle complète les autres efforts qui y sont déjà faits. Toute initiative devra être directement inspirée par les besoins et les désirs des habitants eux-mêmes. Pour cela, il sera nécessaire de créer de nouvelles institutions communautaires où les habitants auront voix prépondérante et au moyen desquelles ils pourront exprimer leurs souhaits. Par conséquent, l'âme non seulement du programme d'entreprise privée, mais de presque tous ceux qui visent à améliorer les conditions dans les zones défavorisées, doit être la création de

payés aux résidants nécessiteux, ou ne disposant que de faibles ressources.

Aux termes du projet — officiellement dénommé « Loi sur le développement du Logement Urbain » — le candidat ferait d'abord approuver un plan pour la rénovation de la construction d'habitations par le ministère du Logement et du Développement Urbain, le gouvernement local et les résidants de la région envisagée. En échange d'un prêt à long terme et à intérêt réduit, il s'engagerait à construire ou à rénover un certain nombre de logements destinés aux familles à faibles revenus. L'investisseur bénéficierait d'un intérêt de 3 p. 100 sur sa mise de fonds, mais aussi d'un crédit d'impôt et d'un taux de dépréciation accéléré, tous deux calculés d'après l'importance de son investissement initial. Il devrait conserver les immeubles pendant une période minimale, afin d'éviter des gains rapides et excessifs.

Passé deux ans, s'il les vendait aux locataires à un moment quelconque, ou s'il en construisait d'autres selon les mêmes normes avec l'argent tiré de la vente, il bénéficierait de nouveaux avantages fiscaux.

Le coût de ce projet s'élèverait approximativement à 50 millions de dollars par an pendant cinquante ans, et le nombre des logements bâtis entre 300 000 et 400 000. Les dépenses seraient donc beaucoup moins considérables que celles des programmes actuels 221 (*d*) (3) et d'aide pour les loyers. Le projet concernant le développement industriel se solderait par un bénéfice net pour le gouvernement, présentant donc, en plus de ses autres avantages, un caractère d'auto-financement qui manque à nos programmes actuels.

Community Development Corporations (Sociétés de développement communautaire). Elles seraient financées par un apport initial en capitaux du gouvernement fédéral, mais pour leurs activités ultérieures, ne recevraient — ni ne nécessiteraient — aucune subvention notablement supérieure à celle que les sociétés philanthropiques du type ordinaire reçoivent en vertu de la législation actuelle.

Elles feraient en sorte que toutes les mesures prises pour créer des emplois et construire des maisons édifient également la communauté et apportent de nouvelles possibilités à ses membres. Elles veilleraient à ce que l'action entreprise n'intéresse pas que le développement matériel, mais aussi le système scolaire, la santé publique — bref tous les services dont les habitants ont besoin. Elles constitueraient une source d'assistance technique pour les hommes d'affaires locaux et enfin le principal canal par lequel l'aide extérieure — gouvernementale ou privée — parviendrait à la communauté. Elles auraient la possibilité de donner une efficacité encore jamais atteinte à tous les programmes gouvernementaux et à de nombreuses contributions privées.

De telles sociétés, chacune consacrée à l'amélioration d'une seule communauté, pourraient faire beaucoup pour modifier notre manière d'envisager la solution des besoins urbains. Par exemple, dans tout le quartier de Watts au moment des émeutes de 1965, il n'y avait pas un seul cinéma et le manque de transports pour aller dans le reste de la ville mettait les autres salles hors de portée de la plupart des habitants. Une société immobilière pourrait, avec un minimum de capital, construire un cinéma et le louer ou l'exploiter dans le cadre de ce programme communautaire, les revenus servant à purger l'hypothèque et créer ainsi à la fois des emplois et des distractions pour tous. Les soins médicaux constituent un besoin très urgent dans de nombreux bas-quartiers : une SDC pourrait bâtir et installer des locaux dans un ensemble d'habitations nouvelles, puis louer les cabinets complètement équipés à de jeunes docteurs actifs, pratiquant la médecine de groupe.

Le facteur essentiel dans la structure financière et autre de ces sociétés devrait être la participation totale et prédominante des membres de la communauté intéressée. Il existe toute une variété de moyens leur permettant de contribuer immédiatement à l'amélioration des conditions de vie et d'établir les fondations d'une participation pleine et entière à l'économie, achats d'appartements en coopérative ou en co-propriété avec l'argent rapporté par les emplois nouveaux et celui précédemment consacré aux loyers, souscription à des actions dans les entreprises créées par la S.D.C., perception d'une partie du salaire touché pour des travaux effectués dans le cadre des projets de la collectivité sous forme d'actions, comme l'ont fait certaines entreprises privées avisées.

Ces Sociétés de développement noueraient, je le crois fermement, de fructueuses relations avec l'industrie; nombre de firmes dont U.S. Gypsum est peut-être l'exemple le plus frappant, recherchent très activement les moyens de faire entrer les zones défavorisées dans le marché économique national. Et nous devons mobiliser les ressources jusqu'à maintenant inaccessibles à ces régions, des ressources suffisantes pour lancer une offensive efficace contre les problèmes inextricablement imbriqués du logement, de l'emploi, de l'instruction et du revenu. Elle exigera des prêts et la coopération technique de l'industrie aussi bien que du commerce, des ouvriers qualifiés et des cadres fournis par les syndicats, la participation des universités sur le plan théorique et éducatif, des crédits pour l'instruction et la formation comme ceux actuellement prévus par de nombreux programmes fédéraux.

Ces Sociétés feraient un effort tout spécial dans le domaine de la formation « sur le tas », indispensable pour permettre l'embauche initiale de nombreux habitants des bas-quartiers; de plus, ce qui est tout aussi important, ces emplois disponibles donneraient aux programmes de formation professionnelle existants une importance et une portée qu'ils n'ont encore jamais eues. Les métiers de la construction en particulier, mais aussi dans une certaine mesure tous les métiers industriels sont enseignés par la méthode de l'apprentissage, c'est-à-dire un rapport maître-élève de un à un, un système où l'on apprend en faisant, où l'acquisition des connaissances entraîne une récompense immédiate, où la relation entre la compétence et l'élévation des salaires saute aux yeux. Ces projets pourraient constituer une immense institution éducative nouvelle, enseignant non seulement des métiers, mais la fierté de soi et du travail bien fait.

Notre système scolaire conventionnel devrait être directement intégré à l'effort de reconstruction. Car il existe une chance très réelle de résoudre par ce moyen nombre des problèmes les plus graves dans le domaine de l'instruction. La question cruciale de la motivation par exemple, serait directement affrontée. Tous les élèves du second degré qui le désireraient — pour des raisons financières ou autres — pourraient être autorisés à quitter l'école afin de travailler aux programmes communautaires, tout en restant sous l'autorité de celle-ci, qui mettrait comme condition à leur emploi qu'ils continuent leurs études au moins à temps partiel jusqu'à ce que les conditions nécessaires à l'octroi du diplôme soient remplies. En fait, tous ces emplois devraient comporter l'obligation d'études à temps partiel pour remédier aux déficiences de l'instruction et les possibilités d'avancement être directement liées aux succès scolaires, comme cela se passe dans les forces armées.

N'ayant plus à imposer une discipline à des élèves travaillant sans goût, les écoles auraient beaucoup plus de
facilité pour dispenser leur enseignement à ceux qui
désireraient poursuivre leurs études. Quant aux jeunes
embauchés sur les chantiers de leur région, ils cons-
tateraient que savoir lire une épure, ou interpréter des
spécifications vaut bien la peine que l'on retourne à
l'école pour l'apprendre. Les matières enseignées devraient
également être révisées et orientées dans ce sens, c'est-
à-dire droit vers les nouvelles voies ouvertes non pas
seulement par les projets immédiats, mais dans les secteurs
des services publics, de l'administration municipale
et communautaire ainsi que dans les créations industrielles.

Il serait même possible de dégager des perspectives
nouvelles à tous les stades de l'enseignement. Un jeune
homme faisant montre d'autorité et d'un sens marqué
de l'organisation par exemple, devrait être incité à
étudier les affaires ou l'administration publique au
niveau de l'université, à temps plein ou partiel. Un aide
contremaître devrait pouvoir devenir chef de travaux
et peut-être même recevoir une formation d'ingénieur. Les universités des villes et des États pourraient ouvrir dans le voisinage immédiat des filiales du
type approprié, afin de participer au maximum à ce
processus.

Les programmes actuels de service social — d'assistance en particulier — devraient également être intégrés
à l'effort de reconstruction. Celui que j'envisage permettrait aux familles de se suffire à elles-mêmes au lieu
de dépendre des secours d'autrui. Nous devrons tendre
à faire des possibilités une réalité — par exemple en
utilisant le nouvel emploi d'un homme pour réunir
celui-ci à sa famille — ce qui ne saurait d'ailleurs dispenser de réformer les lois actuelles sur l'assistance

afin que l'absence du père ne soit plus la condition mise
à l'octroi des secours[1].

En prenant le programme de construction pour base,
des possibilités d'emploi et de formation s'ouvriraient
dans tous les secteurs annexes. Pendant le cours des
travaux, certains des participants pourraient être incités
à créer dans le voisinage des affaires de fournitures pour
le bâtiment, de petites usines de meubles, des magasins,
après avoir fait l'apprentissage nécessaire. A mesure
que s'ouvriraient les centres médicaux, des jeunes appren-
draient à devenir aides-soignants. Des édifices seraient
décorés et embellis par des étudiants des Beaux-Arts;
les immeubles comprendraient des locaux permettant

---

1. Ainsi qu'il doit apparaître clairement désormais, aucun
système d'assistance ne peut prendre la place d'un programme
sérieux pour l'emploi et le développement économique dans
le ghetto. Nous ne saurions non plus tolérer qu'une extension
du bénéfice de l'assistance se substitue à un tel programme.
Mais il est vrai aussi qu'il y aura toujours des gens dans le besoin
sans qu'ils en soient responsables et, pour eux, nous devons
prévoir un système de secours digne et humain. Dans cette
perspective, les réformes suivantes seront nécessaires, en plus
de cette politique d'assistance visant à maintenir la cohésion
des familles qui a été mentionnée plus haut. 1) Relèvement
substantiel des retraites de la sécurité sociale, surtout pour les
personnes âgées les plus pauvres, afin qu'elles n'aient pas besoin
de demander l'Aide aux Vieillards. Le minimum devrait s'établir
à 100 dollars par mois et 150 pour les ménages. 2) Possibilité
d'obtenir une aide en signant une déclaration sous serment,
soumise à un contrôle immédiat. 3) Adoption d'une méthode
réaliste pour inciter au travail, de manière qu'aucun versement
de l'Assistance ne soit perdu jusqu'à ce que le total du salaire et
des secours descende au niveau de la pauvreté. 4) Décentralisation des services à l'échelle du quartier. 5) Limitation du
travail des assistants sociaux au service social, à l'exclusion des
enquêtes. 6) Embauche d'habitants du quartier pour aider les
précédents. 7) Extension du droit de décision en ce qui concerne
le refus ou la suppression des secours et uniformisation de son
application. 8) Participation des intéressés à la préparation des
mesures. 9) Obligation pour les États de se conformer à leurs

à ceux qui se spécialisent dans la musique et l'art dramatique d'organiser des divertissements [1].

Il convient de bien préciser que les possibilités d'un
tel programme n'ont d'autres limites que celles de notre
imagination et de notre audace. Car il ne fait ni plus ni
moins qu'appliquer aux habitants du ghetto cette même
puissance de vision et ce même goût de l'initiative qui
ont amené le reste d'entre nous jusqu'à notre actuel
niveau de confort et de force. Il ne fait ni plus ni moins
qu'appliquer aux besoins des défavorisés le principe
selon lequel pouvoir agir, c'est pouvoir décider, en
enrôlant ressources et énergies au service de la décision.

propres définitions des besoins minima lors du calcul des prestations. 10) Action énergique pour briser le rigorisme de l'actuel
système et octroi de l'aide suivant un seul critère : le besoin.

Il convient de noter que ces réformes ont un important point
commun avec des conceptions actuellement discutées dans
des cercles très étendus : restitution des impôts au-dessous
d'un certain palier, allocations familiales, supplément de revenu,
et revenu annuel garanti — toutes ces mesures ont en commun
avec celles que je propose un but fondamental : mettre au point
un système fondé sur les besoins et non pas de quelconques
barrières artificielles. Si nous mettons des emplois à la disposition de la population, lui donnant ainsi la possibilité de travailler, le coût de l'assistance sera grandement réduit et il
deviendra beaucoup plus aisé d'instituer ces réformes.

1. Ce qu'une Société de ce genre pourrait faire pour les habitants du ghetto, s'appliquerait également aux nouveaux arrivés
dans la ville; elle les dirigerait vers les secteurs névralgiques
ayant le plus besoin de main-d'œuvre, les aiderait à trouver
un emploi, ou à acquérir une formation professionnelle — assez
comme nous l'avons fait pour les réfugiés cubains fuyant le
régime de Castro. Un effort concerté de grande envergure
serait nécessaire pour aider le reclassement de ceux qui viennent
de l'Amérique rurale dans nos villes — voyage à bien des égards
plus difficile que celui de l'Europe Centrale aux États-Unis,
il y a cinquante ans. Il était extrêmement facilité en effet par
l'Aide aux Immigrants et autres Sociétés du même genre. Il faudrait faire revivre aujourd'hui cette tradition qui voulait que
chaque groupe aidât et conseillât ceux qui arrivaient après lui.

Le pouvoir d'agir est précisément ce qui a manqué au Programme d'Action communautaire contre la pauvreté. N'ayant pas les ressources nécessaires pour changer la vie des nécessiteux, ces programmes ont trop souvent été limités — quand ils ne se limitaient pas eux-mêmes — à des protestations : ce qu'ils ne pouvaient donner, ils pouvaient au moins aider leurs concitoyens à le réclamer aux autres, surtout à City Hall, l'Hôtel de Ville. L'ennui, c'est que City Hall n'avait ni argent, ni plan à fournir. Un autre résultat, plus pernicieux encore, est la tendance à une perpétuelle dépendance. Elle équivaut à la différence qu'il y a entre donner à un fils assez d'argent et d'instruction pour qu'il s'installe à son compte et lui en donner juste assez pour qu'il téléphone chaque semaine afin de demander des subsides. Organiser la communauté et lui insuffler une vie nouvelle a été une œuvre importante, certes. Mais si l'on ne veut pas que protestation et organisation dégénèrent en de futiles récriminations, il est grand temps d'agir, d'utiliser les énergies et l'intérêt désormais suscités en un effort constructif qui modèle et enrichisse l'existence des individus aussi bien que des communautés.

Pour fournir les ressources nécessaires à la guerre contre la pauvreté, je me suis tourné vers des méthodes susceptibles d'aider l'expansion et l'indépendance, en présentant avec le sénateur Jacob Javits, un « Programme Spécial de Choc » comme amendement à la loi de 1966 sur les débouchés économiques. Il prévoit une aide aux S.D.C. et aux sociétés industrielles ou commerciales privées pour la rénovation globale des régions frappées par la dépression. Bien que les projets se concentrent sur l'emploi et l'expansion économique, des fonds sont également destinés aux secteurs du logement, de l'instruction et de la formation professionnelle qui s'y rattachent étroitement. Si quelque système d'avantages fiscaux en faveur de l'industrie privée était voté, le Programme Spécial de Choc serait toujours disponible pour financer les efforts à base communautaire qui sont le complément nécessaire aux investissements. Mais à cette date, avec un budget de 25 millions de dollars pour 1966, il est le seul programme fédéral souple et complet qui incite les chefs d'entreprise à s'installer dans les zones urbaines de paupérismes et à embaucher sur place. Bien entendu, il ne saurait soutenir que quelques projets pilotes, fort peu nombreux. Mais nous espérons qu'ils pourront établir les principes de l'expansion communautaire sur un large front, avec la collaboration de l'industrie privée, du gouvernement local, des institutions privées — et les ressources indispensables au succès.

L'EXPÉRIENCE DE BEDFORD-STUYVESANT.

Une expérience est actuellement en cours pour mettre ces principes à l'épreuve, dans le quartier de Bedford-Stuyvesant, à Brooklyn, New York. C'est le deuxième ghetto noir du pays par ordre de grandeur : son périmètre, tracé avec une extrême précision, englobe 1 600 hectares et 400 000 habitants. Il a été abandonné par la population blanche avec une rapidité presque incroyable : en 1950, 50 % seulement des habitants étaient Noirs, en 1960 il y en avait 80 %, la moitié des 20 % restants étant composée de Porto-Ricains.

Quels que soient les termes de référence choisis, Bedford-Stuyvesant est pauvre. Les problèmes du logement, de l'emploi, de la santé, de l'instruction et de l'expansion économique communs à toutes les zones urbaines défavorisées y ont été rendus plus prononcés et plus urgents par la longue négligence du gouvernement. Il n'a presque rien reçu des centaines de millions de dollars que les autorités fédérales ont accordées à la ville en vingt ans; en dix années d'effort, il n'a pu obtenir une seule subvention pour un plan de rénovation urbaine.

Les propositions que je viens d'exposer ont été formulées à l'origine dans une série de trois discours que j'ai prononcés en janvier 1966. Peu après, lors d'une réunion à Bedford-Stuyvesant un groupe de personnalités marquantes du quartier a précisément réclamé un programme de ce type. Je me suis donc joint à eux, d'abord avec mes propres collaborateurs, puis avec un nombre croissant d'hommes d'affaires et de syndicalistes éminents, d'universitaires spécialisés, d'administrateurs de fondations et de personnalités officielles comprenant le sénateur Javits et le maire Lindsay.

La première nécessité fondamentale était un programme s'appuyant sur les points forts de la communauté et conçu expressément en fonction de ses besoins particuliers. Cette agglomération, avec une population de 400 000 personnes, supérieure à celle du Vermont ou du Wyoming, presque aussi nombreuse que celle du Delaware, n'avait qu'une seule école secondaire si délabrée que le *Board of Education*[1] voulait la fermer. Pas une grande source d'emploi, pas un hôpital ou une clinique à l'intérieur de son périmètre, un taux de mortalité infantile beaucoup plus élevé encore que dans les autres quartiers pauvres de la ville, mais en même temps des atouts sans pareils, comme une proportion de 15 % des logements achetés et non pas loués (alors qu'elle est de 2 % à Harlem).

La seconde nécessité fondamentale était une organisation qui se chargeât d'accomplir le travail. Il est relativement aisé de voter des lois, d'élaborer des programmes,

1. Cf. p. 90.

d'annoncer des buts à atteindre et de créer des organismes gouvernementaux, mais mettre les plans en œuvre
est beaucoup plus difficile. La question est toujours de
savoir qui assumera la responsabilité de faire exécuter
la besogne et qui l'exécutera. De plus, les desseins ambitieux de ce projet exigeaient la participation d'hommes
aux capacités exceptionnelles. Si, par exemple, on voulait
que les grandes banques et compagnies d'assurances
constituent un pool pour financer les hypothèques et
mettre à la disposition de la reconstruction les centaines
de millions de dollars nécessaires, il ne serait pas inutile
de faire participer activement leurs représentants à tous
les plans et décisions.

La mise en route fut annoncée en décembre 1966, avec
la création de deux Sociétés. L'une, constituée par les
habitants eux-mêmes sous la présidence du juge Thomas
Jones avec l'ancien préfet de police adjoint Franklin
Thomas comme directeur exécutif, devait être responsable de l'établissement des objectifs et priorités, ainsi
que des affaires courantes dans tous les secteurs du
développement communautaire : logement, instruction,
formation professionnelle, santé, etc. L'autre, composée
par d'éminents hommes d'affaires sous la présidence
de l'ancien Secrétaire au Trésor Douglas Dillon et conseil-
lée jour après jour par Eli Jacobs, jeune directeur d'une
banque d'investissements [1], donnerait son avis sur les
activités concernant l'expansion économique, recher-
cherait les investissements privés, les fonds et stimulerait

1. Parmi les autres membres, on peut citer, David Lilienthal,
ancien directeur de la commission de l'Énergie atomique et
aujourd'hui de la *Development and Ressources Corp.*; André
Meyer de Lazare Frères et & Cº; George Moore de la *First National City Bank;* James Oates de l'*Equitable Life Assurance
Society*, William Paley de *Columbia Broadcasting System;*
Benno Schmidt de J. H. Withney & Cº; Thomas Watson
de l'*International Business Machines Corps;* le sénateur Jacob

la création d'emplois. De généreuses donations ont été faites par les fondations Astor et Ford ainsi que par le ministère du Travail sous l'autorité de Willard Wirtz en collaboration avec la ville de New York.

Dès l'été de 1967, ces organismes commençaient à fonctionner effectivement et bien qu'il soit encore beaucoup trop tôt pour se targuer de résultats importants, les directions prises par ces premiers efforts valent d'être notées.

Premièrement, les plans sont globaux et à long terme, faisant intervenir les habitants, le groupe des affaires, la ville et le gouvernement fédéral. Des demandes de permis pour la rénovation urbaine ont été présentées, non pas pour évincer les occupants actuels, mais pour donner à la communauté la possibilité de contrôler l'utilisation des terrains et l'implantation des services ou entreprises. Dans le domaine économique, les plans visent essentiellement à créer une communauté viable, capable de se suffire par elle-même, avec des emplois pour tous les habitants qui peuvent travailler. Le développement d'industries légères et de services soit locaux, soit destinés à la population plus importante du centre de Brooklyn, est poursuivi.

Deuxièmement, et c'est tout aussi important, les plans font intervenir la communauté elle-même; bien plus ils en sont l'émanation. L'architecte I. M. Pei, par exemple, après avoir étudié la circulation de Bedford-Stuyvesant, a conclu qu'une surface considérable de rue pourrait

Javits, mon collègue au Sénat et Roswell Gilpatric, ancien Sous-secrétaire à la Défense qui occupe également le poste de conseiller général. Je tiens à ajouter que l'entreprise n'aurait pu progresser sans l'intérêt et le soutien apportés par Raymond Corbett, président de l'AFL-CIO pour l'État de New York, Peter Brennan, Président de *New York State Building Trades* et Harry van Arsdale président du *New York City Central Labor Council.*

être affectée à d'autres usages. En conséquence, la Société est en train d'élaborer des plans pour une série de super-blocs qui fermeront certaines voies intérieures dans des groupes d'immeubles résidentiels, libérant ainsi des surfaces importantes pour les parcs, les terrains de jeux et les activités communautaires. Grâce à une donation de la fondation Astor, il aurait été possible d'acheter tout simplement un bloc ou deux pour en faire des projets-pilotes, mais la Société préfère obtenir — non sans peine — le consentement et la participation de tous les habitants des immeubles en question.

Troisièmement, tous les programmes tendent à la création d'emplois. Ainsi, la Société a pu acheter le plus vaste bâtiment de la zone intéressée, une vieille usine d'embouteillage, pour y installer son quartier général et le centre de la communauté. La rénovation attend que les habitants aient reçu la formation nécessaire pour l'exécuter eux-mêmes. Les plans d'un très important centre commercial sont conçus en fonction non seulement des besoins du quartier mais des programmes d'apprentissage, afin que les habitants puissent occuper presque tous les emplois, et par la suite, jusqu'aux postes de direction. Dans cette entreprise la Société a le plein appui du mouvement syndical et dès maintenant de jeunes Noirs apprennent les métiers de charpentier, briqueteur et mécanicien avec l'aide et l'assistance de celui-ci.

Quatrièmement, de nouvelles méthodes et des innovations sont essayées dans tous les domaines. Des études se poursuivent pour la création d'une « Université des Rues » où des cours à temps partiel seraient proposés dans tout le quartier; également sur l'agenda un système de télévision en vue d'assurer les communications et un forum pour les débats à l'intérieur de la communauté.

Cinquièmement, et à certains égards c'est là l'essentiel, tous les programmes sont conçus et exécutés, dans la mesure du possible, sur la base de l'autofinancement, de manière à pouvoir se passer dès que la chose sera faisable des crédits publics ou des donations charitables. Le processus sera long, mais il est nécessaire. Un projet prévoit, par exemple, l'acquisition par la communauté de la plus grande partie des surfaces rénovées, qui seront ensuite louées soit à des particuliers, soit à des entreprises commerciales. Ces propriétés, en augmentant de valeur, lui assureront des revenus régulièrement accrus, ne dépendant ni des crédits du Congrès, ni de la générosité des fondations, et disponibles pour le soutien de toute activité qu'elle décidera d'entreprendre — par exemple la création d'une école privée afin de comparer ses résultats à ceux des établissements d'enseignement public, une colonie de vacances pour les enfants, une nouvelle coopérative, un théâtre, un stade, ou une galerie d'art. Joint à l'indépendance personnelle accrue découlant d'emplois stables et de qualifications améliorées, un tel revenu rendrait Bedford-Stuyvesant maître de son destin, collaborant activement avec les institutions du secteur privé et du gouvernement, mais sans dépendre d'aucune. Ce résultat, s'il est possible de l'obtenir, serait peut-être un premier pas vers la solution d'un grand nombre des maux dont souffrent nos villes. Même en ce qui concerne cette tentative, très circonscrite, beaucoup reste à faire, beaucoup reste à voir, avant que nous sachions si elle a eu des effets. Mais, avec l'aide de nombreuses personnes et de nombreuses institutions, un premier jalon a été planté.

LA VILLE ET AU-DELA.

Bedford-Stuyvesant est une expérience qui dépasse de loin le domaine économique et social pour atteindre celui de la politique. C'est une tentative d'administration

autonome, une chance de ramener le gouvernement au
niveau des habitants de la zone intéressée. Car la perte
du sens communautaire est un problème qui ne se limite
pas au ghetto, il nous affecte tous. Lotissements et ensembles d'immeubles poussent comme des champignons,
mais rien n'est prévu pour les promenades, pour les
mères et leurs enfants, pour les activités de groupe. Le
lieu de travail est loin, au bout de tunnels noircis ou
d'autoroutes encombrées ; le docteur, l'homme de loi,
les fonctionnaires du gouvernement sont souvent ailleurs
et à peine connus. En fait, trop de banlieues agréables
et de rues dans la ville ne sont que des lieux pour dormir,
manger, regarder la télévision et non pas de vraies communautés. Vivant dans trop d'endroits différents, nous ne
vivons nulle part. Il y a bien longtemps Alexis de Toc-
queville avait prévu le sort de populations ainsi déra-
cinées : « Chacun d'entre eux vivant à part est étranger
au sort de tous les autres — ses enfants et ses amis personnels représentent pour lui toute l'humanité ; quant
au reste de ses concitoyens, il est proche d'eux, mais
il ne les recherche pas ; il les touche, mais il ne les sent
pas... on peut dire en tout cas qu'il a perdu son pays ».

Lewis Mumford faisait récemment observer que « la
démocratie, au sens actif, commence et finit avec des
communautés assez petites pour que leurs membres
puissent se rencontrer face à face ». On peut discuter
des dimensions idéales, mais à coup sûr, il existe des
arguments puissants en faveur de la décentralisation
de certaines fonctions municipales et de certaines activités du gouvernement, quelle que soit la race ou la
situation économique des gouvernés, qu'ils vivent dans
le centre de la ville ou en banlieue.

Bien entendu, ces observations n'ont rien d'extra-
ordinaire, ni même de neuf. Dès 1825, trente ans tout
juste après la fondation de la nation, Jefferson écrivait

que « le salut de la République » dépendait de la régénération et de la diffusion des principes en vigueur dans les municipalités de la Nouvelle-Angleterre, principes déjà menacés par les gouvernements des États. Durant les cent cinquante ans écoulés depuis lors nous avons périodiquement déploré la disparition de l'initiative et de l'autorité locales dans notre vie quotidienne. Mais la question prend maintenant une urgence plus grande encore, à mesure que la croissance des villes nous pousse vers une « société de masse », effrayante vision d'êtres humains mués en pions interchangeables, d'une classe moyenne aussi impuissante que les indigents à influencer les décisions du gouvernement.

Pour s'attaquer à ce problème, Jefferson réclamait la division de la nation, à l'intérieur de chaque État et communauté, en ce qu'il appelait « des républiques d'arrondissement » — d'une superficie égale au quart environ d'un comté du XIXe siècle — qui pourvoiraient à l'entretien et au fonctionnement de leurs propres écoles primaires, d'une compagnie de milice, de leurs tribunaux de première instance, de leur police et de leurs services d'assistance. « Chaque arrondissement serait ainsi une petite République par lui-même », ajoutait-il « et chaque homme dans l'État deviendrait membre actif du gouvernement commun, exerçant en personne une grande partie de ses droits et devoirs, subordonné certes, mais cependant important et entièrement maître de lui-même dans son ressort ». Il concluait ainsi : « L'esprit humain ne saurait concevoir base plus solide pour une République libre, durable et bien administrée ».

Nous sommes fort loin du temps de Jefferson. Pourtant presque un siècle et demi d'histoire nous a aussi apporté quelques atouts pour nous aider à concevoir une démocratie fondée sur la participation. Notre population est plus instruite, nos communications ont fait

d'énormes progrès et nous sommes plus riches. La vitalité
et l'efficacité de centaines d'organisations — clubs politiques, associations de parents d'élèves, groupes d'action
contre la pauvreté — attestent l'énergie et l'intelligence
du peuple américain, non pas dans les cas isolés, éparpillés,
mais à travers un large éventail de toutes les classes
économiques et sociales, dans toutes les communautés
et toutes les régions. Ces mêmes fonctions municipales
que Jefferson jugeait les plus appropriées pour le gouvernement d'arrondissement, la trame de la vie jour-
nalière dans les villes — écoles primaires, heures du ramas-
sage des ordures, réglementation de la circulation —
tout cela serait mieux ordonné et mieux administré
par des organismes locaux. On note déjà quelques exemples d'une telle décentralisation, comme par exemple
à Columbus, Ohio, où l'*East Central Citizens Organi-
zation* (ECCO) animée par un éminent ministre luthé-
rien, le pasteur Bernhard, et installée dans le local d'un
ensemble créé par l'église, a pris les services sociaux
en charge, constituant sur cette base une assemblée
démocratique, pensante et agissante, des habitants de la
région.

Quant à la décentralisation de l'instruction, il en est
question partout. Nos écoles, comme les autres services
municipaux, fonctionnent avec le souci supposé de
l'efficacité, sur la base de la ville prise comme unité :
qu'elle ait deux mille habitants ou deux millions, leur
structure est la même. Le traditionnel conseil d'administration (*board*) est un moyen d'assurer un contrôle démocratique sur l'enseignement; un groupe de citoyens
surveille les administrateurs professionnels pour s'assurer
au moins que les grandes orientations, sinon les détails
de leur mise en œuvre, sont déterminées par la communauté et les parents qu'elle compte. Dans une petite
ville, cet organisme fonctionne très bien parce que ses

membres sont connus, accessibles et que leur réunion représente un secteur important de la population. Mais dans une ville comme New York, ou Chicago, le *Board of Education*, si dévoués et capables que soient ses membres, est forcément aussi anonyme et aussi loin de la masse des citoyens que n'importe quel autre rouage de la bureaucratie.

Les dimensions mêmes du système, les budgets énormes, les problèmes écrasants font que le conseil s'écarte des considérations d'ensemble pour se perdre dans le labyrinthe des détails. Plus dangereux encore, étant coupé des parents et des citoyens de l'agglomération, il tend à s'identifier avec la bureaucratie qu'il avait pour mission de surveiller, ou avec la seule partie de la communauté qu'il est censé représenter. Une autre conséquence de ce gigantisme est que les responsabilités du conseil sont trop diverses et trop nombreuses pour lui permettre d'agir efficacement. Les quartiers défavorisés et insalubres présentant des problèmes scolaires spéciaux peuvent avoir 350 000 habitants, c'est-à-dire une population égale à Fort Worth, par exemple, qui était en 1960 la trente-quatrième ville des États-Unis. Mais même des centaines de milliers d'êtres humains noyés au milieu de millions d'autres ne peuvent, bien souvent, attirer l'attention d'un organisme à l'échelle de la ville sur leurs difficultés particulières.

Certaines communautés, surtout dans les zones à bas revenu, ont déjà réclamé un contrôle local plus poussé sur leurs écoles et des expériences dans ce sens se poursuivent actuellement à New York. Une telle décentralisation est non seulement possible mais extrêmement souhaitable, quelle que soit la situation économique de la zone intéressée. De nouvelles institutions au niveau local, comme l'expérience de Bedford-Stuyvesant, la faciliterait. En fait leur développement pourrait restituer

quelque part de responsabilité dans le contrôle de
nombreux services — non pas seulement l'enseignement
mais l'assistance, les loisirs, la santé et l'hygiène — à
ceux que ces organismes sont censés servir, qu'ils vivent
en ville ou à la campagne.

Ces nouvelles institutions auraient la possibilité de
jouer encore un autre rôle : aider à accélérer le rythme
de l'action en s'assurant que le point de vue des habitants
est entendu sur des problèmes qui ne peuvent être finalement résolus qu'au niveau de la ville, de la capitale,
ou même des États : pollution de l'atmosphère et des
eaux, circulation, transports, délimitation des zones
et finances locales [1].

La lutte contre la criminalité offre également des
possibilités à la Société locale, à la fois sur le plan de la
communauté pour tenter de nouveaux efforts et plus
généralement pour exprimer l'opinion des habitants
sur la nécessité d'un renforcement des mesures destinées
à faire respecter la loi. Il est peu de problèmes qui sus-
citent plus d'inquiétude à travers le pays et nous pouvons,
nous devons, faire beaucoup plus dans ce domaine à
tous les niveaux du gouvernement. A l'intérieur du

---

1. Prenons par exemple la pollution atmosphérique. Tous
ceux qui ont passé quelque temps dans une grande ville au
cours des récentes années en ont fait l'expérience : il suffit de
regarder et de respirer. La plupart d'entre nous savent aussi
que les décès et les maladies qu'elle provoque ont augmenté
de manière inquiétante. Mais ce que l'on sait moins, c'est que
dans de très nombreuses agglomérations — dont New York
est l'exemple le plus remarquable — elle pourrait être réduite
de façon massive par une mesure très simple et parfaitement
à notre portée : si les services publics brûlaient un mazout
plus raffiné, la teneur en soufre de l'atmosphère pourrait être
réduite de près de 50 p. 100 sans qu'il en coûte grand-chose
aux usagers. Si plus de gens étaient au courant et s'étaient
organisés plus efficacement pour l'exiger, cette décision aurait
pu être prise depuis longtemps.

périmètre de sa propre zone, la Société pourrait prendre certaines initiatives pour aider les activités normales de la police, enrôler des jeunes comme auxiliaires, par exemple, afin d'assurer la sécurité des rues à peu près comme cela s'est passé l'été dernier avec les « Chapeaux Blancs » à Tampa, Pride Inc., à Washington et avec d'autres groupes similaires à Dayton, Ohio, et à Brooklyn. J'ai pu constater que ce n'est pas la brutalité de la police, mais l'insuffisance de sa protection qui inquiète les habitants des taudis; si la communauté se chargeait de fournir une part au moins des garanties nécessaires, elle contribuerait à dissiper cette inquiétude.

En même temps, la Société locale pourrait concentrer tous les efforts faits en vue d'obtenir une action plus vigoureuse contre le crime organisé. Pas de jour où il n'imprime sa marque hideuse sur la vie du ghetto — par le trafic de la drogue, la prostitution, l'usure, le noyautage de quelque syndicat dans les emplois les plus mal payés. Lorsque j'étais Attorney-General, j'ai vu de mes yeux le changement que peut apporter la volonté renouvelée de lutter contre de telles pratiques. En 1961 environ vingt-cinq organismes fédéraux différents avaient quelque responsabilité dans la répression de la criminalité. Nous avons institué un service spécial au ministère de la Justice afin de centraliser — pour la première fois — enquêtes, et poursuites judiciaires. Puis nous avons commencé à traduire devant les tribunaux certains des personnages les plus en vue du « milieu »; les condamnations ont augmenté dans la proportion de 1 400 %. En outre, nous avons ouvert un centre d'information sur le crime organisé afin d'aider les responsables de la répression au niveau des États et des localités, à la suite de quoi le nombre des poursuites a notablement augmenté dans certaines régions. Mais j'ai pu également constater, au cours de ces années, que faire respecter la loi est dans une grande mesure affaire d'engagement public. L'action nécessaire des fonctionnaires et des dirigeants — y compris leur volonté de rechercher et d'affecter des ressources suffisantes — dépend à son tour de l'intérêt et du soutien de la communauté. Mobiliser celle-ci, l'organiser en groupes qui puissent à la fois stimuler et exprimer cet intérêt, tout cela constitue un élément vital du processus. Une fois la préoccupation du public éveillée, on peut faire beaucoup de choses[1].

Bedford-Stuyvesant est donc infiniment plus qu'une expérience d'auto-réhabilitation des taudis. C'est la démonstration d'une transformation politique qui pourrait renforcer en chacun de nous le sens de la communauté. Ses effets ne se feront pas sentir du jour au lendemain; accomplir l'œuvre dont j'ai esquissé les grandes lignes prendra du temps. Et l'idée de nouveaux organismes à l'échelon local n'est pas une panacée. Il faut qu'elle s'intègre dans un programme qui fasse intervenir à tous les stades le gouvernement, ainsi que les diverses institutions privées de la société américaine. Leur formation ne sera pas facile non plus. Elle exigera des personnalités dynamiques, recrutées dans la communauté même, mais aussi à l'échelon de la ville, des esprits larges

1. Nous devrions veiller, par exemple, à ce que les méthodes d'entraînement de la police soient améliorées, les salaires fixés à un taux convenable pour permettre de recruter en nombre suffisant un personnel compétent, les tribunaux réorganisés pour juger plus rapidement les cas qui leur sont soumis, les prisons et les maisons de redressement en mesure de donner instruction et formation professionnelle afin que les prisonniers libérés trouvent plus facilement du travail, et enfin que le système des mises en liberté surveillée soit amélioré pour jouer un rôle efficace dans l'œuvre de réhabilitation. Les nouvelles institutions communautaires que j'ai étudiées plus haut pourraient fournir une expression valable à l'intérêt des groupes pour toutes ces réformes dont le besoin est urgent si l'on veut faire mieux respecter la loi et réduire la criminalité.

et ouverts, qui reconnaissent la nécessité d'organismes plus petits au sein desquels les habitants des divers quartiers puissent s'exprimer. Les membres des conseils municipaux représentent bien ces derniers, mais ils ne peuvent connaître les besoins et les intérêts des particuliers comme le ferait un organisme local plein d'allant. Des avantages fédéraux pour encourager ces nouvelles institutions seront sans doute également nécessaires.

De toute évidence, ce n'est pas là le seul programme valable pour la ville dans son ensemble et le ghetto en particulier. Nombre d'autres suggestions ont été faites qui devront être examinées avec le plus grand soin. Il nous faudra améliorer la qualité des institutions que nous possédons déjà : rapports Fédération-villes, écoles, hôpitaux, services du logement. Il nous faudra tenter de résoudre ces problèmes que la société tout entière s'est créée à elle-même : la pollution du milieu, le crime dans les rues, la qualité même de notre vie. Il nous faudra développer les régions rurales pour que leurs habitants, qui émigrent aujourd'hui dans les villes, puissent rester chez eux s'ils le désirent et que ces dernières ne soient pas inutilement envahies par des vagues sans cesse renouvelées de nouveaux arrivés.

Mais tous nos efforts de coopération ne serviront pas à grand-chose, s'ils ne parviennent à redonner de l'importance à la vie de l'individu. Il y a bien longtemps, les Grecs définissaient le bonheur comme « l'exercice des puissances vitales sur la voie de la perfection, dans une vie qui leur donne libre carrière ». Atteindre cet objectif devient de plus en plus difficile avec les organisations géantes et les bureaucraties massives de notre époque. Pourtant, c'est vers lui que nous devons tendre, en aidant les hommes et les communautés à préserver un coin de monde où évoluer, exercer l'esprit et le corps dans cet effort « non seulement pour égaler, ou ressembler, mais pour exceller », dont John Adams nous a dit qu'il « serait toujours le grand ressort de l'action humaine » et qui était notre but à tous il y a deux siècles, courte période qui a pesé si lourd dans notre destin et celui du monde.

L'Alliance pour le Progrès

L'Alliance pour le Progrès a été l'une de nos initiatives les plus riches d'espoir en politique étrangère puisqu'elle offrait la possibilité d'une association nouvelle et plus étroite entre tous les pays d'Amérique. Lors d'un voyage fait en 1965, j'ai pu constater de nombreuses améliorations et de nombreuses régressions aussi. Coups d'État militaires, économies stagnantes, expansion démographique incontrôlée, îlots de privilèges exorbitants dans des océans de pauvreté affreuse, tout cela joint à la blessure toujours vive provoquée par l'intervention des États-Unis en République Dominicaine, a sérieusement menacé les espoirs audacieux de l'Alliance. Certaines des difficultés nous sont imputables et d'autres, beaucoup plus nombreuses, aux pays latino-américains eux-mêmes.

En effet, pour ces derniers, le développement dépend infiniment moins de l'argent que de l'état d'esprit. La justice et l'impression de participer à la vie de la nation sont les conditions préalables sans lesquelles aucun progrès matériel ne pourra être réalisé. Les dépossédés et les sans-terre ne travailleront pas pour améliorer des domaines qu'ils ne possèdent pas et dont les fruits leur

4

échappent entièrement. Les parents ne se sacrifieront pas pour assurer une instruction à leurs enfants et les enfants eux-mêmes n'étudieront pas si leurs écoles s'arrêtent à la troisième et s'ils sont jugés « inaptes » pour l'admission dans les classes plus élevées. L'initiative individuelle ne saurait s'épanouir dans une société fermée qui réserve fortune, puissance et privilèges aux mêmes castes, aux mêmes familles qui les détiennent depuis trois siècles.

Ainsi donc, ce sont les Latino-Américains qui doivent donner corps à l'Alliance. Nous pouvons les aider, mais seulement par la conscience renouvelée de notre propre héritage, de nos plus vieux rêves et la volonté de nous consacrer à leur service. Sans cet esprit l'Alliance pour le Progrès, le *Peace Corps*, tous nos efforts seront vains. Avec lui, quels que soient les obstacles, il n'est pas de pauvreté matérielle qui ne puisse être surmontée.

LA CHARTE ET SES ORIGINES.

Au printemps de 1961, le Président Kennedy appela tous les peuples de l'hémisphère à s'unir en une nouvelle Alliance pour le Progrès « un effort de coopération aux objectifs d'une ampleur et d'une noblesse sans pareille, afin de satisfaire les besoins fondamentaux des Amériques : logement, travail, terre, santé et écoles : *techo, trabajo y tierra, salud y escuela* ». Il proposait « un nouveau et vaste plan de dix ans, un plan destiné à faire des années 1960 une décennie historique de progrès démocratique ».

La suggestion fut acceptée par tous les pays d'Amérique latine à l'exception de Cuba. En août 1961, à Punta del Este (Uruguay) vingt nations signèrent la charte d'une Alliance établie sur le principe essentiel que des hommes libres, œuvrant dans le cadre des institutions

de la démocratie représentative, sont les mieux à même
de satisfaire aux aspirations communes de toute l'humanité. Les signataires s'engageaient à un effort de développement qui visait à une augmentation minimale de
2,50 % par an du revenu par tête. Mais il y avait là
beaucoup plus qu'une promesse d'expansion économique.
La charte prévoyait aussi un programme complet de
réformes et de rénovation des structures dans tout l'hémisphère[1]. Les États-Unis garantissaient une assistance annuelle extrêmement diversifiée d'un montant de 1 milliard
de dollars au moins, pour aider à rendre possibles toutes
ces modifications.

L'Alliance pour le Progrès répondait aux nécessités
des années 1960, mais elle plongeait ses racines beaucoup

1. Les éléments spécifiques de l'engagement étaient les suivants : une répartition plus équitable des revenus nationaux,
l'élévation plus rapide des ressources et du niveau de vie dans
les secteurs les plus défavorisés de la population, la diversification des structures économiques nationales afin d'éviter
qu'elles dépendent de quelques matières premières trop limitées en nombre, l'accélération de l'industrialisation et surtout
des investissements productifs, pour accroître la productivité,
la capacité de stockage, les transports et les marchés ; une réforme
agraire complète en vue de remplacer les latifundia et les parcelles minuscules par un régime foncier équitable, de manière
qu'avec des crédits, une assistance technique et une meilleure
commercialisation, la terre devienne pour celui qui la travaille la base de sa stabilité économique, la fondation d'un bien-
être toujours croissant, la garantie de sa liberté et de sa dignité ;
l'élimination de l'analphabétisme avec une instruction poussée
jusqu'à la 6e pour tous les enfants d'âge scolaire ; l'amélioration de la santé publique, y compris de nouveaux réseaux
d'adduction d'eau et d'égouts pour 70 p. 100 de la population
urbaine et 50 p. 100 de la population rurale ; l'extension des
services du logement et des services publics pour les centres
urbains et ruraux, la stabilité des prix, sans oublier la nécessité
de maintenir un taux satisfaisant d'expansion économique ;
enfin des programmes de coopération destinés à éviter les conséquences fâcheuses de fluctuations excessives dans les rentrées
de devises étrangères dues aux exportations.

plus avant dans le temps. Par le passé, les U.S.A. avaient
agi en « protecteurs » de la stabilité dans l'hémisphère,
intervenant militairement vingt et une fois auprès de
pays latino-américains dans la seule période allant de
1898 à 1924. Trop souvent notre grande puissance
s'était employée non pas pour promouvoir la liberté
et les aspirations de ces nations, mais pour protéger nos
intérêts économiques à court terme au nom de la stabilité. Les interventions militaires prirent fin avec l'instauration d'une politique de bon voisinage; les derniers
« Marines » quittèrent les Caraïbes dans les années 1930
et les relations s'améliorèrent grâce à la coopération
inter-américaine pendant la Deuxième Guerre Mondiale.
Mais, au cours des années qui suivirent le conflit, notre
attention, nos énergies et nos ressources furent en grande
partie consacrées à la tâche vaste et urgente de la reconstruction européenne, à l'endiguement de la puissance
soviétique d'abord, puis à l'établissement d'une paix
juste et durable avec elle. L'Amérique latine fut éloignée
et ignorée. Pendant les quinze premières années après
la guerre, nous avons fourni 30 milliards de dollars à
l'Europe, 15 milliards à l'Asie, et 2,5 milliards seulement
à notre propre hémisphère, pour aider les économies
déclinantes de tout un continent sous-développé! Nous
nous sommes contentés d'accepter et même de soutenir les
gouvernements en place, quels qu'ils fussent, en leur
demandant seulement de ne pas troubler le calme super-
ficiel de ces régions. Nous avons distribué des décora-
tions à des dictateurs et louangé des régimes rétrogrades;
nous nous sommes progressivement identifiés avec des
institutions et des hommes qui maintenaient leur pays
dans l'indigence et la terreur.

Vers la fin des années 1950, les échecs de cette politique — qui était plutôt un manque de politique —
aboutirent à des explosions d'anti-américanisme et au

développement du communisme. Le vice-président Nixon fut insulté et lapidé par des foules en furie à Caracas. A Cuba, la révolution communiste — née beaucoup moins des agissements de Castro et de sa bande dans la Sierra Maestra que de la tyrannie sanglante et corrompue de Batista — s'empara du pouvoir et le défi lancé par Castro aux U.S.A. suscita une secrète admiration chez nombre d'hommes foncièrement hostiles au marxisme, mais réjouis de voir l'embarras de l'énorme géant du Nord, apparemment sans cœur et sans pitié.

C'est ainsi que nous fûmes rudement tirés de ce que Roberto Campos a appelé « la périlleuse accalmie ». Les dirigeants latino-américains saisirent l'occasion pour réclamer instamment des changements. Au Brésil, le Président Kubitschek proposa une grande Opération (dite Pan-America); des hommes d'État ouverts au progrès comme Romulo Betancourt au Venezuela trouvaient des forces nouvelles dans leur pays et des encouragements nouveaux aux U.S.A. Au mois d'août 1958, nous avions accepté la création de l'*Inter-American Development Bank* et pris l'engagement en 1960 par l'acte de Bogota[1], de tenter certaines mesures pour favoriser les réformes sociales. Puis, en 1960, également, le Congrès vota un crédit de 500 millions de dollars affectés à un Fonds pour le Progrès Social que devait administrer la nouvelle Banque.

La scène était prête pour le déroulement de la grande aventure — l'Alliance pour le Progrès — une Alliance dont le but n'était rien de moins que d'élever tout un continent au niveau de l'ère moderne. Une profonde différence la distinguait des relations que nous avions eues jusqu'alors avec l'Amérique latine. Elle

1. Texte adopté par la commission spéciale (dite des 21) du Conseil de l'organisation des États américains chargée d'élaborer des mesures pour la coopération économique (N. de la T.).

s'appuyait en effet sur la conviction que l'important n'était pas la courbe des statistiques économiques, mais la réalité humaine et spirituelle qu'elle recouvrait. Il importait peu que l'économie d'un pays s'accrût de quelques millions de dollars, si cet argent n'était pas utilisé à améliorer la condition des dépossédés et des affamés. Aucun progrès matériel n'apporterait la dignité à la vie des hommes si leurs semblables ne les traitaient pas avec l'honneur et le respect dus aux citoyens d'un État juste et démocratique. En outre, il ne pourrait y avoir aucune paix durable dans les Amériques tant que les relations entre leurs nations ne seraient pas fondées sur une compréhension profonde et sincère des espoirs, des droits et de l'avenir des populations dans toutes les parties de l'hémisphère. Par conséquent, l'Alliance n'était ni ne pouvait être un programme d'assistance U.S. : il fallait que ce fût un effort concerté de toutes les nations américaines. En effet, une offensive visant au-delà de la pauvreté pour éliminer l'oppression et l'exploitation de l'homme par l'homme, qui avaient été pendant trop longtemps les dominantes de l'hémisphère, ne pouvait être montée que par les pays latino-américains eux-mêmes.

C'était donc s'engager à opérer des transformations révolutionnaires, aussi bien pour ces derniers que pour les U.S.A. Mais ni chez les uns ni chez les autres la nécessité de tels changements n'était alors acceptée par tous, elle ne l'est toujours pas aujourd'hui. D'aucuns estiment encore possible d'assurer la stabilité et de vaincre le communisme par la force des armes; ou, point de vue diamétralement opposé, que les mécanismes économiques du XXe siècle peuvent être développés et maintenus en bon état de fonctionnement dans des structures sociales qui étaient déjà dépassées au XVIIIe. Mais le *statu quo* ne saurait être sauvegardé en Amérique latine. La question cruciale est de savoir, non pas si nous pouvons éviter le changement mais si, lorsqu'il surviendra, il conduira vers le progrès et la justice par l'action d'hommes libres dans le cadre d'institutions démocratiques, et quant à nous s'il servira, ou lèsera l'intérêt national des U.S.A.

Pour bien saisir toute l'acuité du problème et le sens des choix devant lesquels nous nous trouvons, il est nécessaire d'examiner d'abord ce qu'est l'Amérique latine — sa géographie et ses ressources, l'héritage du passé et les courants tumultueux de l'avenir.

LA TOILE DE FOND DES CHANGEMENTS.

L'Amérique latine est, dans une large mesure, une abstraction recouvrant une diversité aussi vaste que complexe. Chaque nation possède ses institutions, son histoire, son rêve de l'avenir. Ressources, instruction, importance et composition de la population, niveau et genre de vie — tout cela diffère grandement non seulement de l'une à l'autre, mais à l'intérieur de chacune. Pourtant, les traits communs sont nombreux aussi, au premier rang desquels on peut placer le sentiment de respect et de profonde affection qu'elles inspirent au visiteur, ne serait-ce qu'en raison de leur persévérance en face d'une adversité continue. Selon l'économiste mexicain Victor Urquidi : « Ces populations ont subi trois siècles de domination coloniale, cent ans de guerre civile, l'invasion, et diverses formes de massacre organisé, l'exploitation des propriétaires terriens indigènes et des investisseurs étrangers, les effets de la dépression économique mondiale dans les années 30, plus récemment les guerres chaudes et froides des grandes puissances — et pendant tout ce temps un degré de corruption et de répression presque intolérable ».

Aujourd'hui encore, elles s'accrochent à la vie d'une main peu sûre, comme si elles subsistaient sur la terre sans lui appartenir vraiment. L'existence est brève et l'œuvre humaine transitoire; on dirait que pour certains Pizarre est venu il n'y a qu'un moment. Les gouvernements semblent surgir et disparaître presque au hasard, la dynamique du changement donnant l'impression d'être entièrement arbitraire. Un gouvernement civil peut réduire les privilèges des militaires, la Marine entrer en conflit avec l'Armée de terre, ou deux services de celle-ci se combattre, ou un président élu par le peuple devenir fou, ou l'Armée en éliminer un autre pour cause d'intempérance.

Pour un Nord-Américain, les étiquettes politiques prêtent à confusion et tout jugement hâtif est dangereux. Les intéressés eux-mêmes se perdent parfois dans les contradictions et les imbrications des partis ou des factions. Il y a une « droite » du passé, celle de la vieille oligarchie terrienne, et une « droite » du présent, celle du commerce et des affaires. Il y a dans le peuple des forces réactionnaires, des forces de progrès démocratique et les forces du socialisme marxiste ou du communisme. Les divisions et les antagonismes peuvent être aussi grands entre deux mouvements de droite qu'entre la gauche et la droite. Il en va de même pour les forces populaires : les anciens dictateurs Odría au Pérou et Perón en Argentine s'assuraient les votes des prolétaires habitant les bidonvilles par des programmes en leur faveur (Perón avait également partie liée avec les syndicats) bien que ni l'un ni l'autre ne fût démocrate ou progressiste et que tous deux eussent réprimé les partis socialisants, même les moins agressifs. Nombre de factions dans cette arène politique en perpétuel bouleversement ont leurs alliés militaires, prêts à rechercher au moyen de la force une suprématie refusée par l'électorat. Et sous-jacente à tous ces remous, on trouve l'action subtile de la classe sociale : un révolutionnaire communiste du grand monde sera parfois traité avec plus de clémence par les autorités qu'un réformateur modéré de la bourgeoisie ou du peuple.

L'inflation, la plus cruelle des dîmes prélevée sur le fermier ne possédant aucune terre ou l'ouvrier isolé, est endémique dans certains pays et les économies de multitudes d'hommes peuvent être presque réduites à rien en une année. Pourtant, cette incertitude déchirante elle-même ne touche pas les millions de Latino-Américains qui vivent entièrement en dehors des circuits monétaires.

Les aléas de la géographie.

Physiquement, le continent n'a pas été conquis. Les distances sont immenses : plus de 1 100 kilomètres de Guayaquil en Équateur à Lima au Pérou, puis encore 2 400 jusqu'à Santiago sur la côte ouest, encore 1 060 jusqu'à Buenos Aires, encore 1 800 jusqu'à Rio de Janeiro et de Rio à Caracas encore 2 955. Entre ces villes, bien souvent, il n'y a rien, rien que des montagnes, des déserts, de vastes plaines ou des jungles. Le Chili qui a 3 945 kilomètres de long, n'est peuplé que de huit millions d'habitants dont près de trois millions et demi dans la seule ville de Santiago et ses alentours. C'est un peu comme si la population de New York était éparpillée depuis Goose Bay au Labrador jusqu'à Key West, avec les Montagnes Rocheuses à moins de 150 kilomètres de l'Atlantique. Des capitales qui groupent parfois le tiers ou même la moitié des habitants du pays sont souvent, telles des îles au milieu de l'océan, coupées par une nature hostile de tout contact entre elles ou avec le monde extérieur. Les communications sont précaires, Washington

étant souvent plus accessible que des capitales avoisinantes. Il en va de même pour les pays. Le Pérou et
le Chili, voisins, sont séparés par un immense désert
à peu près vide d'habitants; les chaînes des Andes se
dressent entre le Chili et l'Argentine; les jungles en
grande partie inexplorées de l'Amazonie s'étendent entre
les villes du Brésil et celles du Venezuela ou du Pérou.
Mais isolement et insularité sont de règle même à l'intérieur de chaque pays. Le Pérou, par exemple, possède
une zone côtière qui lui permet d'exporter les produits
de la mer et de faire ainsi progresser son économie,
mais aussi une zone andine aux villages éparpillés, inaccessibles, où le mot de « Pérou » n'a aucun sens et une
zone amazonienne, au-delà des montagnes, qui n'est
guère plus proche des pensées de Lima que de celles
de Washington ou Indianapolis.

Comme Walter Lippmann l'a noté avec tant de per-
tinence, les caractères géographiques ont sérieusement
freiné le progrès par le passé et le freinent encore aujour-
d'hui. L'intégration économique a souffert du fait qu'il
revient moins cher d'acheminer des marchandises depuis
l'Europe que de leur faire traverser les Andes.

Les Indiens de l'*altiplano*, les hauts-plateaux du Pérou
et de la Bolivie, vivent presque comme si les Conquistadores n'étaient pas partis — ou même n'étaient pas venus
— en partie parce qu'il faut parfois des semaines de
trajet à travers des étendues désolées pour atteindre la
capitale. Des millions de paysans sont apathiques parce
que leur affreuse pauvreté est le seul genre de vie qu'ils
connaissent. L'incohérence d'une si grande partie de
la politique latino-américaine provient certainement, entre
autres, des limites rigoureuses que le pays impose aux
possibilités d'action sur lesquelles doit s'appuyer toute
vie politique équilibrée et efficace. Si les classes diri-
geantes se sont désintéressées à un tel point du bien-

être de la population, c'est sans doute aussi parce que la population et les foyers de misère ont rarement semblé faire partie du même pays que celui où vivaient les privilégiés.

L'héritage du passé.

Les peuples de l'Amérique latine n'ont pas seulement à lutter contre la géographie. Ils vivent aussi avec l'héritage du passé, histoire de conquérants qui, comme l'écrit Téodoro Moscoso, « recherchaient avant tout l'or et les nombreuses autres richesses du Nouveau Monde... Ils y établirent la règle autoritaire de l'élite qui était le mode de gouvernement chez eux... Les Indiens dans les contrées de l'ouest et les Noirs sur les rivages de la mer des Antilles et de l'Atlantique travaillaient comme des chevaux dans les plantations et les fermes, tandis que les propriétaires jouissaient de tous les plaisirs de la vie... Ils produisaient des bananes, du sucre, du blé, de la viande, des métaux et autres denrées alimentaires ou matières premières que les nations d'Europe et d'Amérique du Nord, en train de s'industrialiser, achetaient avec empressement. En bref, économiquement, ils ressemblaient beaucoup aux possessions des puissances européennes en Afrique et en Asie ».

Les survivances de cette période coloniale sont nombreuses. L'une d'elles est la structure économique d'une grande partie de l'Amérique latine — monoculture, manque relatif d'industrie, absence de marchés de masse, prédominance des monopoles d'État. Mais ce qui est peut-être plus important encore, c'est que le passé se perpétue aussi dans les structures sociales, des systèmes d'enseignement conçus pour l'élite, les latifundia, des constitutions qui dans certaines contrées vont jusqu'à exclure 80 % de l'électorat, un dédain féodal pour les investissements productifs et le dur labeur qui est le lot de la majorité.

Pauvreté.

L'aboutissement ultime de ce type d'évolution, c'est la pauvreté, l'avilissement, le dénuement, dont les statistiques sont presque devenues une litanie. Le revenu par tête est souvent inférieur à 100 dollars par an; la moyenne pour le Brésil s'établit à 300 au maximum et peut-être moins; au Salvador 60 % de la population ont moins de 55 dollars par an. Presque partout l'enseignement est terriblement insuffisant. En Colombie, par exemple, 60 % seulement des enfants entrent en première et sur ce nombre 90 % abandonnent avant la quatrième. La moitié des Latino-Américains sont illettrés. La maladie et la malnutrition sont presque partout présentes; sur les morts enterrés dans toute l'Amérique Latine, la moitié a moins de quatre ans. Voyager, dans ces régions, c'est voir la terrible réalité de la misère humaine, sentir ces statistiques prendre une force et une intensité qui assomment. A Recife, dans le *Nordeste* brésilien, des êtres humains vivent sous des abris au bord de l'eau dans laquelle ils jettent tous leurs détritus et les crabes qui dévorent ces immondices font la base de leur nourriture; dans les champs voisins, des hommes coupent les cannes à sucre par une chaleur torride de l'aube au couchant, six jours par semaine, pour gagner un dollar et demi; les enfants de moins de seize ans ne reçoivent que la moitié et le salaire minimum de 60 cents par jour n'est pas garanti. Dans certains de leurs villages, sept des enfants sur dix meurent pendant la première année et il n'y a d'écoles primaires que pour un quart des survivants. Dans d'autres bourgades, non loin, une nouvelle fabrique a contaminé l'eau et la mortalité est catastrophique, aussi bien chez les adultes que chez les enfants.

Au Pérou, en dehors de Cuzco, nous avons rencontré des hommes qui cultivaient les champs de leur propriétaire pour 45 cents par jour, beau salaire dans une région où d'autres doivent travailler trois jours pour rien afin d'avoir le droit de cultiver à leur profit un petit terrain à flanc de montagne. Ils n'avaient jamais entendu parler ni du Président Kennedy, ni du Président Johnson; ils n'avaient jamais entendu parler des États-Unis; ils ne connaissaient pas le nom du Président du Pérou et ne parlaient que le quechua de leurs ancêtres indiens, pas un mot d'espagnol. Dans un village, je fus présenté comme le Président du Pérou : selon nos guides du *Peace Corps*, le maire avait rêvé peu auparavant que celui-ci venait visiter l'endroit.

Partout, dans toutes les grandes villes et leurs alentours, les taudis : incroyables masses de cabanes en tôle, en papier goudronné ou en torchis, avec des nuées d'enfants entrant et sortant par l'unique porte de l'unique pièce. Il y a des *barriadas* à Lima, des *callampas* à Santiago, des *villas miserias* à Buenos Aires, des *favelas* à Rio de Janeiro et des *ranchitos* à Caracas. Partout, c'est la même chose : d'innombrables paysans venus dans les villes à la recherche d'une vie meilleure et qui n'y trouvent ni travail, ni écoles, ni logement, ni hygiène, ni docteur, ni espoir — ou si peu — leur existence uniquement supportable parce que la campagne est encore bien pire. Et puis au Pérou, en Bolivie, au Brésil, dans d'autres pays encore, il y a les Indiens qui forment parfois plus de la moitié de la population, coupés non seulement du monde extérieur, mais bien souvent de leurs propres structures politiques.

Tels sont quelques-uns des obstacles auxquels se heurtent les peuples d'Amérique latine. Pourtant ils ont duré. Ils ont conservé la foi en une démocratie que la plupart n'ont jamais connue et une conception de la dignité individuelle qui n'est jamais appliquée à l'immense majorité d'entre eux. Ils gardent un grand fond d'amitié et d'admiration pour le peuple des États-Unis. Ils ont produit certains des plus éminents artistes et poètes de notre temps. Ils ont préservé leur gaieté spontanée et leur humour, même au milieu de l'adversité.

La grandeur fait aussi partie de l'héritage qui est échu à l'Amérique latine : elle éclate dans les civilisations maya et aztèque édifiées avant l'arrivée des Conquistadores, et dont les monuments ainsi que les trésors éblouissent encore nos yeux; dans ces hommes fiers et audacieux venus conquérir un continent non pas avec de puissantes armées, mais des bandes de quelques centaines d'hommes; dans Hidalgo et O'Higgins et San Martin et Bolivar, libérateurs qui reprirent le flambeau de notre révolution et voulurent donner la liberté et l'égalité à tous les hommes de l'hémisphère occidental.

Souffles nouveaux.

Cet héritage, cet esprit sont toujours vivants aujourd'hui plus que jamais peut-être. Partout où nous avons passé, l'idéal de l'indépendance, de la liberté et de la justice était une force active, en mouvement. Partout, c'est ce legs du passé qui s'impose, vision de l'avenir brillant sur le visage des hommes.

L'Amérique latine est pauvre. Mais le revenu brut du Venezuela est déjà au même niveau que ceux de l'Europe méridionale il y a quelques années et il s'élève régulièrement. L'Amérique latine manque de techniciens. Mais au Brésil, au Chili, au Pérou, les « hommes nouveaux », économistes, ingénieurs-administrateurs, consacrent leurs talents — et ils sont considérables — à la cause du progrès. La politique en Amérique latine a trop souvent été un ballet dans lequel seules les classes les plus élevées pouvaient danser. Mais au Chili et au Venezuela, nous avons vu des partis démocratiques parler au nom de la majorité et agir pour défendre ses intérêts; dans tous les pays, des hommes et des partis se dévouent au service du progrès nouveau et du vieil idéal de justice.

Pour ce qui est des survivances du passé, les forces du changement donnent l'assaut à l'état d'équilibre. Dans les *ranchitos* de Caracas, des programmes d'organisation communautaire dans le style du *Peace Corps* sont mis en œuvre par *Acción*, mouvement composé essentiellement de Vénézuéliens. Dans les régions rurales du Chili, les ouvriers agricoles forment des syndicats pour obtenir de meilleurs salaires, de meilleures conditions de travail et finir par s'assurer la possession de la terre. A Sao Paulo, de nouvelles industries et une nouvelle prospérité ont fait surgir une ville telle qu'il n'en est pas de plus modernes aux U.S.A. Dans des villages perdus du Pérou, les étudiants travaillent avec les paysans à construire des écoles, des logements et des bâtiments publics. En Bolivie, 400 000 personnes sont descendues des hauts-plateaux en suivant une nouvelle route pour défricher et cultiver de vastes espaces dans la jungle. A Minas Geraes, au Brésil, d'autres parcourent par milliers les routes qui mènent à Brasilia; à l'embouchure de l'Orénoque, au Venezuela, un nouveau Pittsburgh est en train de s'élever.

Cependant pour la plupart des Latino-Américains, les progrès ont été rares, les réussites limitées. Les vieux

rêves ont pris une forme et une vie nouvelles dans la
Charte de l'Alliance, mais les obstacles n'ont pas été
surmontés. Il faudra pour cela des bouleversements
révolutionnaires dans les structures économiques, sociales
et économiques de tous les pays dans cette partie du
monde. Et les populations sont bien décidées à ce qu'ils
se produisent. Les mineurs de charbon à Concepcion
(Chili), qui travaillent sous la mer à 7 500 mètres du
rivage pour 1,50 dollar par jour; les mères des villages
andins où les instituteurs disent aux enfants que la langue
de leurs parents est celle des animaux; les coupeurs de
canne et les ouvriers qui regardent mourir leurs enfants;
les prêtres qui voient les enseignements de leur église
bafoués par les seigneurs de la terre — voilà les instruments du changement. Donc une révolution est en
marche — une révolution qui pourra être pacifique si
nous sommes assez sages, compatissante si nous y mettons
assez de notre cœur, réussie si nous sommes assez heureux, mais une révolution qui avance, que nous le
voulions ou non. Nous pouvons modifier son caractère,
mais nous ne pouvons la rendre moins inéluctable. Toute
la question est de savoir comment la faire et comment la
guider.

Au cœur de cette révolution, à la base de tous les
espoirs de progrès économique et de justice sociale,
deux problèmes vastes et ardus : instruction et réforme
agraire. Souhaitables et nécessaires par elles-mêmes,
elles sont aussi essentielles pour un développement
harmonieux. Aucune somme d'argent si considérable
soit-elle, aucune mesure purement économique ne pourra
amener le progrès si chaque pays n'a pas des techniciens
et des spécialistes entraînés pour accomplir l'œuvre de
modernisation et de transformation. Aucune industrie
ne saurait non plus être édifiée sur un système vétuste
et inefficace de production agricole.

LA RÉFORME AGRAIRE.

Sa nécessité.

Dans le paupérisme latino-américain, le rendement déplorable de l'agriculture est probablement le facteur essentiel. Le continent pris dans son ensemble ne produit pas assez pour se nourrir et les devises étrangères, dont le besoin est si grand, sont consacrées à l'importation de denrées alimentaires, 140 millions de dollars pour les seuls huit millions de Chiliens. La malnutrition mine les forces et la productivité de nombreux travailleurs.

Plus de la moitié de la population du continent se consacre essentiellement à l'agriculture. Mais une proportion élevée du travail est partiellement gaspillée, en ce sens que les ouvriers ne pouvant bien souvent manger à leur faim, il n'est pas question qu'ils produisent des surplus. Par contraste, les agriculteurs ne représentent que le quinzième des effectifs de la main-d'œuvre aux U.S.A. et pourtant ce sont eux qui ont assuré la plus grande partie des hausses dans notre productivité et notre richesse; les rendements agricoles s'accroissent de 6 % chaque année contre 2 à 3 % dans l'industrie.

Le manque d'emplois productifs dans l'agriculture se répercute à travers toute l'Amérique latine. L'indigence oblige les enfants à quitter l'école. L'industrie végète parce qu'il n'existe aucun marché de masse. Les villes sont submergées par un afflux de nouveaux venus, la pauvreté y étant au moins plus distrayante qu'à la campagne. En bref, aucune solution des problèmes latino-américains n'est possible sans de grands progrès en agriculture. Le fait a été reconnu par la Charte de l'Alliance qui réclamait de profondes réformes agraires et il est reconnu par tous les pays intéressés où l'opinion publique le met au premier rang de ses préoccupations. Et pourtant l'*Inter-American Bank* nous apprend que les structures fondamentales n'ont pas été modifiées dans ce domaine au cours des dernières années : la production de denrées alimentaires par tête est exactement au même niveau qu'il y a cinq ans.

Les éléments d'un programme.

Il est vrai qu'une réforme agraire exige des efforts nombreux et divers. D'abord, il faut redistribuer les terres; nombre de paysans latino-américains sont en fait des ouvriers agricoles qui ne possèdent pas le moindre lopin; ils n'ont donc ni motif ni moyen d'augmenter leur production. Parmi ceux qui ont des terres, la grande majorité exploite des domaines de moins de 5 hectares, en général de piètre qualité. On estime que dans l'ensemble du continent plus de 70 % des propriétaires détiennent moins de 4 % des terres, et il est des pays où moins de 1 % des propriétaires détient presque 70 % des terres. C'est ainsi qu'au Pérou, une seule famille possède une étendue de 286 000 hectares, donc supérieure à celle de l'État de Rhode Island.

Les plus petites parcelles ne peuvent permettre de constituer le moindre capital pour acheter des engrais, des machines, de meilleures semences; leurs propriétaires, pauvres et sans instruction, ne connaissent rien des méthodes nouvelles. Mais bien souvent les immenses latifundia qui emploient des tenanciers ou une main-d'œuvre à peine payée, n'obtiennent pas de meilleurs rendements à l'hectare. La plupart des propriétaires sont absents; leurs ouvriers ignares et indigents n'ont pas grand motif de faire des efforts. C'est l'énormité des domaines qui a permis aux propriétaires de s'enrichir sans faire d'investissements substantiels pour augmenter la productivité. Au Pérou par exemple, les haciendas de plus de 2 500 hectares ne représentent que le millième des exploitations et occupent 60 % de toute la superficie; pourtant, elles cultivent moins de 5 % de leurs terres, contre les deux tiers dans le cas des domaines plus petits.

C'est pourquoi la Charte de l'Alliance réclamait le remplacement des latifundia et des parcelles trop réduites par un régime foncier équitable; elle reconnaissait que la base d'une agriculture productive et efficace devait être la redistribution des terres pour créer des exploitations permettant de faire vivre les familles et des coopératives.

C'est là une entreprise complexe et difficile. La mise en valeur doit être récompensée et l'inefficacité pénalisée; il faut parfois mettre au point des formules compliquées pour tenir compte de facteurs comme l'irrigation ou au contraire le manque d'eau. Toute méthode de compensation pour les terres prises en vue de la redistribution présente de sérieuses difficultés. Le manque de cadastre peut retarder l'opération pendant des années, et celle-ci risque, à court terme, de diminuer encore les rendements ainsi que les expéditions de denrées alimentaires dans les villes, créant des difficultés de plus à leurs habitants et des obstacles de plus au développement économique, entre autres l'inflation. A cela, il convient d'ajouter que nombre de paysans ne sont pas prêts à accéder à la propriété indépendante.

Pourtant, malgré tant de problèmes et tant de difficultés, les terres doivent être redistribuées. A long terme, c'est une étape essentielle vers une agriculture productive, mais c'est aussi le facteur essentiel de la dignité humaine et de la démocratie dans ces pays. Donner la terre à celui qui la cultive, c'est lui donner, pour la première fois, une certaine sécurité, quelque chose de plus que la simple subsistance, une base sur laquelle fonder ses droits de citoyen, une part et un enjeu dans la société qui l'entoure. Comme l'écrivait Daniel Webster en 1820 : « le plus libre des gouvernements, s'il existait, ne serait pas longtemps accepté au cas où des lois tendraient à créer une rapide accumulation de biens dans quelques mains et à réduire la grande masse de la population à la dépendance et à la pauvreté... Le suffrage universel, par exemple, ne pourrait exister longtemps dans une communauté où la propriété serait très inégalement répartie ».

La question est donc de savoir ce qu'il faut faire pour que la redistribution soit un succès. Clôtures, semences, engrais, machines, cheptel sont aussi importants pour le rendement que la terre elle-même. Mais en Amérique latine, les petits propriétaires ne les ont pas, non plus en général que la possibilité d'obtenir des crédits pour les acheter. Il faut apprendre aux agriculteurs à utiliser au mieux leurs terres et leurs instruments, mais il n'existe aucune école spécialisée, aucun conseiller pour les aider à améliorer les rendements. Quand ils produiront des surplus, ils devront les mettre sur le marché, mais la commercialisation est elle aussi à un stade rudimentaire; seules des grandes plantations, assez peu nombreuses, qui pratiquent la culture industrielle, ont accès directement et commodément aux marchés; il faut unifier les qualités et les prix, créer entre producteurs et consommateurs un réseau d'intermédiaires qui puisse assurer une rémunération équitable aux premiers. Ainsi la réforme agraire exige l'édification d'une nouvelle structure institutionnelle : crédit agricole, formation professionnelle, services extérieurs fournissant des conseillers, réseaux de transport et de distribution.

Ensuite, la géographie devra être vaincue. La superficie

des terres cultivées est insuffisante. Au Pérou, par exemple, elle ne dépasse pas 20 ares environ par habitant et le président Belaunde a fixé l'objectif à 30 ares. Mais même ainsi, on est loin de la moyenne aux U.S.A. qui dépasse 80 ares par personne. Étant donné le faible rendement en Amérique latine, le Pérou devrait quadrupler les superficies actuellement cultivées et même plus pour obtenir une production par personne comparable à la nôtre.

Des augmentations d'un tel ordre de grandeur, exigeront une vaste entreprise de colonisation à l'est des Andes, dans les régions du Pérou (3/5 de son territoire) qui font partie du bassin amazonien — entreprise qui exigera elle-même de nombreux efforts de types très divers. Les routes auront la priorité absolue, mais il faudra aussi des écoles, des maisons et d'autres facilités pour tous ceux qui viendront s'installer. Au reste, et c'est là un problème fondamental, nous ne savons pas encore faire pousser grand-chose dans le bassin de l'Amazone où jusqu'à présent les températures et la pluviosité ont empêché toute mise en valeur systématique. Ainsi un grand effort de recherche est nécessaire dans le domaine de l'agriculture tropicale et même quand des techniques nouvelles auront été mises au point, il faudra apprendre leur utilisation à des dizaines de milliers de cultivateurs.

En résumé, la réforme agraire doit être beaucoup plus qu'un slogan attrayant. De réelles améliorations dans l'agriculture latino-américaine et dans la vie de ceux qui travaillent la terre exigeront, pour être réalisées, des décennies d'efforts économiques, pédagogiques et sociaux.

La politique de la réforme agraire.

La réforme agraire nécessite un grand effort politique, car c'est, à sa racine, une question politique. En Amérique latine, la terre est la principale forme de richesse. Ses possesseurs, qui ne sont nullement tout-puissants, n'en disposent pas moins partout d'une grande influence et bien entendu, ils se montrent hostiles au changement. Toute redistribution des terres sur une grande échelle entraîne nécessairement des bouleversements considérables dans l'équilibre de la politique intérieure d'un pays, éloignant son centre de gravité de l'oligarchie et des privilèges pour le rapprocher d'un gouvernement plus populaire.

L'amélioration de l'enseignement, cruciale pour une réforme agraire d'envergure, provoquerait aussi des modifications considérables sur la scène politique. La représentation d'une région au Congrès brésilien, par exemple, est calculée en fonction de sa population totale; mais les illettrés ne peuvent voter et ils représentent jusqu'à 80 % des habitants dans certaines circonscriptions dominées par de grands propriétaires; ceux-ci sont roi et maîtres de la situation et en mesure d'exercer une influence considérable sur le Congrès; il existe donc de puissants intérêts qui s'opposent à une refonte du système scolaire. L'ouverture d'établissements de crédit agricole pour les paysans peut menacer les prêteurs locaux ou les banques des villes. Orienter les ressources de l'enseignement supérieur vers le secteur de l'agriculture équivaudrait à retirer aux jeunes gens des classes moyennes et élevées une partie du monopole qu'ils exercent aujourd'hui sur les études universitaires et limiterait leur possibilité de se consacrer aux arts libéraux et au droit.

Toutes ces transformations, qui constituent les éléments essentiels d'une réforme agraire sérieuse, soulèvent donc des conflits sociaux et politiques aussi fondamentaux et aussi difficiles à résoudre que des problèmes comparables l'ont été dans notre propre pays — droits des États, esclavage, lois tarifaires et réforme économique. Toutes nécessitent la création de nouvelles institutions et l'adoption de nouvelles attitudes. Toutes font naître la plus simple et la plus importante des questions : « Qui gouverne? »

En Amérique latine, l'expansion économique « pure » n'existe pas. Le développement dépend du changement — d'un nouvel équilibre des richesses et de la puissance entre les hommes. Dans le domaine économique, il exige de dures décisions politiques, elles-mêmes subordonnées aux qualités des dirigeants et aux transformations qu'ils sauront apporter dans leur ressort. Pendant des années, les discussions ont tourné autour de cette question : faut-il que l'assistance des U.S.A. concentre essentiellement ses efforts sur l'expansion économique ou sur la réforme sociale? En termes concrets, cela revient à se demander si notre aide doit prendre pour base des mesures économiques conventionnelles d'assainissement, comme le contrôle de l'inflation et l'équilibre de la balance des paiements, ou la réforme agraire et scolaire, ou la marche vers la démocratie. Les partisans de la primauté à l'expansion économique ont fait valoir que la réforme sociale est à la fois inefficace et perturbatrice au point de vue économique — l'exemple classique étant la baisse de la production agricole après la redistribution des terres — et doit attendre, comme les autres luxes, le succès dans le domaine économique. Mais selon moi, ce point de vue ne tient pas compte du lien fondamental qui existe entre expansion et réforme : les transformations révolutionnaires de l'économie et de la politique sont le fondement nécessaire de l'expansion économique.

Ce que nous pouvons faire.

Les États-Unis peuvent aider de deux façons à accélérer une réforme agraire complète en Amérique latine.

D'abord nous pouvons apporter une assistance matérielle — argent et technologie — pour la formation
professionnelle, les écoles, le personnel. le matériel et
les routes qui sont nécessaires. L'agriculture comme
n'importe quelle industrie, exige des investissements.
Or tous les pays d'Amérique latine, à de rares exceptions près, sont désespérément à court de capitaux,
nous pouvons aider à leur en fournir.

Nous pouvons aussi apporter une assistance technique
Au Venezuela, par exemple, une année de travail par
des spécialistes a permis d'enseigner aux paysans des
procédés qui ont fait passer le rendement de leur maïs
de 1 000 à 2 300 kilos par hectare; ils comptent atteindre
4 000 kilos par hectare. Cette expérience a demandé
un technicien pour trente cultivateurs; il en faudrait
un million pour l'étendre sur tout l'hémisphère. Bien
évidemment, nous ne les avons pas, mais nous avons
beaucoup plus de ressources que nous n'en utilisons
aujourd'hui.

Notre agriculture s'est constituée non pas directement
par action du gouvernement, mais par celle des *land-
grant colleges*[1], de services extérieurs organisés par les
États qui fournissaient des conseillers aux cultivateurs,
enfin des mouvements de volontaires comme *The Grange,
4-H Clubs, Farm Bureau* et *Farmers Union*. Nous avons
fait un premier pas dans la bonne direction en utilisant
ces compétences officielles et privées dans une association
entre le Chili et la Californie[2]. Mais institutions et indi-

1. A l'origine les États étaient propriétaires de toutes les
terres; ils ont affecté une partie des fonds procurés par la vente
de certaines parcelles à la création de ces collèges (N. de la T.).
2. Cette association avait été encouragée par le Président
Kennedy malgré les nombreuses objections de la bureaucratie
gouvernementale dont beaucoup de membres n'avaient pas
accepté, me semblait-il, le principe du partage des responsabilités.

vidus pourraient être plus directement engagés dans l'œuvre de développement, par exemple en confiant l'exécution de notre programme agricole dans un pays donné à un État ou un groupe d'États qui feraient administrer nos fonds de l'A.I.D. (Association Internationale de Développement) par leurs propres services extérieurs, ou par des groupes de volontaires. Sans créer de nouvelles bureaucraties importantes, cette méthode permettrait de mobiliser l'énergie, le dévouement et la compétence de dizaines de milliers d'Américains qui ne se soucieraient pas au premier chef d'en faire une carrière. A long terme, ces emplois seraient repris par des techniciens latino-américains dont nous devrions contribuer à former le plus grand nombre possible. Mais à court terme, l'aide de nos compatriotes est possible, nécessaire et, j'en suis persuadé, disponible.

En second lieu, nous pouvons aider les Latino-Américains à affronter les difficultés politiques inhérentes à l'entreprise et surtout en nous associant sans équivoque aux forces de la réforme et de la justice sociale. Dans presque tous ces pays, les élections nationales se disputent sur une base non conforme aux principes de l'Alliance et à ses idéaux; les opinions et les jugements des autres hommes, des autres gouvernements de l'hémisphère ont un poids très notable dans presque chaque nation. Si les U.S.A. s'associent énergiquement à la réforme, ils aideront ceux qui la soutiennent et feront hésiter ceux qui voudraient la contrecarrer. Il ne s'agit nullement, et cela doit être posé en toute netteté, d'adopter certains politiciens pour en faire nos « représentants ». Un tel procédé ne pourrait qu'entraver leur action sans apporter le moindre bénéfice à l'Alliance. Le moyen le plus puissant et le plus efficace de promouvoir des transformations sera, bien plutôt, l'énoncé vigoureux de principes sains, combiné avec le soutien généreux des activités réformatrices pour lesquelles notre aide est sollicitée. Et surtout, nous pourrons rendre un immense service en n'accordant pas notre appui matériel et moral à des gouvernements qui s'opposent activement aux nécessaires changements politiques, économiques et sociaux, y compris cette réforme agraire qui est au cœur de tous les efforts de développement.

L'INSTRUCTION.

Sa nécessité.

Non seulement l'instruction est importante pour la compréhension du monde et des hommes, mais à notre époque elle constitue le fondement du progrès.

Pas une nation n'a pu entrer dans la société économique moderne sans des populations formées et instruites pour assurer le fonctionnement des entreprises, des institutions, du gouvernement et de la planification. Sans elles tout l'argent, tous les prêts sont sans valeur. L'instruction est également la clef d'un progrès d'un autre ordre : comme la réforme agraire, c'est un passeport pour la citoyenneté. Selon la formule de Horace Mann, « Un être humain n'est, à aucun des sens exacts du terme, un être humain avant qu'il soit instruit ». Les hommes incultes sont condamnés à vivre en marge, hors de la vie politique, hors du XXe siècle, étrangers dans leur propre pays. Des illettrés ne peuvent prendre connaissance des journaux, ni des manuels, ni même des panneaux de signalisation qui guident nos pas. Même pour ceux qui savent lire, l'instruction est la clef de la mobilité sociale et économique, de la liberté; il ne peut y avoir aucune carrière ouverte au talent sans l'instruction qui le développe.

Or, elle est lamentablement insuffisante en Amérique Latine. Il n'y a pas assez de spécialistes et de techniciens pour faire fonctionner au sommet les mécanismes complexes de la société moderne et l'analphabétisme de 50 % des Latino-Américains est comme un boulet qui empêche tout progrès. L'instruction publique, telle que nous la concevons aux U.S.A., en est à ses débuts dans la plupart des pays. Bien que les inscriptions aient augmenté de 6 % par an depuis 1961 dans les écoles primaires et de plus de 10 % dans les écoles secondaires, ces statistiques risquent d'induire en erreur, car la population d'âge scolaire augmente elle aussi et très vite, si bien que dans certains pays il y a plus d'illettrés aujourd'hui qu'il y a cinq ans. Dans les campagnes péruviennes nombre d'écoles primaires ne vont pas au-delà de la première et aucun des cinq pays que j'ai visités ne possédait assez d'écoles pour accueillir tous les enfants au-delà de la troisième, après quoi les possibilités diminuaient verticalement. Sur 1 400 jeunes Brésiliens par exemple, 1 000 entrent en première et 396 en seconde; parmi ceux-ci 169 achèvent la quatrième, 20 vont au bout du cycle secondaire, 7 entrent dans quelque forme d'établissement supérieur et 1 peut-être, 1 sur les 1 000 qui étaient entrés en première, obtiendra finalement un diplôme universitaire : 1 sur 1 400 enfants. Même en Argentine où 10 % des jeunes gens en âge de le faire entrent à l'université, 4,9 % seulement des inscrits obtiennent un diplôme.

Le niveau des études est souvent très bas. Au Pérou, moins d'un tiers des instituteurs dans les écoles primaires ont reçu une formation professionnelle quelconque et 15 % n'ont eux-mêmes qu'une instruction primaire. Même dans les universités, les professeurs ne peuvent enseigner qu'à temps partiel et exercent un autre métier pour vivre. A Buenos Aires, dans la meilleure faculté

de médecine d'Amérique latine, un microscope et un
cadavre doivent suffire pour quarante étudiants.

En outre, les ressources déjà insuffisantes qui existent
dans ce domaine ne sont pas assez dirigées vers le développement et le progrès. Au moins 20 % des inscrits
à l'université étudient le droit, une proportion égale
se consacre à la médecine, une proportion supérieure
aux arts libéraux classiques. Moins d'un vingtième se
prépare à travailler dans le secteur critique de l'agriculture
et trop peu se destinent aux carrières d'ingénieur ou
de professeur. L'enseignement secondaire académique,
tout entier orienté vers l'entrée dans l'université — bien
qu'une fraction minime seulement de ses élèves y par-
vienne jamais — ne fournit pas cette main-d'œuvre
qualifiée et semi-technique dont les usines et les ateliers
ont tant besoin dans tout le continent.

En résumé, le produit de ce système d'enseignement
est un très petit groupe de professionnels au sommet,
de trop rares travailleurs d'un niveau moyen sans formation professionnelle, une masse considérable de demi-
instruits et de demi-alphabétisés, enfin des dizaines
de millions d'adultes et d'enfants sans la moindre
instruction.

Programmes pour une réforme de l'enseignement.

L'amélioration des niveaux d'enseignement est, par
sa nature même, un processus graduel : là, point de
raccourcis. Pour instruire plus d'enfants, il faut plus
de professeurs, pour avoir plus de professeurs, il faut
plus de diplômés sortant des universités et des écoles
supérieures, pour avoir plus de diplômés, il faut instruire
plus d'enfants.

Nous participons actuellement à cette évolution en
fournissant argent et personnel. Les Volontaires de la

Paix instruisent des milliers d'enfants et aident de nombreuses collectivités locales à construire des écoles. Nombre de nos universités vont au secours de leurs homologues en Amérique latine où certaines ont même installé des filiales. Nos dons de produits alimentaires permettent à des centaines de milliers de jeunes gens de continuer leurs études et notre assistance a édifié des salles de classes par milliers à travers l'hémisphère. Tous ces efforts peuvent et doivent être intensifiés ; d'autres types d'auxiliaires pédagogiques rarement disponibles en Amérique latine devraient l'être, par exemple la télévision, les films et les matériels éducatifs qui peuvent, malgré leurs imperfections, apporter une contribution considérable quand les professeurs sont en nombre insuffisant et peu qualifiés. La télévision a été utilisée avec grand succès par le *Peace Corps* pour former des maîtres en Colombie. Des ressources importantes peuvent également être trouvées en dehors des universités. Ainsi pour faire face au besoin pressant d'un personnel médical au niveau des infirmiers et des aides-soignants dans les régions rurales reculées, nous pourrions étendre les expériences faites avec les services de santé des forces armées.

Mais derrière tout cela, on retrouve la nécessité absolue d'une action des intéressés eux-mêmes. Nous pouvons aider à construire de nouvelles écoles, mais elles ne supprimeront pas la pauvreté qui est en grande partie responsable d'une proportion écrasante d'abandons. Par conséquent, pour garder plus d'enfants dans les écoles, il faut apporter des améliorations majeures à la condition des pauvres : réformes agraires dans les campagnes et emplois plus nombreux dans les villes. L'assistance des U.S.A. ne peut pas non plus dispenser les Latino-Américains des décisions politiques qu'ils devront prendre pour élargir les possibilités de l'enseignement, abolir par exemple le système ahurissant du Brésil où les écoles secondaires sont en majorité privées et les universités prises en charge par l'État, si bien que ceux qui peuvent payer les premières poursuivent ensuite leurs études sans bourse délier, alors que la plupart de ceux qui n'ont pas les moyens de payer l'instruction du second degré en restent au niveau élémentaire.

Par-dessus tout, l'amélioration de l'enseignement exigera que ceux qui reçoivent en ce moment une instruction consacrent une partie de leur temps et de leurs efforts à celle de leurs compatriotes. C'est cette élite, celle des étudiants de l'université, qui représente la clef du progrès dans ce domaine, comme dans tous ceux de telles sociétés. Mais cela, c'est un autre problème.

Étudiants d'université.

Le problème est en partie politique. Depuis quelques années, l'université de Caracas est le centre et le poste de commandement du terrorisme communiste au Venezuela; ailleurs, d'autres sont également des foyers de politique extrémiste. Fidel Castro n'a pas été le premier révolutionnaire latino-américain à sortir de telles pépinières estudiantines et il ne sera pas le dernier. Au reste, tous ces jeunes activistes ne sont pas violents ou irresponsables. Nombre d'entre eux ont, dans le passé, donné leur vie pour l'indépendance et la liberté. Beaucoup d'autres en sont venus à diriger leur pays vers les réformes et le progrès, comme les Présidents Betancourt du Venezuela et Frei du Chili. Aujourd'hui, ils construisent des routes et des écoles, des hôpitaux et des maisons, première génération de leurs pareils à se salir les mains et à courber le dos. Au Pérou, ils travaillent dans les taudis de Lima et les villages andins; au Chili ils constituent la cheville ouvrière des programmes du genre *Peace Corps;* au

Venezuela, ils participent à des actions de groupe dans les *ranchitos* de Caracas.

Mais les trublions négatifs sont malheureusement beaucoup plus nombreux que ceux qui se dépensent pour soutenir leurs convictions, qu'elles soient extrémistes ou constructives. C'est dans cette combinaison de propos enflammés et de relative inaction que réside le grand danger pour leurs pays et la grande difficulté pour les U.S.A. Le danger est que les vrais problèmes du continent, dont la solution dépend précisément pour une large part de ces étudiants, restent pendants, que les outrances de langage contribuent à aggraver encore l'instabilité politique et sociale, enfin que les difficultés sociales intensifiées par l'inaction soient mises au compte des U.S.A.

Combien de fois ai-je pu constater ce processus pendant mon voyage ! Au Pérou, les étudiants nous accusaient d'avoir fomenté le coup d'État militaire au Brésil; au Venezuela, ils nous reprochaient la faiblesse de l'organisation des États américains; au Chili, ils nous rendaient responsables de leur différend frontalier avec l'Argentine. Et partout, ils nous imputaient la pauvreté et la stagnation de leur propre pays, bien que la plupart d'entre eux n'eussent à peu près rien fait pour y remédier[1].

---

1. Au Brésil, alors que des étudiants attaquaient les U.S.A. au sujet des conditions de vie dans leurs propres *favelas*, je leur ai demandé combien d'entre eux étaient allés y travailler — pas une seule main ne s'est levée. Il s'est révélé que rares étaient ceux qui y avaient jamais mis les pieds. Bien entendu, cette attitude n'est pas réservée à l'Amérique latine, mais elle y est plus marquée que dans la plupart des autres contrées. A un moment donné, au cours de mon voyage, une personnalité officielle du pays que nous visitions s'est plaint avec indignation, à un journaliste américain, des inspections de *barriadas* que nous poursuivions. « Il est arrivé depuis trois jours et il en a déjà vu une douzaine, alors que moi qui ai passé toute ma vie ici, je ne suis jamais entré dans une seule. »

Quelles sont les origines d'un tel extrémisme parmi les fils d'une classe privilégiée depuis trois siècles? En partie le simple nationalisme. Pendant la plus grande partie de leur histoire, les classes supérieures d'Amérique latine ont négligé leur propre pays, préférant jouir des avantages d'une culture européenne cosmopolite. Mais après la Deuxième Guerre Mondiale, on a vu partout dans le monde renaître le sentiment national et surgir des douzaines de nations nouvelles issues de colonies des grandes puissances. Il n'est pas aisé aujourd'hui de vivre sans un pays dont on puisse être fier. Ceux d'Amérique latine sont faibles, pauvres et « en retard »; aux yeux de leurs jeunes gens, ils souffrent redoutablement de la comparaison avec les U.S.A. ou même les nations toutes récentes qui défient notre puissance. Exiger des changements radicaux, c'est être moderne; être hostile aux U.S.A., c'est être non seulement moderne mais courageux; être marxiste, c'est être à la fois hostile aux U.S.A. et intellectuel.

Une seconde cause évidente est le besoin de justice. Aucun homme n'est insensible et les jeunes sont particulièrement frappés par l'injustice, les cruautés de la pauvreté, de la maladie et de la répression. En fait, les manifestes lancés par les étudiants latino-américains de gauche sont souvent moins avancés à bien des égards que le programme du parti démocrate aux U.S.A. ou conservateur en Angleterre. Que ces jeunes gens soient classés parmi les extrémistes reflète souvent bien moins leur position personnelle que l'état de leur société.

Mais je crois surtout qu'ils sont ce qu'ils sont tout simplement pour se faire remarquer. Ceux que j'ai vus et avec qui j'ai parlé semblent avoir senti que leur société ne laisse pas assez de place aux réalisations, qu'ils n'ont pas une possibilité satisfaisante de s'établir sur la vaste scène des affaires publiques afin d'y déployer leur audace et faire de grandes choses à la fois pour leur pays et pour la postérité.

Que faire pour les étudiants ?

Nous pouvons aider les étudiants d'Amérique latine et nous aider nous-mêmes par leur intermédiaire — les deux opérations sont inséparables. Nous pouvons commencer par apporter toute l'assistance possible à l'amélioration de leur instruction en général, certes — mais aussi aller beaucoup plus loin.

Commençons par apprendre la manière de leur parler. Nous leur disons, par exemple, que nous avons une économie « capitaliste » et qu'ils devraient nous imiter. Mais les mots n'ont pas le même sens pour eux et pour nous. Ils voient dans le « capitalisme » les pratiques colonialistes prédatrices et irresponsables de leur histoire et neuf sur dix s'y déclarent hostiles. Il faut que nous trouvions une meilleure description de notre société, une description qui leur fasse comprendre la réalité exacte. Mais pour y parvenir nous devons clarifier nos propres conceptions sur la véritable nature de celle-ci, ce que nous croyons personnellement de l'Amérique, ce que nous représentons : effort du reste qui vaut bien la peine d'être fait ne serait-ce que pour lui-même [1].

1. Nous pourrions commencer par Lord Tweedsmuir : « La démocratie dans son essence — qu'il convient de ne pas confondre avec tel ou tel gouvernement démocratique — a été avant tout une attitude d'esprit, un testament spirituel et non pas du tout une structure économique ou une machine politique. Le testament impliquait certaines croyances fondamentales : que la personne humaine était sacro-sainte, ce qui est tout le sens de la liberté, que les décisions devaient être prises au moyen d'une libre discussion, que dans des conditions normales la minorité devait être prête à céder à la majorité, qui de son côté devait respecter ce que la minorité tenait pour sacré. Il m'a semblé que la démocratie avait été définie d'une manière

Mais les mots ni les messages, quels qu'ils soient, n'opéreront des transformations par magie. Je sais que depuis le début de la guerre froide, nous avons été pressés de mettre au point un manifeste américain concis et vibrant, un programme en mesure de rivaliser avec les mots d'ordres simples et stimulants du communisme. Mais ce qui est important dans ce pays ne saurait être mis en slogans; c'est une manière de faire les choses, de traiter les rapports entre hommes, une manière de vivre. Il n'y a que deux façons de faire comprendre à ces étudiants ce qu'est réellement notre pays : les amener ici, ou envoyer de nos compatriotes là-bas.

Mais pour faire venir des étudiants aux U.S.A. il ne suffit pas d'offrir des places dans les universités. Trop souvent, ceux qui font des séjours ici ont peu de contacts avec la substance même de notre vie. Les programmes destinés à les aider à nous comprendre, à rencontrer non pas seulement d'autres étudiants mais des représentants du gouvernement, des chefs syndicaux, des personnalités du monde des affaires ou de la communauté de simples citoyens, sont trop souvent dispersés et fragmentaires — quand ils existent. Il faudrait intensifier et encourager ces échanges, non pas dans un esprit de propagande et d'endoctrinement, mais dans un effort honnête pour aider ces jeunes gens à voir nos insuffisances en même temps que nos réalisations et la manière dont nous nous attaquons à nos problèmes.

Il faudrait que cette possibilité soit étendue à tous ceux — étudiants, professeurs, écrivains et autres — qui désirent venir dans notre pays, que leurs opinions

trop étroite et identifiée, très illogiquement, à quelque système économique ou politique particulier, tel que le laissez-faire ou le parlementarisme britannique. Je pourrais fort bien imaginer une démocratie dont l'économie serait dans une large mesure socialiste et la structure constitutionnelle différente de la nôtre ».

politiques ou économiques soient en accord ou non avec les nôtres. Trop souvent notre porte se ferme à des intellectuels latino-américains distingués, même parmi ceux qui travaillent avec les universités des U.S.A., parce que leurs opinions politiques diffèrent des nôtres, ou sont tenues pour « dangereuses ». Mais nous ne devons pas redouter les voix dissonantes, ni celles de nos propres concitoyens, ni celles des autres. Bien au contraire, notre empressement à écouter, à laisser les plus sévères critiques voir par eux-mêmes nos points forts et nos points faibles, apportera la démonstration indiscutable de nos propres convictions fondamentales et, à mon avis, produira une forte impression sur les étudiants et les jeunes intellectuels latino-américains.

Après la parole, l'action. Les jeunes réclament et méritent la possibilité de participer pleinement à l'édification de leur continent. Certains l'ont, mais les étudiants d'Argentine, par exemple, ne disposent d'aucune organisation leur permettant d'accomplir des travaux dans le genre des Volontaires de la Paix, bien que beaucoup aient exprimé le désir de servir. J'ai proposé au Brésil que des nations latino-américaines plus nombreuses constituent leur propre *Peace Corps*, et lui-même l'a fait, après que le Pérou, le Chili et le Venezuela eurent pris des mesures dans ce sens. Nous devrions également envisager la formation d'un organisme multinational, dans lequel les Américains du Nord et du Sud se réuniraient pour travailler dans n'importe quel pays de l'hémisphère, y compris les États-Unis. Les avantages d'une telle participation seraient aussi grands pour ces derniers que pour l'Amérique latine. Elle pourrait adjoindre à l'œuvre de groupes tels que l'*International Volunteer Service* et les *Papal Volunteers*[1] des milliers de travail-

1. Volontaires du Pape, groupe qui s'était constitué en Amérique latine (N. de la T.).

leurs enthousiastes, connaissant à fond l'Amérique latine. Si nos jeunes s'y agrégeaient, ils donneraient à leurs compatriotes du continent une idée beaucoup plus approfondie et plus exacte des U.S.A. Un tel corps pourrait devenir un jour le noyau d'une communauté réellement à la mesure de l'hémisphère.

Enfin, efforçons-nous de garder le sens des perspectives et de la mesure dans nos jugements. Il existe, à gauche, une minorité profondément convaincue et très disciplinée, mais ces étudiants ne sont pas nécessairement dangereux pour nous et nous ne devrions ni déplorer leurs victoires ni exulter de leurs défaites. Lorsque j'étais en Indonésie, en 1962, la masse des jeunes intellectuels clamait son anti-américanisme et son marxisme avec plus de vigueur encore que ceux rencontrés un peu plus tard par moi en Amérique latine. Pourtant, ces mêmes organisations indonésiennes, voire peut-être ces mêmes étudiants, ont conduit les manifestations anti-chinoises et anti-communistes de 1965 et 1966, aidant à installer l'armée nationaliste et neutraliste au pouvoir. Ils n'étaient pas devenus tout à coup pro-américains, ni même anti-communistes, mais ils voyaient dans un parti soutenu par l'étranger une menace pour leur indépendance nationale et réagissaient avec autant de vigueur qu'ils l'auraient fait si les U.S.A. avaient essayé de dominer leur pays[1].

Il ne faut pas que nous abandonnions nos efforts auprès de ceux qui critiquent le plus amèrement les U.S.A., même ceux qui se disent communistes. Pendant

1. Il va sans dire que personne n'aurait dû se réjouir le jour où les étudiants participèrent au massacre de 500 000 prétendus communistes, dont la plupart furent d'innocentes victimes d'une hystérie collective. Le fait à souligner est simplement que les sentiments anti-américains ne sont pas forcément synonyme de pro-communisme ou d'asservissement à nos ennemis.

mon voyage en Amérique latine, j'ai parlé aux étudiants de l'université de Santiago. Les seuls qui ont essayé de m'en empêcher ont été non pas les communistes orthodoxes, mais les militants pro-chinois qui ont lancé des œufs et couvert ma voix par leurs hurlements pendant vingt-cinq minutes. D'autres de leurs condisciples les ont empoignés et jetés hors de la salle. Beaucoup parmi ceux qui sont restés à m'écouter, beaucoup même de ceux qui avaient expulsés les perturbateurs se montraient fort sévères à l'égard de notre pays, mais ils étaient résolus à faire le coup de poing pour pouvoir entendre un de ses représentants parler, répondre à leurs questions et le défendre contre leurs accusations [1].

Ainsi donc, que ces incidents ne nous découragent pas : c'est précisément le résultat que voudraient atteindre ceux qui les créent. Ils se rendent compte que les insultes, les désordres et la violence reçoivent une publicité considérable aux U.S.A., que les Américains s'en inquiètent et se demandent si tant d'efforts valent d'être faits pour nouer des amitiés. Certes oui, ils sont productifs. A Concepción, alors qu'une bagarre se produisait pendant que j'essayais de parler, des dizaines de milliers de per-

---

1. Le lendemain, à Concepción, une centaine d'extrémistes, mieux organisés, parvinrent à m'empêcher de parler. Mais cette attitude leur aliéna la plus grande partie des autres étudiants et fit bien ressortir la faiblesse de leur position. Lors d'une réunion, avant cette conférence, j'avais dit aux extrémistes que j'admettais que les U.S.A. eussent commis des erreurs, je les avais mis au défi de discuter leur position avec leurs condisciples et leur avais demandé s'ils admettraient que leur aile du P.C. eût jamais fait une faute. Ils répondirent « non » à la discussion et « oui » à la question, déclarant que leur erreur avait été de ne pas déclencher une révolution au Chili. Ces propos firent une profonde impression sur les autres étudiants présents — profonde mais transitoire, je le crains, car les militants étaient beaucoup mieux organisés et se ressaisirent rapidement.

sonnes se sont répandues dans les rues pour témoigner de leur sympathie envers les U.S.A.

Les étudiants latino-américains sont les futurs dirigeants de leur pays. Ils ont de grandes réserves de patriotisme et d'idéalisme, ainsi qu'une foi profonde dans l'importance de la personne humaine. Ils méritent qu'on les écoute, qu'on leur parle avec patience et franchise; ils valent tout le temps et l'effort que nous pouvons leur consacrer. Le dialogue est plus facile avec les représentants du gouvernement, les hommes d'affaires ou d'autres Nord-Américains et, trop souvent, une personne ou deux seulement sur tout le personnel d'une ambassade rencontrent jamais cette jeunesse. Pourtant mieux vaudrait à la fois pour notre compréhension de la réalité et l'élaboration de notre politique que plus de membres importants de nos services diplomatiques, ainsi que les nombreux citoyens des U.S.A. qui circulent en Amérique latine à titre officiel ou privé prennent la peine d'entrer personnellement en contact avec des étudiants, seuls et en groupes.

Universités et Services de Renseignements.

Il est évident que les universités des U.S.A. ont une contribution considérable à apporter à l'enseignement, à l'agriculture et à l'administration publique dans notre hémisphère, à l'Alliance pour le Progrès et ainsi à l'intérêt national de notre pays. Mais des révélations récentes montrent que leur sincérité et leur prestige ont été sérieusement compromis par des arrangements avec certains services du gouvernement.

La première de celles qui se rapportent plus particulièrement à l'Amérique latine est une étude intitulée « Camelot » que l'armée de Terre avait demandée à un groupe faisant partie de nos universités· L'armée voulait, avec beaucoup de clairvoyance et d'intelligence, essayer de démêler quels étaient les facteurs sociaux, économiques et politiques susceptibles d'influencer l'essor ou le déclin des mouvements insurrectionnels; mais ce n'était pas à elle que revenait cette tâche et l'enquête elle-même, faite par l'université, semble avoir été menée avec une maladresse bien propre à indisposer tout Latino-Américain éprouvant le moindre respect pour lui-même. Elle devait être réalisée dans le secret, mais bien entendu il y eut des fuites, après quoi toutes les études des universités nord-américaines considérées comme des instruments du Pentagone éveillèrent les soupçons les plus hostiles à travers le continent.

L'embarras provoqué par « Camelot » a désormais été rejeté complètement dans l'ombre par l'ampleur des révélations publiques sur la pénétration par le C.I.A. (Central Intelligence Agency) d'une foule d'universités, de groupes d'étudiants et d'organisations privées. Ces activités ont été approuvées par les représentants de la Maison Blanche, du State Department et d'autres services sous quatre présidents successifs, pour des raisons qu'ils jugeaient alors pertinentes et déterminantes. J'ai eu moi-même connaissance de certaines alors que j'étais Attorney-General. Quoi qu'il en soit, le résultat est que les missions de nos universitaires à travers le monde entier sont maintenant suspectes, ce qui compromet, dans une mesure impossible à évaluer, leur œuvre d'érudits et de professeurs et contraint d'annuler des douzaines de projets importants et opportuns, même les plus innocents. Quelle sera la durée de ces effets? Impossible de le savoir. Quels qu'aient été les avantages ou le coût de cette méthode par le passé, il est maintenant évident que les universités ne peuvent ni ne doivent être utilisées dans ce dessein à l'avenir. Elles ont une

grand rôle à jouer dans le développement économique
et social de l'Amérique latine. C'est à cette tâche qu'elles
doivent dorénavant se consacrer.

DÉVELOPPEMENT ÉCONOMIQUE.

J'ai dit que la réforme agraire et l'instruction, éléments
essentiels de la justice sociale et du progrès dans l'hémisphère, sont l'affaire des peuples latino-américains. Ce
sont eux qui doivent opérer les transformations, choisir
les dirigeants et fournir la majeure partie des ressources
nécessaires. L'Alliance est *leur* révolution. Elle ne peut
être imposée par Washington ou les citoyens d'autres
pays. S'ils veulent travailler, faire des sacrifices, abandonner des privilèges anciens et créer de nouvelles
institutions, notre aide peut avoir une importance décisive. S'ils ne le veulent pas, alors tous nos efforts et
tout notre argent seront comme du sable jeté dans la
mer.

Pourtant, cela posé, nous devons aussi nous dire que
les actes et les attitudes des U.S.A., riche géant partout
présent dans l'hémisphère, ont une importance capitale.
Nulle part ce n'est plus vrai que dans les efforts de
l'Alliance en faveur du développement économique
et dans l'engagement qu'elle a pris d'éliminer la misère
matérielle en Amérique latine. L'immense entreprise
comprend notre propre programme d'assistance, la
nécessité d'assurer des exportations régulières et rému-
nératrices, la stimulation de l'initiative privée responsable, l'urgence de faire face au danger d'expansion
démographique sans frein, l'intensification des efforts
pour l'éducation, ainsi que la réforme agraire.

Il est clair que notre programme d'aide, fondé comme
il l'est sur la générosité sans pareille du peuple américain,

est encore très insuffisant pour répondre aux engagements de l'Alliance. A l'heure actuelle nous attribuons chaque année à l'aide pour l'Amérique latine environ un milliard de dollars des deniers publics, sur lesquels 400 millions seulement représentent des prêts (à intérêt réduit) pour le développement, le reste étant constitué par des expéditions de surplus alimentaires et des avances de l'Export-Import Bank aux conditions habituelles dans les affaires.

Mais ce dont l'économie latino-américaine a le plus grand besoin, c'est de devises étrangères. Dans tous les pays, à de rares exceptions près, la pénurie de ces dernières freine l'industrialisation et les investissements agricoles, contribue à aggraver l'inflation, et pousse les gouvernements à de tortueuses manipulations financières. George D. Woods, président de la Banque Mondiale, a déclaré que l'ensemble des contrées sous-développées manquait chaque année de 3 à 4 milliards de devises étrangères. Le C.I.A.P. (Comité Inter-américain de l'Alliance pour le Progrès) a estimé la part de l'Amérique latine dans ce déficit à 1 milliard par an, une fois comptée toute l'aide officielle et privée. Actuellement notre assistance directe n'en couvre pas la moitié.

Quant à notre programme mondial d'aide économique, dont elle fait partie, il ne représente, proportionnellement à notre richesse, que le tiers de l'effort que nous faisions il y a quinze ans. Au cours de cette période, en effet, le revenu des U.S.A. s'est élevé plus vite que celui des pays en voie de développement. Il y a quinze ans, nous consacrions à l'expansion économique 10 % de notre budget national et près de 2 % de notre produit national brut. Aujourd'hui, face aux besoins grandement accrus des années 1960, nous n'y affectons que 3 % du budget fédéral et 1/2 % du produit national brut, soit beaucoup moins, à proportion, que la France, l'Allemagne Occidentale, ou la Grande-Bretagne.

Le peuple américain accepterait, aujourd'hui, j'en suis persuadé, des sacrifices égaux à ceux qu'il faisait alors. Nous sommes prêts à reconnaître que l'aide à l'étranger n'est pas une distribution de récompenses, mais bien plutôt une obligation morale envers nos semblables, un investissement sûr et nécessaire pour l'avenir. Nous sommes incomparablement plus riches que tous les autres pays aujourd'hui ou à un moment quelconque de l'histoire; notre richesse est égale à celle de tout le reste du monde non communiste réuni. De plus, nous savons que des millions économisés aujourd'hui peuvent signifier des milliards perdus d'ici à cinq, dix ou quinze ans et que sur le plan humain, le coût des retards est incalculable. Maintes et maintes fois, au cours de ces années incertaines et dangereuses, nous avons récolté les fruits amers de la négligence et de la lenteur, de la misère, de la maladie et de la faim laissées trop longtemps à suppurer sans remède — Cuba et la République Dominicaine en sont deux exemples frappants. Comme l'a dit le Président Kennedy : « Si une société libre ne peut aider les très nombreux pauvres, elle ne pourra pas sauver les quelques riches. »

Pour que l'Alliance réussisse, il faudra probablement que nous prenions la décision d'augmenter notre effort dans des proportions considérables, peut-être de doubler les capitaux affectés à ce poste pendant les quelques années à venir. Pour le moment nous ne sommes pas en mesure de dépenser de très grosses sommes supplémentaires, mais nous pourrions souscrire l'engagement de contribuer de manière réaliste à satisfaire les besoins dans les années suivantes[1].

Une mesure non négligeable dans ce sens a été la

1. Il est bon de rappeler que, pour toute l'Amérique latine, les sommes envisagées équivaudraient approximativement au coût de deux semaines de guerre au Vietnam.

garantie donnée par le Président Johnson en 1966 que les U.S.A. continueraient leur assistance à l'Alliance pendant la décennie de 1970.

Exportations.

Pourtant, une aide même considérablement accrue, demeurerait inopérante si des moyens n'étaient trouvés pour assainir les économies latino-américaines et développer leurs exportations. Aucune économie moderne ne saurait se suffire à elle-même; tous les pays, même ceux hautement développés d'Europe, doivent exporter pour vivre. Or les ventes à l'étranger des nations latino-américaines ont traditionnellement été dominées par des produits uniques qui les rendaient ainsi extrêmemenr vulnérables aux variations de quelques prix mondiaux. Au Brésil, par exemple, les cafés représentent 54 % des exportations; les produits pétroliers 87 % au Venezuela; les bovins — sous forme de viande, de laine et de cuir — 89 % en Uruguay; les bananes 56 % en Équateur et 34 % au Honduras.

Cette situation a provoqué des alternances malsaines d'emballement et d'effondrement dans l'économie de nombreux pays. La Bolivie monte et descend avec les cours de l'étain, le Chili avec ceux du cuivre, le Brésil et d'autres avec ceux du café, le Venezuela avec celui du pétrole. Pour ne prendre qu'un exemple, dans ce dernier pays, le taux d'expansion a été de 1,7 % en 1961, 6,3 % en 1962, 4,1 % en 1963, 8 % en 1964, en grande partie à la suite des fluctuations enregistrées sur le marché mondial du pétrole.

Pour réduire de telles variations, des efforts ont été faits ces dernières années en vue de stabiliser les prix par une réglementation internationale de la production, de la commercialisation, et un accord sur le café auquel les U.S.A. s'étaient joints a arrêté ainsi la baisse des cours qui n'avait cessé de s'accentuer entre 1960 et 1963. Mais les tentatives pour étendre ce principe à d'autres produits n'ont pas réussi et même l'accord concernant le café a été soumis à de fortes pressions du fait d'une surproduction sans frein.

Au reste, ce genre d'arrangement ne peut constituer qu'un des éléments d'un programme complet pour mettre les économies latino-américaines à l'abri de fluctuations à court terme dans les exportations. Si nombre de ces pays dépendent beaucoup trop étroitement d'un seul produit, la plupart ont des exportations plus variées; aussi une douzaine d'accords ou plus, signés par de nombreuses autres nations dans d'autres continents seraient-ils nécessaires pour les protéger tous. Certaines denrées comme les bananes sont extrêmement périssables et ne sauraient être garanties par les dispositions habituelles. En outre, celles-ci, quels que soient leurs avantages immédiats, accentuent néanmoins la dépendance envers une production unique et subventionnent le maintien de l'économie et de l'ordre social anciens. De plus, elles ne peuvent protéger contre la dégradation à long terme du prix mondial des matières premières.

Des solutions plus efficaces et plus durables sont nécessaires, y compris des améliorations dans le mécanisme du Fonds Monétaire International, afin de compenser le manque de devises étrangères provoqué par les fluctuations à court terme dans le montant des exportations et, peut-être, la création d'un dispositif spécifiquement inter-américain pour faire face aux urgences. Il est indispensable également de diversifier les exportations. L'expansion rapide du Pérou, par exemple, est due dans une large mesure à ce processus : aujourd'hui ses ventes à l'étranger se répartissent en 25 % de farine de poisson, 15 % de cuivre, 14 % de coton, 10 %

de sucre. Seulement la diversification exige des investissements qui, à leur tour, exigent l'aide de l'étranger.

Là encore, la partie essentielle de l'effort doit être accomplie par les Latino-Américains eux-mêmes. Il s'agit de créer pour leurs produits un marché intérieur qui, d'une part, leur assure une expansion économique régulière grâce à des productions accrues et, d'autre part, diminue la dépendance de celles-ci et de l'emploi envers une demande étrangère sur laquelle ils n'ont point d'action. Ce vaste marché intérieur peut être réalisé en partie par l'intégration des économies, mais l'abaissement des barrières de classe à l'intérieur de chaque pays est aussi important que celui des barrières douanières entre eux. L'exiguïté des marchés intérieurs est le résultat inévitable de systèmes qui concentrent la richesse dans les mains de quelques-uns, les investissements dans les villes à l'exclusion des campagnes et permettent tout juste à la grande majorité d'assurer sa subsistance.

Pour la plupart de ces pays, la création d'un marché intérieur est la condition nécessaire, mais non pas suffisante pour atteindre des taux d'expansion économique élevés. Rares sont ceux qui ont des populations assez importantes pour soutenir une industrie efficace et de grande envergure, même en admettant que soient réalisées d'importantes modifications dans la répartition du revenu et du pouvoir d'achat. Pour parvenir à constituer de telles industries sans imposer une charge excessive à leurs habitants, ces pays doivent être en mesure d'exporter des produits manufacturés et d'abord chez leurs voisins. Ces échanges conduiraient à l'abaissement des barrières douanières, à une spécialisation de la production, à l'usage des techniques modernes et à des prix plus accessibles aux acheteurs. Ainsi l'intégration profiterait-elle à toutes les populations latino-américaines.

Au cours des quarante dernières années, l'industrialisation s'est orientée de plus en plus vers la consommation intérieure : dans le produit national brut, les importations sont tombées de 23 % en 1929 à 10 % en 1963.
Les échanges entre pays latino-américains représentent
moins de 10 % de leur commerce total. Les résultats?
Production industrielle extrêmement protégée et inefficace, manque de concurrence, monopoles d'État, prix
excessifs pour la plupart des nationaux, ou pour la concurrence sur les marchés mondiaux.

Les États-Unis avaient espéré, à la conférence de
Punta del Este en 1967, amener les autres pays de l'hémisphère à une intégration plus poussée pour porter remède
à ces maux. Malheureusement, il semble que nous soyons
restés sur des longueurs d'onde différentes. Nous recher-
chions des garanties pour nos investissements et des
tarifs plus bas pour nos exportations vers l'Amérique
latine, alors que celle-ci recherchait un traitement plus
favorable pour ses exportations vers les U.S.A. — matières
premières aussi bien que produits manufacturés — et
ne souhaitait nullement protéger nos intérêts économiques chez elle[1]. Il en résulta un accord pour réaliser
— sans les U.S.A. — l'intégration en 1980, mais aucune
structure institutionnelle pour y parvenir. Aucun accord
effectif non plus pour améliorer les relations commerciales
entre les U.S.A. et l'Amérique latine; pourtant si nous
voulons que celle-ci se développe plus rapidement, ou que
nos entreprises y trouvent des débouchés plus vastes, nous
serons obligés d'abaisser les droits frappant la vente
de ses produits chez nous.

1. Ainsi que le Secrétaire d'État Dean Rusk l'a déclaré
en mars : « Les États-Unis n'accorderont leur soutien qu'à un
marché commun tourné vers l'extérieur et ouvert aux investissements étrangers à des conditions raisonnables ».

Le développement: Entreprise privée, États-Unis et Amérique latine.

Le gouvernement seul — par l'assistance ou par l'amélioration des circuits commerciaux internationaux — ne saurait faire face à la dramatique pénurie de capitaux, de main-d'œuvre qualifiée et de connaissances techniques dont souffrent les pays appauvris. L'entreprise privée, qu'elle soit créée par les habitants du pays ou les investissements étrangers, peut apporter un stimulant important, voire décisif, à l'expansion et à l'élévation du niveau de vie. C'est là un fait qui a été admis par toutes les nations américaines dans la Charte de Punta del Este. L'industrie privée est une source essentielle d'investissements en capitaux et de capacités techniques dans tous les pays développés. Sans un apport soutenu du secteur privé en provenance de l'étranger les buts de l'Alliance seront beaucoup plus difficiles — peut-être même impossibles — à atteindre.

Or, les investissements dans ces régions ont pris du retard au cours des dernières années et la raison n'en est pas difficile à trouver. En 1961-1962, les craintes d'une action castriste ont été vives dans tout l'hémisphère. A cette époque, comme maintenant d'ailleurs, beaucoup de ces pays ont souffert d'une instabilité provoquée par des coups d'État venant de la droite et leurs séquelles. La réglementation des prix et des marges bénéficiaires, imposée par les gouvernements, surtout dans les industries extractives et les services publics, est devenue plus sévère — parfois à l'excès — cependant que le rapatriement des capitaux et des gains était souvent limité. Tout cela à un moment où l'Europe et les U.S.A. offrent des possibilités plus vastes que jamais aux investisseurs[1].

1. Sur l'apport de 2 milliards de dollars par an que les auteurs de l'Alliance comptaient voir venir de l'extérieur, les investisse-

Chaque pays doit décider par lui-même de l'importance des investissements étrangers qu'il souhaite et des conditions dans lesquelles ils pourront s'employer. Il ne s'agit pas seulement là d'une affaire de souveraineté nationale ou de susceptibilité latino-américaine. C'est la meilleure base pour assurer un courant accru de capitaux étrangers dans l'avenir. C'est au moment où un pays et ses habitants sont assurés d'exercer une pleine et entière autorité sur leur économie qu'ils se sentent libres d'accueillir des capitaux étrangers dans des conditions raisonnables et équitables. Tant que cette autorité demeure douteuse, tous les principes du nationalisme les contraignent à en faire la preuve par des tracasseries, des menaces d'expropriation, le refus des augmentations de prix si justifiées soient-elles, etc. Mais plus elle est assurée, plus grande est la liberté et avec elle la participation des fonds venus du dehors.

La démonstration de ce paradoxe a été faite par le Mexique qui, au cours des trente dernières années, a établi un contrôle très ferme sur tous les investissements étrangers. Aux termes des lois dites « de mexicanisation », des taxes fort lourdes empêchent les étrangers de posséder plus que des intérêts minoritaires dans le secteur sensible des industries extractives, alors que des avantages appréciables sont consentis à toutes les affaires possédées à 50 % par des nationaux. Depuis 1940, le Mexique sait qu'il est maître chez lui et le résultat est que les investissements étrangers y sont peut-être plus sains et plus sûrs que partout ailleurs dans l'hémisphère; leur

ments privés directement réalisés par les U.S.A. devaient s'élever à 300 millions. Si l'on considère que la moyenne s'était maintenue à 400 millions pendant les années 1950, ce but ne semblait pas exagérément ambitieux. Pourtant, il n'a pas encore été atteint. Bien au contraire, en 1962, les entreprises ont liquidé 32 millions de plus qu'elles n'en investissaient et en 1964, nous n'avions encore atteint que la moitié des 300 millions prévus.

participation à l'économie du pays ne cesse de croître pour le plus grand bien des sociétés comme du gouvernement.

De leur côté, les entreprises peuvent faire beaucoup pour améliorer le climat d'ensemble, en vendant des actions sur le marché local, en engageant et en formant de la main-d'œuvre locale, en fournissant des dispensaires, des logements et autres services au million de travailleurs employés par nos sociétés en Amérique latine. Elles pourraient également élaborer un code uniforme pour les investissements étrangers dans ces régions, afin de recommander la ligne à suivre dans des domaines tels que reconnaissance des syndicats, possibilités de participation des capitaux locaux, formation d'autochtones pour les postes de responsabilité, égalisation des salaires pour un travail égal, exécuté par des nationaux et des citoyens des U.S.A., rémunération équitable du capital et rapatriement de celui-ci.

Investissements privés : les problèmes de l'expropriation.

Le problème le plus grave en ce qui concerne les affaires U.S., c'est l'expropriation ou toute autre intervention menaçant leurs intérêts. A nos yeux, c'est là une attitude tout à fait dangereuse et négative de la part des pays intéressés. Opérée sans compensation adéquate, elle cause un préjudice direct aux investisseurs étrangers, en général une société nord-américaine avec ses actionnaires, et elle est contraire aux lois internationales communément acceptées. En décourageant l'apport des capitaux venant de l'extérieur, elle rend l'expansion économique plus difficile. Quand, ce qui est fréquent, le gouvernement prend en main l'affaire expropriée, le résultat en est trop souvent une extrême inefficacité, un personnel pléthorique, des structures artificielles pour les prix et une perte pour l'ensemble de l'économie; c'est ce qui s'est passé pour l'étain en Bolivie, les chemins de fer en Argentine et au Brésil.

Pour toutes ces raisons le Congrès a décidé que l'aide des U.S.A. devrait être retirée lorsque l'expropriation ne serait pas accompagnée par une compensation rapide, adéquate et effective. Dans certains cas, le State Department l'a même supprimée avant que la dépossession ait eu lieu — par exemple au milieu des négociations sur le dédommagement.

Mais les Latino-Américains voient les choses sous un angle tout à fait différent. Ils ont souvent l'impression que la plupart des compagnies étrangères ont depuis longtemps récupéré les sommes investies à l'origine, et que même sans aucune compensation, elles y gagnent encore — en particulier — dans le domaine des industries extractives, pétrole et minerais, qui épuisent au surplus des ressources essentielles à l'avenir du pays. Rares sont ceux qui oublient leur histoire, ces siècles au cours desquels les richesses métalliques ont été accaparées par une petite minorité pour être expédiées dans les coffres des rois d'Espagne, puis de là dans les banques européennes.

Nous n'avons aucune raison de nous tenir pour responsables des fautes commises par les compagnies étrangères dans le passé. En Argentine, par exemple, c'est la Grande-Bretagne qui a été la puissance économique dominante jusqu'à il y a vingt ans et pourtant nous avons hérité de toute l'hostilité auparavant concentrée sur ces investissements, tout comme ailleurs, dans le continent, nous avons hérité des griefs historiques contre les Espagnols ou la classe privilégiée.

En présence de notions aussi disparates sur le droit et les faits, les désaccords sont presque inévitables; aussi est-il nécessaire que nous définissions clairement nos buts. Les États-Unis veulent protéger les intérêts de leurs entreprises et de leurs actionnaires, inciter les Latino-Américains à considérer d'un œil favorable les investissements privés aussi bien nationaux qu'étrangers, aider au développement économique, politique et social du continent, promouvoir l'amitié et la coopération avec ses diverses nations.

Mais ces buts peuvent entrer en conflit les uns avec les autres et la poursuite acharnée de l'un empêcher d'atteindre les autres. Lors d'une contestation sur l'expropriation d'une entreprise américaine, par exemple, certains fonds ont été retenus, entre autres ceux d'un projet du type *Peace Corps* que des étudiants péruviens devaient mettre en œuvre dans les régions rurales défavorisées du pays : le but était de rendre nos interlocuteurs plus « raisonnables ». Or les programmes ainsi arrêtés représentaient une source virtuelle de vastes réformes démocratiques, de force et de stabilité — essence même de l'Alliance et de notre propre intérêt national. De plus, la pression ainsi exercée a transformé l'expropriation en une affaire nationale beaucoup plus grave, utilisée pour reprocher au Président Belaunde de ne pas avoir tenu tête plus résolument aux U.S.A.; les critiques venaient d'ailleurs surtout de la droite. Fait plus significatif encore, l'année même où l'aide à la *Cooperación Popular* était bloquée, nos livraisons de matériel militaire au Pérou ont presque doublé, passant de 5,2 à 10 millions de dollars, soit plus qu'à n'importe quel autre pays latino-américain. Les responsables de ces décisions n'avaient peut-être pas recherché un tel résultat, mais beaucoup de Péruviens, bien sûr, ont pensé que nous faisions passer l'armement avant la réforme sociale. Et l'avenir des investissements privés a peut-être été sérieusement compromis par une identification plus poussée encore avec les étrangers et la domination des États-Unis.

Il convient d'opposer à ce cas les résultats d'une politique différente au Mexique. Vers la fin de la révolution, en 1938, ce pays nationalisa toutes les compagnies pétrolières étrangères et pendant un temps, l'emploi de sanctions économiques, voire de la force, fut envisagé pour le contraindre à payer une compensation intégrale. La contestation se traîna jusqu'en 1940 et, à cette date, les U.S.A. se préoccupant d'une possible pénétration de l'Axe dans l'hémisphère, le Président Roosevelt y mit fin dans des conditions très favorables pour le Mexique. L'un des résultats fut d'aider à assurer notre flanc sud pendant toute la Deuxième Guerre Mondiale et un autre d'amener la révolution mexicaine à composer avec les États-Unis : depuis, nos relations n'ont cessé d'être bonnes. Aujourd'hui, une génération après, non seulement l'industrie mexicaine est en pleine expansion, mais les sociétés U.S., qui reconnaissent comme il convient la suprématie politique du gouvernement national, opèrent là-bas sans aucune entrave économique sérieuse.

On relève un autre exemple de politique réaliste au Chili, menée cette fois non pas par notre gouvernement mais par nos milieux d'affaires. Là le Président Frei a conclu avec des affaires de cuivre U.S. un accord aux termes duquel le gouvernement chilien devient majoritaire dans leurs opérations et les compagnies sont chargées d'installer des usines pour la fabrication des produits finis, la production devant être accrue grâce à des avantages fiscaux substantiels. Ce qui est important, c'est que cette entente a été réalisée par les sociétés elles-mêmes, sans que le gouvernement des États-Unis ait exercé la moindre pression.

Ces exemples prouvent que le problème des expropriations devrait être traité exactement comme les autres questions touchant nos investissements privés. L'essentiel est que nos entreprises traitent directement avec les

gouvernements latino-américains, dans le plein respect
de leur souveraineté et de leur indépendance nationale,
comme nombre de particuliers et de compagnies nord-
américains ont montré qu'il était possible de le faire.
Mais il ne faut pas suspendre une aide en vue d'arracher
des avantages spéciaux pour nos hommes d'affaires.
Même quand nos entreprises sont expropriées dans
des conditions peu satisfaisantes pour les propriétaires,
le Président devrait avoir les moyens de déterminer une
politique dans le contexte global de nos relations avec
le pays en question. A mon avis, la législation actuelle,
qui exige que l'aide soit suspendue en pareil cas, prive
les négociations de la souplesse nécessaire et ne saurait
être que préjudiciable. En dernière analyse, une telle
mesure n'est pas une politique, mais l'échec d'une politique; le but des affaires et de la diplomatie créatrices
est de faire en sorte que la suppression de l'aide, en manière
de représailles après une expropriation, ne devienne
jamais nécessaire.

La population: croissance et contrôle.

Tous nos efforts pour stimuler l'expansion économique
doivent s'accompagner de la conscience permanente
que l'expansion démographique menace de dévorer
nos gains à mesure qu'ils sont obtenus. La population
des pays latino-américains s'accroît plus vite que celle
de n'importe quelle autre partie du monde. Dans l'ensemble du continent, l'augmentation est de 3 % par an;
dans plusieurs contrées, elle atteint 3,5 %. Les Nations
Unies estiment qu'au rythme actuel il aura 363 millions
d'habitants en 1980, soit 50 % de plus qu'en 1965. Bien
que la production des produits alimentaires ait augmenté
de 10 % au cours des cinq dernières années, elle n'a
pas comblé le retard; chaque individu n'a pas plus à

manger qu'il y a cinq ans et l'alimentation demeure
absolument insuffisante. En outre ce même accroissement
de population qui annule les progrès de l'agriculture
diminue ceux du revenu brut[1].

Néanmoins certains Latino-Américains ne considèrent
pas cette prolifération comme un danger. « La plupart
des pays », note un rapport de l'O.N.U., « considèrent
la perspective d'une population beaucoup plus considérable comme un défi à relever, mais non pas comme
un fardeau ». Ils font remarquer que la densité du peu-
plement est moitié moins forte qu'aux U.S.A., dix fois
moins qu'en Europe et qu'assurément il y aura besoin
de plus de bras pour l'œuvre de développement, ainsi
que la colonisation intérieure.

Malheureusement cet accroissement rapide ne sert
pas du tout à mettre l'intérieur en valeur, mais à grossir
le nombre des pauvres dans les villes. De plus, il compromet sérieusement les efforts faits pour améliorer le niveau
de l'instruction, fournir des logements convenables,
élever le niveau de vie par des douzaines d'autres moyens.
Les familles pauvres ont beaucoup plus de difficulté
à élever leurs enfants, exactement comme cela se passe
chez nous. Une fois le développement en bonne voie,
l'argument de la sous-population aura plus de force,
mais actuellement le problème n'est pas là.

1. Celui du Venezuela par exemple, a augmenté de 5 p. 100
par an entre 1960 et 1964, sa population de 3,7 p. 100 et donc
le revenu par tête de moins de 1,5 p. 100. Le Pérou où le revenu
s'est élevé de 7,7 p. 100 par an en moyenne entre 1960 et 1964
a un taux d'augmentation par tête de 4,5 p. 100. Le Chili a eu
une expansion démographique lente pour l'hémisphère, puisque
2,3 p. 100 par an seulement, mais elle a suffi à ramener un taux
d'augmentation de 4,4 p. 100 pour la production brute à 1,9
p. 100 par tête. Dans les régions rurales du Guatemala où la
population s'est accrue de 3,1 p. 100 au cours des récentes
années, le revenu par tête a diminué de presque 5 p. 100 entre
1950 et 1964.

Ces faits sont d'ailleurs reconnus par nombre de Latino-Américains. Les sondages révèlent que la plupart des femmes ne souhaitent pas plus de trois ou quatre enfants; nous savons que dans certaines villes une femme sur quatre a subi un avortement et de nombreux gouvernements qui s'intéressent de près à cette question manifestent la volonté d'assurer un contrôle efficace de la population.

Nous devrions, selon moi, apporter notre assistance à tout pays qui décide que la régulation des naissances est d'intérêt national et pousser nos recherches en ce qui concerne les procédés propres à l'assurer. Aucun effort ne devrait être ménagé pour informer les dirigeants et les populations de l'aide disponible, de la manière dont on peut élaborer des programmes efficaces et équilibrés pour le contrôle démographique et des conséquences possibles des divers modes d'action, ou d'inaction.

Mais nous ne pouvons les contraindre à agir. Le soupçon est déjà très largement répandu parmi eux que « les nations riches qui s'inquiètent de l'accroissement démographique veulent réduire le nombre des Portoricains, des Hindous, des Noirs, des Chinois et des Mexicains, ou encore de certaines classes ou groupes sociaux comme les pauvres, les ouvriers ou les catholiques. Mais elles ne s'inquiètent pas du tout, par exemple, de la multiplication des Aryens, des Protestants ou des Rotariens ».

En fait, ce sont bien entendu les habitants des pays les plus avancés et les plus riches qui pratiquent le plus activement la régulation des naissances. Mais la citation que je viens de faire éclaire bien le mur de suspicion qui se dresse devant nos efforts en vue de limiter l'expansion démographique. Toute tentative pour forcer la main des Latino-Américains dans cette affaire ne pourrait que rendre ces soupçons plus virulents encore. Mais nous

devons nous tenir prêts à assister, prêts à encourager
les efforts qu'ils engageront pour prendre une conscience
plus exacte de leurs problèmes et, tout en reconnaissant
qu'ils doivent librement arrêter leurs décisions, les aider
à discerner celles qui servent véritablement l'intérêt
de leurs populations et les desseins de l'Alliance.

LA POLITIQUE DE L'ALLIANCE.

Capitaux, investissements, enseignement, réforme
agraire et tout le reste sont indispensables à la création
d'un État moderne. Ils devront constituer le programme
de tout pays en voie de développement, n'importe où
dans le monde, qui est engagé dans la recherche ardue
et pénible du progrès économique et de la justice sociale.
Cependant, en Amérique latine, cette action se développe
dans les structures de la démocratie politique et de la
liberté individuelle. Ces pays appartiennent à l'Occident,
contrairement à beaucoup d'autres; ils participent aux
mêmes valeurs et traditions, à la même histoire et aux
mêmes religions que l'Europe et les États-Unis. Leurs
intellectuels, leurs dirigeants, leurs populations ont été
nourris d'une foi profonde dans la liberté.
Celle-ci leur a souvent été déniée. Ils ont eu plus que
leur part des souffrances causées par les despotes, les
dictateurs et les oligarchies. Mais, de Bolivar à nos jours,
la démocratie et la liberté ont toujours été un signe
de ralliement et un acte de foi. Bien sûr, la décision en
matière de choix et d'action leur revient, mais nous
devons comprendre, de notre côté, que nos interventions
peuvent avoir une influence énorme sur le troisième
grand pilier de l'Alliance : le développement de la
démocratie.

*Le problème de la puissance : les U.S.A. vus par les Latino-
    Américains.*

Aux yeux des Latino-Américains, les U.S.A. ne paraî-
tront jamais neutres. Notre pays est si puissant qu'ils
croient très sincèrement que nous décidons à peu près
tout ce qui se passe dans l'hémisphère. Il projette sur ce
continent une ombre dont il est difficile de se faire une
idée exacte dans le Nord. Pour nous l'affaire de la République Dominicaine n'a été qu'une crise parmi beaucoup
d'autres, à peu près effacée aujourd'hui dans notre souvenir par le Vietnam ; pourtant longtemps après les
combats, c'était le grand, le seul problème abordé avec
le visiteur américain par les Latins de tous les horizons
politiques. Nous y avons vu un incident isolé, la riposte
ad hoc à une menace rigoureusement circonscrite ; pour
eux, c'était un rappel du passé et un présage de l'avenir,
un danger pour les principes d'indépendance nationale
et d'autodétermination, exactement comme le débar-
quement dans la Baie des Cochons a paru pour beaucoup
le signe d'une menace d'un genre nouveau venant du
Nord. Nous considérons rarement nos opérations pétrolières à l'étranger comme des facteurs importants de
notre économie ; mais au Pérou une impasse dans les
négociations entre le gouvernement et l'une de nos
compagnies a provoqué le ralentissement de l'aide que
nous apportons au développement du pays ; il en est allé
de même en Argentine et l'économie du Venezuela
dépend en grande partie de la décision que prendront
les compagnies pétrolières : commercialiser la production des puits qu'elles possèdent dans le pays ou de
ceux du Moyen-Orient.
   Le prix que nos ménagères paient le café est peut-être
le sujet de quelques remarques qui durent un instant

dans la conversation, mais une baisse, même très légère, annulerait en grande partie le bénéfice de l'aide que nous accordons chaque année au Brésil pour son développement; quant au sucre notre répartition des contingents d'importation peut ébranler l'économie de plusieurs pays. Ce ne sont là que quelques exemples qui illustrent la dépendance directe de l'Amérique latine envers les événements survenus et les décisions prises dans de nombreux domaines, circonstances de la plus haute importance pour elle et qu'elle a l'impression de ne pouvoir ni influencer ni modifier.

Parce que ces mesures ont une grande importance pour elle, elle est persuadée que nous prévoyons et que nous calculons jusqu'à leurs moindres conséquences. Souvent elle voit dans une ligne de conduite ou une décision beaucoup plus qu'il n'y a en réalité. Si nous reconnaissons un gouvernement, elle en conclut que nous l'approuvons. Si nous apportons quelque aide à l'armée d'un pays, beaucoup croient que nous souhaitons l'arrivée des militaires au pouvoir. L'opinion publique de ces pays, dont les dirigeants ont des liens étroits avec les milieux d'affaires, ne distingue pas entre les décisions des particuliers — investissements ou prix — et celles du gouvernement. Pour elle, celui des U.S.A. est directement responsable de tous les aspects des relations économiques entre son pays et le reste du continent.

Or nous savons que les États-Unis ne sont pas omnipotents, que bien souvent nous agissons ou manquons d'agir par erreur ou inadvertance, que nous reconnaissons parfois un gouvernement, ou traitons avec lui simplement parce qu'il est là et que nous l'aidons parce que c'est la meilleure solution parmi plusieurs dont aucune n'est satisfaisante. Nous savons aussi qu'aux U.S.A. la plupart des décisions, en ce qui concerne l'économie, sont prises par des particuliers et non par le gouvernement. Mais les Latino-Américains nous voient à leur manière comme nous les voyons à la nôtre. Et l'essentiel d'une politique étrangère, ce sont les résultats, ce qui signifie que nous devons nous préoccuper non pas seulement du jugement que nous portons sur nos mobiles ou nos actes, mais aussi de celui que portent nos interlocuteurs et nos partenaires.

Cela ne signifie pas que la popularité doive être notre seul critère. Il y a eu par le passé et il y aura dans l'avenir de nombreuses occasions où notre façon de concevoir notre intérêt national, voire celui des autres, sera nettement impopulaire, nous devrons faire face. Ce qui doit guider nos actions, c'est ce « respect bienséant pour les opinions de l'humanité » que professait la Déclaration d'Indépendance; en outre, nous devons la plus profonde sollicitude aux vues de nos partenaires dans l'expérience unique que constitue l'Alliance pour le Progrès.

Donc, toutes celles de nos décisions qui ont des répercussions en Amérique latine, doivent être étudiées avec la plus grande attention par des services compétents, aux niveaux les plus élevés. Apprenons à traiter avec nos collègues de l'hémisphère dans un esprit qui reconnaisse au moins leur définition de l'importance d'une question. Nous n'en viendrons pas ainsi à tomber d'accord avec eux sur toutes les décisions, nous ne résoudrons pas tous les problèmes, mais au moins nous n'échouerons pas par insouciance et négligence. Il y a quelques années, John Foster Dulles accomplissant une mission en Amérique latine, entendait ses hôtes lui dire : « Nous sommes très heureux de vous accueillir dans notre pays Monsieur le Secrétaire ». A quoi il répliqua un jour : « Vous avez bien tort. Je ne vais que dans les endroits où il y a des difficultés. » Si jamais nous devions en revenir là, à ne prêter attention qu'aux difficultés, alors elles se multiplieraient assurément pour les générations à venir.

Les États-Unis et la politique intérieure en Amérique latine.

Avec ces considérations présentes à l'esprit, quel devrait être notre rôle dans les transformations politiques et sociales en Amérique latine? Dans quelle mesure pouvons-nous les influencer? Dans quelle mesure avons-nous le droit de le faire — ou de nous abstenir? Faut-il n'avoir de rapport avec les populations que par l'intermédiaire des gouvernements établis? Enfin, et c'est le problème le plus ardu, quelle devrait être notre attitude à l'égard des gouvernements non démocratiques ou de ceux qui s'opposent aux réformes? Au cours des dix dernières années, de même que plus avant dans l'histoire de l'hémisphère, nombre de régimes ont été renversés par des coups d'État militaires. Depuis le début de l'Alliance en 1961, des gouvernements élus ou constitutionnels ont été renversés, ou empêchés de prendre le pouvoir au Honduras, au Pérou, en Argentine, en République Dominicaine, au Brésil, au Guatemala, en Équateur et en Bolivie. Presque tous vivent sous la menace d'une action de ce genre que seul le Mexique a évité depuis trente ans, bien que d'autres aient pris des mesures pour juguler la puissance de l'armée.

Notre position officielle est que les États-Unis « réservent leur amitié spéciale » aux gouvernements progressistes et démocratiques et que « les despotes ne sont pas les bienvenus dans cet hémisphère ». Elle ne répond pas à toutes les questions. Il est aisé de soutenir au Venezuela ou au Chili un gouvernement authentiquement démocratique, résolu et engagé à effectuer des réformes réelles, mais ce n'est pas le cas partout. Chaque pays présente un ensemble de problèmes qui n'est semblable à aucun autre et doit être confronté avec ses propres réalités.

Seulement nous ferions bien d'aborder ces confrontations avec un préjugé beaucoup plus défavorable à
l'égard des militaires.

En 1966, quand j'ai présenté mon premier rapport
au Sénat sur le voyage que je venais de faire en Amérique
latine, j'ai essayé de traiter ce problème en analysant
notre politique envers le Brésil, victime d'un coup d'État
militaire en 1964. Le gouvernement précédent avait été
corrompu et inefficace, l'inflation s'accroissait de 100 %
par an, le Président et son entourage étaient devenus
des propriétaires terriens parmi les plus riches du pays.
L'intervention de l'armée avait été approuvée par une
proportion très importante des classes moyennes urbaines
et de nombreux politiciens civils, personne ne se souciait
de défendre l'ancienne équipe au pouvoir. La nouvelle,
dirigée par le général Humberto Castelo Branco, ins-
titua certes un contrôle répressif de la politique et de la
presse, mais s'orienta aussi vers des réformes importantes
et promit des élections pour 1966.

A tort ou à raison, les habitants de l'hémisphère estimaient que nous portions une lourde responsabilité
dans ce bouleversement. Moins de trois semaines avant
qu'il se produise, la presse signalait que, dans des conseils
privés, notre Secrétaire d'État adjoint aux Affaires latino-
américaines avait déclaré que les U.S.A. ne s'opposeraient
pas automatiquement à toute prise de pouvoir par les
militaires dans l'hémisphère. Nous avons reconnu le
nouveau gouvernement trois jours après le coup de force,
accordé un prêt spécial de 50 millions de dollars au bout
de trois mois et à la fin de 1966 le montant de notre aide
s'élevait à 1 milliard de dollars. Nous nous étions identifiés dans une très large mesure avec la nouvelle équipe
et son programme; les Brésiliens pour se moquer de
notre ambassadeur allaient répétant : « Élisez Gordon,
supprimez les intermédiaires ».

J'ai dit en 1966 qu'il ne fallait pas arrêter brutalement notre assistance au Brésil, que cette mesure ferait plus de mal que de bien à la population, qu'elle serait très vivement ressentie par tous les partisans, fort nombreux, du gouvernement et même par beaucoup de ses adversaires. J'estimais que la poursuite de l'aide, assortie d'un soutien nettement déclaré au retour à la démocratie — exprimé par les voies diplomatiques et dans l'opinion publique — était la politique qui ménageait le mieux l'avenir. Les événements ont prouvé que j'étais beaucoup trop optimiste. La continuation d'une assistance aussi considérable ne semble avoir fait que confirmer les militaires dans leur autorité, encouragé le durcissement de la répression et facilité les modifications qu'ils ont fait subir à la constitution pour justifier leur arbitraire. Elle a certainement incité, dans une mesure impossible à déterminer, l'armée argentine à prendre le pouvoir en 1966; certains rapports ont même signalé que des officiers brésiliens avaient rencontrés leurs collègues argentins avant l'intervention de ces derniers, pour leur donner des conseils sur la manière de traiter le problème de la reconnaissance et de l'aide U.S.

L'Alliance pour le Progrès n'était pas destinée — elle ne pouvait pas l'être — à nous donner le moyen de déterminer le gouvernement de tous les pays d'Amérique. C'est au peuple de chacun d'entre eux à savoir comment il entend être dirigé : leurs luttes et leurs conflits politiques ne regardent qu'eux. L'indépendance et la responsabilité ne sont ni octroyées ni enseignées; on ne peut les apprendre que par la pratique, y compris celle des erreurs. Mais quand le pouvoir est pris par l'armée, ou un gouvernement constitutionnel renversé, notre assistance devrait être réduite au minimum compatible avec le souci humanitaire du sort des populations. Sur le plan pratique il nous faudrait tout au plus soutenir des projets bien précis contribuant directement aux réformes — écoles rurales par exemple, hôpitaux, programmes agraires, etc. — en évitant tous les prêts aux attributions mal définies qui tendent à nous identifier avec le gouvernement. Dans l'avenir, comme ils l'ont fait par le passé, ces pays pourront accepter temporairement la domination des forces militaires. Mais une assistance et un soutien ayant le caractère et l'ampleur de ceux que nous avons prodigués au Brésil depuis 1964 ne sauraient être salutaires ni à cette nation, ni à l'Amérique latine et risquent de porter un coup fatal aux idéaux de l'Alliance.

Les précédents ne manquent pas pour une action plus vigoureuse. Après un coup d'État militaire au Pérou en 1962, nous avons suspendu tous les programmes d'aide et refusé la reconnaissance jusqu'à ce que le nouveau gouvernement ait pris l'engagement explicite d'autoriser les élections libres et de respecter les libertés civiles. Les promesses faites ont été tenues et elles ont abouti en 1963 à l'élection d'un gouvernement progressiste dirigé par le Président Belaunde. Cette politique a été tentée ailleurs, avec moins de succès; le plus souvent elle ne l'a été que pour être abandonnée tout aussitôt. Et des conversations avec certains représentants du State Department donnent à penser qu'elle ne sera plus adoptée, en quelque circonstance que ce soit. Dans l'intérêt de l'Amérique latine et celui des U.S.A., j'espère qu'ils n'expriment pas correctement nos intentions. Dans le cas contraire, ils violent l'esprit sinon la lettre de l'Alliance pour le Progrès, ils attaquent la base même de sa philosophie qui faisait d'elle bien plutôt qu'un programme d'aide U.S. une immense entreprise d'assistance mutuelle ayant en son centre les réformes et les progrès sociaux ainsi que politiques.

L'aide en tant qu'arme : politique étrangère.

L'autodétermination était un des facteurs essentiels de l'Alliance, équilibrée en contrepartie par le principe que seuls des gouvernements et nations orientés vers les progrès et les réformes pouvaient participer avec fruit à ses programmes, donc prétendre à son assistance. La décision, concernant ceux qui étaient dans les conditions requises et ceux qui n'y étaient pas, serait prise non pas unilatéralement par les U.S.A., mais avec l'accord de toutes les nations américaines. Agir autrement eût été justifier l'accusation de Che Guevara déclarant à Punta del Este qu'il s'agissait de l'alliance « entre un millionnaire et vingt mendiants ». L'intention était moins encore d'en faire un grossier instrument entre nos mains pour dominer certains domaines particuliers de la politique étrangère des pays latino-américains.

Pourtant la tentation existe, et nous y avons parfois succombé, d'utiliser dans ce sens notre immense puissance et notre aide. A certains moments nous avons essayé de contraindre d'autres nations à donner leur accord, ou de les punir si elles s'y refusaient : à propos de questions comme un vote favorable ou défavorable à l'Organisation des États Américains sur notre action en République Dominicaine, ou la reconnaissance de la Chine communiste, ou l'admission de celle-ci aux Nations Unies. Il est peut-être compréhensible que des représentants de l'Exécutif ou des membres du Congrès estiment que des pays qui ne nous ont pas soutenus en pareilles circonstances ne sont pas des amis sûrs et ne devraient pas recevoir notre aide. Mais cette réaction, qui s'explique si aisément dans les passions et la surexcitation du moment, ne saurait être que néfaste à long terme. Nous entendons que notre gouvernement reflète les sentiments de nos populations; les autres pays du continent en font autant pour les leurs et éprouvent un profond ressentiment envers celui d'entre eux qui ne serait pas totalement indépendant dans ses décisions. Un président latino-américain m'a dit un jour succinctement : « Si vous voulez un gouvernement qui dise toujours « oui, oui, oui », vous ne tarderez pas à vous trouver devant un gouvernement qui dira toujours « non, non, non ». »

MENACES DE GAUCHE ET DE DROITE.

Les forces de la démocratie progressiste se heurtent à des ennemis et des obstacles nombreux en Amérique latine. Elles sont soumises à des attaques venant de gauche et de droite, de ceux qui sacrifieraient volontiers la justice pour sauvegarder le passé et de ceux qui imposeraient inconsidérément effusion de sang et dictature pour hâter les changements. Deux des dangers qui se rencontrent le plus souvent à travers le continent sont d'une part l'action communiste et, de l'autre, l'ingérence de certains organismes militaires dans les processus constitutionnels.

Menace communiste.

La menace du communisme en Amérique latine est réelle. Mais elle a fait commettre de nombreuses erreurs dans les faits, les jugements et les actes. Or, si nous voulons éviter qu'elle devienne réalité nous ne pouvons nous permettre aucune fausse manœuvre. Le communisme n'a pas le même sens des deux côtés du Rio Grande. Pour les Latino-Américains, le mur de Berlin, la Hongrie, la liquidation des koulaks, ou la persécution de la pensée qui a survécu à Staline, tout cela est très lointain. Nos confrontations avec l'Union soviétique et la Chine communiste, sont, dans une large mesure, étrangères à leurs préoccupations. De plus, ils ne voient pas seulement dans le communisme une conspiration pour prendre le pouvoir, financée et soutenue de l'extérieur — bien que Cuba, la Chine et dans une moindre proportion l'U.R.S.S., viennent directement en aide aux mouvements d'extrême-gauche en de nombreux points de l'hémisphère, rivalisant apparemment pour obtenir l'allégeance de ses révolutionnaires. Il représente l'espoir pour beaucoup de ceux qui cherchent un raccourci inexistant, menant droit au progrès économique et à la justice sociale. De plus, il exerce un puissant attrait sur nombre de ceux qui y trouvent l'interprétation de leurs expériences : ils ont été exploités pendant des générations et le capitalisme représente à leurs yeux la domination étrangère, ou un système qui permet à la classe dirigeante de créer des monopoles pour piller le pays.

Le communisme annonçant la destruction du capitalisme, certains y voient la solution de maints problèmes sociaux parmi les plus urgents, allant parfois jusqu'à penser que cela est plus vrai encore de la tendance extrême, celle du maoïsme, qui ajoute à la théorie marxiste traditionnelle la prédiction que l'hémisphère Sud défavorisé finira par vaincre le Nord repu et propose à tous une alliance contre lui.

Elle n'a été acceptée que par une petite minorité : bandes de guérilleros au Pérou et au Guatemala, de terroristes au Venezuela, groupuscules d'intellectuels et d'étudiants ailleurs. Mais leur petit nombre ne les rend pas inoffensifs. Au Venezuela, par exemple, les élections de 1963 ont eu lieu dans les circonstances les plus difficiles, en plein terrorisme; lors de ma visite en 1965, Caracas ressemblait encore par nombre de ses aspects à une ville en état de siège. Bien souvent ces groupes se montrent plus disciplinés et plus actifs que les forces de la réforme démocratique et sont les seuls, en apparence, à se soucier d'améliorer la condition des paysans sans terre ou des habitants des taudis urbains. Dans un village des Andes, un seul habitant s'était jamais déclaré partisan de donner la terre aux paysans; il était communiste et aujourd'hui nombre de villageois se disent communistes parce que, eux aussi, ils réclament la réforme agraire. C'est là que réside le grand danger de subversion dans ces pays : si nous laissons le communisme brandir l'étendard et la promesse de la réforme, alors les abandonnés, les dépossédés, les humiliés, les outragés se tourneront vers lui comme vers la seule voie pour sortir de leur misère.

Certains de nos actes et ceux de certains gouvernements latino-américains ont contribué à ce transfert. Pendant des années, l'ordre établi dans le continent a qualifié de communistes tous les efforts faits pour obtenir justice, renforçant ainsi la prétention parfaitement injustifiée émise par les marxistes de représenter les forces du progrès et de la démocratie — situation encore aggravée par les milieux de droite latino-américains qui classent dans cette même catégorie, sous cette même appellation des dirigeants comme les présidents Frei du Chili et Leoni du Venezuela, ou le grand archevêque brésilien Dom Helder Camara. Pourtant il nous faut bien comprendre que le communisme est une plante étrangère dans ces pays. Si une autre possibilité riche d'espoir s'offre à elles, leurs populations le rejetteront et suivront la voie de la réforme démocratique. Mais si nous nous allions à ceux pour qui le cri de « communisme » n'est qu'une excuse destinée à sauvegarder leurs privilèges, si nous apportons notre aide, militaire ou autre, à des gouvernements qui l'utilisent pour empêcher les réformes, alors nous contribuerons grandement à ce que celles-ci, quand elles se produiront, portent l'étiquette communiste.

Le communisme armé: insurrection et contre-insurrection.

Même un gouvernement authentiquement réformateur n'est pas invulnérable à la force des armes : bombes et balles peuvent terroriser et intimider des citoyens parfaitement loyaux envers leurs dirigeants. Étant donné la situation dans la plupart des pays latino-américains, des dizaines de millions de personnes, quels que soient les efforts faits en leur faveur, continueront pendant des années à nourrir des griefs sérieux; certains auront peut-être recours à la violence et à l'insurrection. De plus, il existe dans une grande partie de ces contrées aux vastes espaces dépeuplés une tradition de pillage et de banditisme que des terroristes organisés pourraient utiliser à leurs fins.

Pour que les gouvernements s'orientent vers le progrès et la liberté. il faut qu'ils puissent se défendre contre des attaques venant de l'intérieur, comme les dirigeants vénézuéliens l'ont fait en 1963 : la rébellion a été matée, des élections ont eu lieu et pour la première fois dans l'histoire du pays un président élu a succédé à un président qui était allé au bout de son mandat constitutionnel, succès dû en grande partie à la compétence de la police qui s'est révélée capable de juguler le terrorisme sans faire usage de méthodes aveuglément répressives et brutales qui eussent aliéné l'ensemble de la population.

Ce résultat à son tour est dû au programme d'entraînement spécial pour lutter contre la subversion, mis au point par le Venezuela trois ans plus tôt, au milieu d'une autre crise. En 1961, l'activité terroriste, soutenue de Cuba par Castro, atteignait un paroxysme. Le président Betancourt était menacé de deux côtés : par les terroristes eux-mêmes et par l'armée sur le point de prendre le pouvoir au nom de « l'ordre public ». Un programme d'urgence pour combattre l'insurrection fut alors lancé par Betancourt que soutenait le pays. La police apprit, entre autres, les meilleurs procédés pour se rendre maîtresse des foules et des émeutes, pour s'infiltrer dans les organisations révolutionnaires, pour établir des communications rapides. La crise immédiate fut surmontée et posée la base des élections réussies de 1963.

Cet effort spécial était nécessaire, même dans un pays possédant de puissantes forces armées, en raison de la nature spéciale de l'action contre-révolutionnaire. Il ne s'agit pas d'un problème militaire : tout au contraire, l'intervention de l'armée marque l'échec de la contre-insurrection et bien souvent le début d'une guerre civile de grande envergure. Les problèmes très particuliers de la guerre révolutionnaire seront examinés plus en détail au sujet du Vietnam. Notons seulement ici que pour triompher de l'insurrection, il ne saurait suffire d'entraîner la police et de juguler les militaires. En effet, elle ne recherche pas la conquête des territoires mais l'allégeance des hommes. Or, dans les étendues latino-américaines comme dans d'autres régions menacées du monde, les esprits ne peuvent être gagnés que par des programmes positifs : réforme agraire, écoles, administration honnête, routes et hôpitaux, syndicats et justice équitable, participation de tous aux décisions qui déterminent la vie de tous. On pourrait définir la contre-insurrection comme une réforme sociale d'urgence.

Tous les efforts qui, ne tenant pas compte de cette base sociale, se laissent dominer par les procédés techniques et l'emploi de la force sont voués à l'échec et les U.S.A. ne devraient en aucun cas les soutenir. La contre-insurrection n'est pas un détersif miracle qui peut faire disparaître le communisme de n'importe quel pays. Ses méthodes ne sont efficaces que si le gouvernement assume ses responsabilités fondamentales et satisfait les besoins essentiels des populations. Si évidente que la leçon puisse paraître, certains dirigeants, aussi bien dans notre pays qu'ailleurs, n'ont pas encore compris ses enseignements. Pour nous, ce manquement sera coûteux; pour d'autres à travers le monde, et non pas seulement en Amérique latine, cette erreur sera la dernière.

Communisme: intervention et République Dominicaine.

Je n'ai pas l'intention de remettre sur le tapis notre intervention en République Dominicaine pour y démêler le juste et l'injuste. Mais certaines choses doivent être dites, car il y a des enseignements à en tirer et cette affaire constituera un élément important dans nos relations avec l'Amérique latine pendant des années encore. Partout où je suis allé à travers le continent c'est la première question qui a été soulevée et non pas seulement par des étudiants, mais par des journalistes, des hommes d'affaires et des représentants officiels. Depuis deux ans, cette passion immédiate a perdu de sa violence; cependant il s'est glissé dans la trame de nos relations avec l'hémisphère un nouveau fil de méfiance envers le colosse du Nord, presque invisible quand tout va bien, mais qui ressortira immanquablement dans les périodes difficiles si nous ne l'arrachons pas au moyen d'une action vigoureuse et positive. La plupart de mes interlocuteurs ne croyaient pas que la révolte eût été inspirée ou dirigée par les communistes et même s'ils le pensaient, ils déniaient aux U.S.A. le droit d'intervenir unilatéralement.

Hostile à l'intervention, j'avais déclaré alors : « Notre volonté d'arrêter la révolution communiste dans l'hémisphère ne doit pas être interprétée comme une opposition aux soulèvements populaires contre l'injustice et l'oppression, simplement parce que ceux qui en sont les cibles les déclarent fomentés, ou dirigés par des communistes, ou même parce que des membres connus du Parti y participent ». J'avais ajouté que qualifier la révolte de « communiste » ne pouvait qu'aliéner les démocrates anti-marxistes qui constituaient la grande majorité et renforcer les extrémistes. Mais à l'heure actuelle, le plus important, c'est ce que nous allons faire dans l'avenir. Les efforts de McGeorge Bundy, puis ceux de l'ambassadeur Ellsworth Bunker pour assurer des élections libres et l'installation du gouvernement élu ont constitué un grand pas en avant. Mais il est bien admis que le temps des difficultés n'est pas terminé pour nous.

Reconnaissons que nous ne pouvons réprimer les désordres partout dans l'hémisphère. Si nous voulons réduire les dommages et le risque de révolution, concentrons-nous plutôt sur des programmes de progrès social. Envoyer en 1965, 30 000 hommes de troupe sur une île comptant 3,6 millions d'habitants, dont quelques milliers en armes dans une seule grande ville, était une chose. Le faire aujourd'hui où nous sommes engagés à fond au Vietnam en serait une autre. Il serait plus difficile encore d'imaginer une intervention dans un pays comme le Brésil, plus vaste que les U.S.A., avec une population de 80 millions d'âmes, ou en Argentine avec ses 24 millions d'habitants et ses plaines immenses, ou dans une quelconque des nations de la *cordillera* andine.

Il faut en outre préciser très nettement que nous ne prendrons jamais une telle initiative dans l'avenir sans des consultations approfondies avec l'Organisation des États Américains. Peut-être jugerons-nous souhaitable d'explorer les moyens de renforcer cette dernière pour faire face aux crises futures, mais les chances de succès sont minces. Plusieurs pays sont convaincus, en effet, qu'une Organisation plus puissante ne serait qu'un instrument entre nos mains pour intervenir dans leurs affaires intérieures. Et certains comme le Pérou, le Chili et le Venezuela aiment mieux se débattre sans aide avec leurs problèmes de subversion que se soumettre à l'intervention multilatérale de nations telles que l'Argentine et le Brésil.

Il est encore une autre leçon à tirer de l'affaire dominicaine. Le plus grand succès pour les nations comme pour les particuliers, c'est d'être fidèle à soi-même. Nous n'avons pas édifié les U.S.A. sur l'anti-communisme. Notre force est née d'une foi positive; nous ne devons ni haïr ni redouter nos adversaires. Mettons donc moins l'accent sur ce que font les communistes pour menacer la paix dans l'hémisphère et plus sur ce que nous pourrions faire pour rendre meilleure la vie de ses populations.

Les militaires.

L'autre obstacle majeur à la démocratie progressiste en Amérique latine est l'habitude invétérée qu'ont les forces armées de nombreux pays d'intervenir dans la politique. A un moment donné, de telles opérations prenaient souvent la forme de dictatures destinées à conserver le pouvoir pendant une période indéterminée. Depuis la vague de révolutions qui, dans les années 1950, balaya la plupart des généraux en place, l'intervention de l'armée a pris le plus souvent un aspect différent. Elle est utilisée pour déposer les dirigeants civils qui ont déplu aux militaires ou, parfois, à leurs alliés parmi les éléments réactionnaires d'un pays. Au bout d'un certain temps, le pouvoir est remis à un gouvernement civil, mieux accepté par la population.

La composition des armées s'est également modifiée au cours des dernières années : autrefois domaine de l'oligarchie, elles sont maintenant formées en grande partie de fils des classes moyennes qui y voient la possibilité d'une carrière attirante et prestigieuse. Ces nouveaux officiers ont apporté des points de vue nouveaux sur le rôle des militaires dans la politique : dans certains pays, ils ont essayé d'agir dans le sens de la modernisation, sinon de la démocratisation.

Pourtant, ni l'heure ni le danger de la dictature militaire ne sont passés. S'il nous faut reconnaître que l'armée a constitué un important facteur d'ordre dans certains cas, plus d'un dirigeant latino-américain vit avec la certitude d'être étroitement surveillé par les casernes et de voir apparaître des blindés devant sa porte s'il fait un faux pas. En pareille circonstance, l'instauration de traditions démocratiques et de processus constitutionnels devient extrêmement difficile. En effet, quels que soient ses effets à court terme, l'insurrection militaire ne peut que créer l'instabilité à long terme. On respecte les constitutions par l'habitude née d'un long usage; toute prise de pouvoir brutale brise la structure de l'obédience consentie, incitant d'autres éléments à rechercher le changement au moyen de la force plutôt que de la persuasion démocratique. Ceux qui considèrent le corps des militaires comme le pilier de la stabilité durable et de l'amitié pour les U.S.A. feraient bien de relire l'histoire. Des officiers comme le colonel Juan Peron ont souvent été aussi démagogiques et aussi enclins que les civils à s'attirer le soutien populaire par des actes d'hostilité envers nous. Le pays le plus stable de l'Amérique latine, avec une monnaie saine et une politique raisonnable à l'égard des investissements U.S., c'est le Mexique qui a virtuellement supprimé son armée après la révolution, il y a de cela trente ans.

L'armée absorbe également des ressources qui trouveraient un meilleur emploi ailleurs. Parmi celles-ci on peut citer le matériel. Bien que les sommes consacrées à l'armement soient faibles comparées à celles que dépensent les grandes puissances, certains pays n'en attribuent pas moins des crédits substantiels à des fournitures dont ils n'ont pas réellement besoin. En Amérique latine, nombreux sont les gouvernements dont le budget comporte des postes presque aussi importants pour l'armement que pour les routes, les écoles, les barrages indispensables au développement. L'Argentine par exemple consacre 15 % au matériel militaire contre 17,7 % aux biens d'équipement, la République Dominicaine avant la révolution 17,8 % contre 15,7 %.

Autre gaspillage : celui des jeunes gens qui s'engagent dans l'armée, alors que leurs talents et leur énergie s'emploieraient beaucoup plus utilement dans la vie économique et politique de leur pays. Il faut encore y ajouter ceux qui se détournent à la fois de l'armée et de la politique civile jugée par eux inefficace.

La question n'est donc pas de savoir si le rôle des militaires devrait être diminué, mais comment il doit l'être. Bien entendu, la responsabilité première en revient aux Latino-Américains eux-mêmes. Mais nous pouvons les aider et d'abord en ne gênant pas leurs efforts dans ce sens, par un appui inconsidéré ou abusif à certains éléments de l'armée. Pour cela, il nous faudra réévaluer l'ampleur et la qualité de notre assistance dans ce domaine. Les sommes d'argent fournies ne sont pas considérables puisqu'au cours des dernières années la moyenne n'a pas dépassé 40 millions de dollars par an, dont la moitié pour la lutte contre l'insurrection : armes légères, jeeps, communications. Mais il n'y a pas que l'aide pécuniaire et certaines autres formes ne font qu'inciter à de plus grandes dépenses qui n'ont que des rapports fort lointains avec le problème de la subversion, seule menace sérieuse pour la sécurité de ces pays. Nous prêtons gratuitement par exemple des navires de guerre à plusieurs d'entre eux, mais ces bâtiments doivent être armés, parfois modernisés, puis maintenus en service. Et les rivalités entre les diverses armes font que toutes les occasions de dépenses offertes sont aussitôt saisies.

De plus, nous devrions peser soigneusement les conséquences politiques internes de toute proposition d'assistance militaire. Aider une armée vénézuélienne qui combat le terrorisme castriste est une chose; fournir des appareils à réaction à une aviation que ne s'est jamais employée sauf contre son gouvernement, d'autres services armés ou des paysans essayant de prendre des terres pour pouvoir vivre, en est une autre.

Mieux vaudrait pour nous donner l'exemple en diminuant les ventes d'armements à l'Amérique latine et faire nettement comprendre à nos représentants militaires dans chacun de ces pays que telle est dorénavant la politique des U.S.A. Il semble en effet que par le passé ils l'aient souvent ignoré, ou qu'ils aient fait comme s'ils l'ignoraient — poussant à l'achat d'équipement militaire et au grossissement des effectifs. La plus grande partie des matériels inutilement perfectionnés dont l'Amérique latine s'est dotée ont été achetés — les U.S.A. ne les ont pas donnés : ce sont ces achats et non pas des prêts qui dévorent les devises étrangères si précieuses. Comme nous sommes les premiers fournisseurs d'armement, nous devrions être les premiers à diminuer ces ventes aussi bien dans notre continent que dans le reste du monde. Pour cela nous aurons besoin de la coopération de nos alliés européens : c'est ainsi que nous avons récemment vendu un certain nombre de chasseurs surtout parce que la société française qui les fabrique sous licence l'aurait fait si nous nous y étions refusés. Mais la coopération ne peut être acquise que si nous donnons l'exemple avec assez d'autorité — nous devons le faire. Comme nous devrions soutenir les efforts des Latino-Américains pour désarmer; cette action supprimerait peu à peu les dépenses d'armement provoquées par les rivalités nationales, aiderait, avec le temps, à diminuer l'intervention de l'armée dans la vie politique, fournirait un modèle et un banc d'essai pour les autres efforts tentés dans le même sens, en Afrique, au Moyen-Orient, voire éventuellement en Europe et en Asie.

Cela est particulièrement vrai en ce qui concerne les armes atomiques. Mais les progrès ne sont guère perceptibles, ce qui est tragique dans ce domaine crucial. Un des obstacles sérieux est l'attitude de Cuba qui a refusé jusqu'à présent de participer à un accord quelconque sur une zone dénucléarisée; car certains pays latino-américains hésitent, ce qui est compréhensible, à signer tant que Cuba demeure à l'écart.

La prolifération des armes atomiques ne saurait accroître la sécurité d'une nation américaine, quelle qu'elle soit. Ceux qui redoutent leur présence éventuelle à Cuba, aux mains des communistes, devraient se rappeler avec quelle rapidité et quelle fermeté l'hémisphère tout entier a réagi par l'intermédiaire de l'Organisation des États Américains, lorsqu'il s'est agi d'écarter une menace atomique dans cette île en octobre 1962. Il n'est pas douteux que cet organisme interviendrait de nouveau si pareil danger surgissait dans l'avenir. Efforçons-nous donc de constituer une zone dénucléarisée, même si Cuba décide de ne pas s'y joindre, même si ce pays demeure en dehors du Traité et en dehors du système inter-américain. L'insécurité et les possibles destructions qui suivraient l'introduction d'armes atomiques dans ce continent ne pourraient bénéficier à aucune nation ni à aucune cause.

Efforçons-nous aussi d'œuvrer avec les nombreux

officiers latino-américains qui viennent suivre des stages d'entraînement aux U.S.A., afin de les aider à acquérir ce sens civique apolitique qui a joué un rôle si important dans le développement de nos propres institutions et à comprendre la différence nécessaire entre les méthodes patientes de la politique civile et l'action directe de la guerre. Nous dépensons presque deux fois plus pour former ici du personnel militaire étranger que pour toutes les activités de la Voix de l'Amérique; pourtant nous ne nous soucions pas assez, apparemment, de savoir s'ils quittent nos rivages avec tout le respect désirable pour les processus constitutionnels dont la défense est notre but déclaré. Trop de jeunes officiers qui sont intervenus dans la politique aussi bien en Amérique latine qu'ailleurs dans le monde ont été formés aux U.S.A. Nous ferions mieux de les orienter vers une participation au progrès économique et social. Dans de nombreux pays en voie de développement, dont certains en Amérique latine, ils ont joué un rôle de premier plan, instruisant les recrues, construisant des maisons, des routes et des écoles dans les régions reculées. Nous pourrions bien demander l'assistance technique de l'armée qui a obtenu le plus éclatant succès dans cette œuvre de mise en valeur, celle d'Israël.

Enfin, et c'est le point le plus important, nous devons comprendre que la solution du problème militaire ne peut être trouvée que dans la solution des problèmes fondamentaux de l'Amérique latine. Là comme ailleurs, il est essentiel que l'influence des U.S.A. s'emploie tout entière à promouvoir ces réformes de base qui améliorent la vie et l'avenir de la masse des populations, qui constituent la puissance des institutions démocratiques au sein des partis politiques, des syndicats, des coopératives rurales. En dernière analyse, la source de la stabilité réelle est là.

CONCLUSION.

C'est à tous ces problèmes, à ce besoin de transformations économiques, politiques et sociales fondamentales que l'Alliance pour le Progrès devait se consacrer. Quels progrès avons-nous réalisés au cours de ces six années? Économiquement, l'Alliance va de l'avant, mais elle n'y va pas assez vite. Les gouvernements travaillent, mais ils ne travaillent pas assez. Les États-Unis apportent leur contribution, mais à bien des égards elle est insuffisante. Francis Bacon a écrit : « L'espoir est un bon petit déjeuner, mais un maigre souper ». Les idéaux de l'Alliance ont ému les cœurs et l'esprit des hommes à travers le continent, mais l'œuvre accomplie n'a pas été assez grande pour combler ces espoirs, entretenir et animer la flamme de la passion, de l'imagination et de l'engagement.

Avant toute chose, par tous les moyens possibles, pour un vaste ensemble d'attitudes et de décisions qui devraient inspirer les actes de notre gouvernement et de chacun de ses représentants, identifions-nous avec les idéaux de dignité humaine, de justice sociale, et de démocratie politique que le progrès économique et matériel n'est qu'un moyen d'atteindre. Nous devons défendre les hommes, les femmes et les partis qui défendent eux-mêmes ces causes, souligner plus fortement la nécessité de réformes sociales fondamentales comme condition à une participation pleine et entière à l'Alliance.

Les hommes d'Amérique latine veulent la dignité et la justice, pour eux et pour leurs familles. Nous ne pouvons les acheter avec des secours, non plus que le peuple de n'importe quel autre pays. Quelques-uns peut-être — de même que certains sont à vendre aussi aux U.S.A. Mais en Amérique latine, comme en Asie, ou aux États-Unis, la dignité et l'indépendance de l'homme ne peuvent être vendues ou achetées pour de l'argent. Seuls le respect et l'amitié généreuse permettent de les acquérir.

Depuis le début de notre histoire, nous avons été conscients de la proximité toute spéciale des républiques américaines et des possibilités qu'elles recélaient. En 1822, le Président Monroe reconnut l'indépendance de plusieurs d'entre elles, proclamant que « le mouvement révolutionnaire dans les provinces espagnoles avait suscité la sympathie de nos compatriotes depuis ses commencements. Les provinces appartenant à cet hémisphère sont nos voisines ». Presque un demi-siècle plus tard, William Seward rappelait la prophétie d'Abraham Lincoln déclarant que les puissances étrangères ne domineraient pas facilement l'Amérique latine au cours du siècle à venir, parce que « sa population s'accroît rapidement, ses ressources se développent rapidement et sa société s'édifie continuellement selon les principes du gouvernement démocratique ».

Ce siècle, aujourd'hui passé, a connu des temps de ténèbres, de colère et d'arrogance aussi bien que des éclaircies lumineuses de bonne volonté, de compréhension et d'entr'aide. Pourtant les mêmes principes, les mêmes rêves guident notre action, qui poussaient à l'origine la jeune Amérique à se réjouir de l'indépendance de ses voisins et une Amérique déchirée par la guerre à les protéger des forces hostiles : respect de l'indépendance, développement des ressources pour le bien du peuple tout entier, progrès de la démocratie. A cet égard, l'Alliance pousse ses racines dans les sympathies et les expériences les plus profondes aussi bien que les plus durables du peuple américain.

L'accomplissement de son vaste dessein exigera des

programmes amplifiés d'assistance et de réforme, des décisions politiques difficiles, des sacrifices pénibles. Mais tout cela ne serait pas encore suffisant. Nous ne pouvons donner vie à ces grands projets à coup d'argent ou de plans. Il nous faut y croire, créer ces convictions et ces rêves, puis nous y tenir fermement, quelles que soient les urgences du moment qui tentent de nous faire quitter cette voie. L'expansion économique, le progrès social, l'instruction, la réforme agraire et tout le reste ne sont en effet, comme les ombres dans la caverne de Platon, que la matérialisation des grandes réalités de la liberté humaine. Quel que soit le brio avec lequel nous construirons, la générosité avec laquelle nous déverserons nos trésors, la sagesse avec laquelle nous userons de notre puissance, si nous négligeons la réalité derrière l'acte, l'échec est certain.

La qualité de chef guidant les masses sur le chemin de la liberté ne s'obtient ni par la richesse ni par la force. Elle dépend de la fidélité et de la persévérance à préserver ces croyances fondamentales — démocratie, liberté, justice — que les hommes suivent parce que leur cœur les y engage et non pas parce que leur corps y est contraint. Il nous faut affronter des dangers réels, surmonter des obstacles réels, satisfaire des besoins réels, mais toujours d'une manière qui sauvegarde notre propre allégeance aux principes de l'Alliance. Sinon nous préserverons l'ombre du progrès et de la sécurité aux dépens de la substance des libertés dans le Nouveau Monde.

Contrôle nucléaire

« Chaque homme, chaque femme, chaque enfant, vit sous une épée de Damoclès nucléaire, suspendue par le fil le plus ténu et que peut trancher d'un instant à l'autre l'accident, l'erreur ou la folie. Il faut supprimer les armes de la guerre avant qu'elles nous suppriment. »

Président John F. Kennedy.

Actuellement cinq pays ont la possibilité de faire exploser des armes nucléaires, possibilité acquise à grands frais en l'espace d'une génération. Dix autres au moins l'auront dans quelques années. Deux, Israël et l'Inde possèdent déjà des matières fissiles qui leur permettraient de fabriquer un engin en quelques mois. Cinq autres, Canada, Japon, Suède, Suisse et Allemagne de l'Ouest — pourraient le faire dans moins de deux ans. De plus ces possibilités peuvent être exploitées à bien moindre frais que par le passé. En un peu plus de dix ans, la multiplication des réacteurs nucléaires civils mettra à la disposition des quarante pays les possédant assez de matières explosives pour fabriquer des milliers de

bombes atomiques chaque année. Après cela, il leur suffira
d'investissements supplémentaires de quelques millions
de dollars, donc à la portée pratiquement de n'importe
quel État, pour se mettre à fabriquer des armes nucléaires.
Une fois les installations en place, les armes elles-mêmes
ne reviendront sans doute pas à plus de quelques centaines
de milliers de dollars chacune. De même, les vecteurs
sont beaucoup moins onéreux qu'autrefois. On peut
acheter des bombardiers à réaction aux grandes puissances pour quelques millions de dollars. Nos propres
missiles reviennent maintenant beaucoup moins cher
que les modèles antérieurs et même que les B 52 qui les
avaient précédés.

Ainsi, la capacité nucléaire sera bientôt à la portée
du grand nombre et il est malheureusement probable
que, si le cours actuel des événements se poursuit, elle
sera utilisée pour produire des armes. Depuis l'explosion
de la première bombe atomique chinoise, par exemple,
les pressions n'ont cessé de se faire plus fortes en Inde
pour que ce pays mette une riposte au point et le conflit
sur ses frontières joint aux essais de la bombe H en Chine
ne les ont assurément pas fait baisser. Si l'Inde se dote
d'armes nucléaires, le Pakistan ne tardera pas à en faire
autant. Au Moyen-Orient tout bouillonnant de haines,
les soupçons d'une semblable activité font rage depuis
des années et toute nouvelle avance d'Israël incitera
certainement les Égyptiens à intensifier leurs efforts
actuels. Des situations de ce genre sont possibles partout
dans le monde.

Si jamais une guerre nucléaire éclatait, fût-ce entre
de petits pays reculés, il serait extrêmement difficile d'en
empêcher la propagation, de proche en proche, jusqu'à
la conflagration générale. Cent soixante millions d'Américains, des centaines de millions d'hommes dans d'autres
contrées mourraient peut-être pendant les premières

vingt-quatre heures d'un bombardement atomique à grande échelle et, comme Nikita Khrouchtchev l'a dit un jour, les survivants envieraient les morts. La prolifération des armes nucléaires augmente dans des proportions énormes le risque d'une telle catastrophe planétaire. C'est pourquoi le Président avait dit en 1963 : « Je vous demande de réfléchir à ce que cela signifierait si des armes atomiques se trouvaient dans tant de mains, dans les mains de pays grands et petits, stables et instables, responsables et irresponsables, éparpillés à travers le monde. Il n'y aurait alors de repos pour personne, pas de stabilité, pas de sécurité réelle, pas la moindre chance d'un désarmement effectif ».

Aucune stabilité en effet dans le monde si des engins atomiques pouvaient être utilisés par les Grecs et les Turcs au sujet de Chypre, les Arabes et les Israéliens au sujet de Suez ou du Golfe d'Akaba, l'Inde et le Pakistan dans le Rann de Katch. S'ils se répandent et se multiplient, il est dangereusement probable qu'ils seront utilisés dans ces affaires qui mettent en jeu au plus haut point l'intérêt national des pays engagés. Entre les États-Unis et l'Union soviétique, « l'équilibre de la terreur » — la certitude qu'une guerre nucléaire anéantirait les deux antagonistes — exerce un effet de dissuasion très fort. Mais dans le cas de pays ne disposant pas, comme nous, d'arsenaux nucléaires énormes, cet effet ne jouerait pas.

Aucune sécurité réelle non plus, alors que la décision d'employer ces armes pourrait être prise par n'importe quel démagogue instable, le chef d'un de ces gouvernements de deux mois qui sont le fléau de si nombreux pays, un officier irresponsable, voire un simple pilote d'avion. Il est bien plus difficile et plus coûteux de construire un système de contrôle et de stockage efficace que les engins eux-mêmes. Les États-Unis qui possèdent le plus perfectionné de tous n'en ont pas moins largué accidentellement deux bombes H au-dessus de l'Espagne, tiré un missile sur le territoire mexicain, égaré des chasseurs au-dessus de la Chine et envoyé un U 2 au-dessus de la Sibérie au paroxysme de la crise cubaine. De telles erreurs humaines sont peut-être inévitables, mais dans un univers d'armes atomiques, l'une d'elles risquerait d'être fatale. Et comment le désarmement pourrait-il être effectif, alors que chaque pays exigerait des garanties non pas d'une ou de cinq puissances, mais d'une douzaine ou d'une vingtaine ? Pourtant, si les armements nucléaires prolifèrent, une telle garantie serait nécessaire.

Pensez aux occasions innombrables de provoquer des incidents peut-être irréparables : une bombe anéantit la capitale d'un État en Amérique latine, en Afrique ou en Asie, — ou même en Union soviétique ou aux États-Unis. Comment a-t-elle été transportée ? Par avion ? Par missile ? Par camion, ou par bateau ? Rien ne l'indique. D'où vient-elle ? D'un voisin jaloux ? D'un dissident de l'intérieur ? D'une grande puissance décidée à brouiller les cartes ou d'un fou anonyme ? Rien ne l'indique. Et quelle peut être la riposte, sinon des représailles fondées sur les soupçons et les suppositions, conduisant en cercles de plus en plus vastes, comme une pierre jetée à l'eau, à la destruction totale du monde que nous connaissons ? Si le *Liberty* portant des marques évidentes avait été attaqué en plein jour par des avions égyptiens plutôt qu'israéliens, aurions-nous cru qu'il s'agissait d'un accident ? Et, étant donné la tension qui existait à l'époque dans les relations, quelle aurait été notre réaction ?

La nécessité de mettre fin à la prolifération des armes nucléaires doit avoir une priorité extrêmement élevée dans notre politique, de celles qui méritent et qui exigent les plus grands efforts. C'est là un vaste programme mais il est à la mesure de nos intérêts. Les crises du moment posent souvent des questions urgentes d'une grande importance pour la sécurité nationale. Cependant, ces problèmes immédiats et d'autres semblables à eux, nous en avons continuellement depuis vingt ans — et nous en aurons encore dans l'avenir. En revanche, si les armes atomiques étaient largement répandues à travers le monde, chacun de ces paroxysmes momentanés risquerait d'être le dernier pour toute l'humanité.

Ils ne constituent donc que de petits éléments de la question fondamentale : notre politique s'élèvera-t-elle à la hauteur de notre technologie? L'arme nucléaire, comme l'a dit Henry Stimson, « ne représente qu'un premier pas vers une nouvelle domination des forces de la nature par l'homme, trop révolutionnaire et trop dangereux pour être encore compatible avec les concepts anciens — point culminant de la course entre la puissance de destruction détenue par l'homme et le pouvoir psychologique qu'il a de se dominer lui-même et de dominer ses semblables — sa puissance morale ».

Les États-Unis ont pris l'initiative et fait le maximum d'efforts pour obtenir la conclusion du Traité de 1963 interdisant les essais nucléaires, parce que nous savions que notre sécurité et l'avenir du monde étaient liés à l'arrêt de la course aux armements et à la recherche de la paix par tous les moyens possibles. Nous avons salué cet accord avec joie, non pas surtout pour ses avantages spécifiques, si importants et nécessaires qu'ils fussent, mais pour sa valeur en tant que « premier pas dans une marche de mille milles ». Seulement, le deuxième pas n'a pas été fait. Le monde n'a pris aucune mesure, mis à part l'interdiction limitée des essais, pour arrêter la prolifération des armes atomiques. Au moment où nous entamons cette marche, nous ne pouvons tolérer que les exigences de la politique quotidienne, fût-elle occupée d'affaires d'une importance indiscutable, entravent nos efforts pour résoudre le problème crucial de la dispersion nucléaire. Nous ne pouvons attendre que soit instaurée dans le Sud-Est asiatique une paix durable qui ne s'établira pas avant que ces matériels se soient irrémédiablement répandus, ni que soit conclu en Europe un règlement général qui n'a jamais existé depuis 1914, ni que tous les pays aient appris à se bien conduire, car la mauvaise conduite armée d'engins nucléaires est précisément le danger que nous devons essayer de prévenir.

Au contraire, il faut que nous nous mettions en marche dès maintenant, sur autant de fronts que possible, pour tenter de résoudre le problème. Plus le temps passe, plus le risque grandit qu'une nouvelle nation mette sa bombe au point et chaque nouveau possesseur incite les autres à rejeter le frein qui seul les empêche d'acquérir dès maintenant la possibilité de s'en doter. William Foster, directeur du *Arms Control and Disarmament Agency*, l'a bien fait remarquer : tant que le problème mettait seulement en cause les États-Unis et l'Union soviétique, un retard d'un an ou plus ne compromettait pas la conclusion de l'accord. Mais maintenant que l'affaire est multinationale ce même retard, « voire peut-être même quelques mois de délai... pourraient bien faire toute la différence entre le succès et l'échec ».

Bien plus, chaque jour qui passe peut être celui où, quelque part dans le monde, lors d'un conseil secret ou au plus profond de l'esprit d'un seul homme, une autre nation encore décide de procéder à la constitution d'un armement nucléaire, amorçant ainsi un glissement irréversible vers la catastrophe.

UN TRAITÉ ET APRÈS.

Le temps presse. Depuis deux ans, les dix-huit nations de la Commission du Désarmement de l'O.N.U. se sont

efforcées à Genève de conclure un traité afin d'arrêter
la diffusion des armes nucléaires. Depuis des années on
connaît les principes d'un tel accord : les principales
puissances atomiques s'engageraient à ne pas transférer
d'armes nucléaires ni d'installations permettant de les
obtenir à des nations ne les possédant pas; de leur côté,
les nations n'en possédant pas s'engageraient à ne pas
en acquérir, ni en produire dans l'avenir. Telle est la
substance du projet proposé à Genève par les États-Unis
et l'Union soviétique. Or, sur ce texte si simple aucun
accord n'a encore pu être réalisé au moment où j'écris
— bien que tous espèrent une prompte signature.

Mais qu'il le soit ou non, les obstacles qui l'ont si
longtemps retardé méritent d'être examinés rapidement.
En effet, les problèmes dont ils sont le reflet subsisteront
longtemps après la conclusion d'un traité quel qu'il soit.
Et il dépendra d'eux que celui-ci ait une action efficace
— ou sombre dans l'oubli comme le pacte Kellogg-
Briand de 1928.

L'acquisition ou la production d'armes nucléaires par
quelque nation que ce soit aurait maintenant de sérieuses
répercussions sur la possibilité de diminuer dans l'avenir
les progrès de la dissémination. Mais chacune d'entre
elles pèsera les avantages et les inconvénients selon
ses propres intérêts; c'est sa situation politique et militaire, non pas les désirs d'autres nations qui détermineront
sa décision. Il n'est pas une puissance nucléaire actuelle,
y compris nous, qui ne jugerait absurde d'abandonner
ses armements non conventionnels si les autres les conservaient. Pourtant, c'est en fait ce que nous demandons
aux puissances non nucléaires : renoncer, alors que les
autres pays entretiennent et accroissent des arsenaux
qui sont déjà en mesure de détruire toute vie sur la planète.
Notre politique doit donc tendre à rendre ces armes
inutiles — et l'abandon de leur production aussi attrayant

que possible — pour chacune des nations capables de les fabriquer.

En l'absence d'un traité de non-prolifération, cette action politique « de détail » menée pays par pays, sera évidemment nécessaire. Nous craignons moins de voir l'Union soviétique donner des armes nucléaires à d'autres pays que l'absence de tout accord pousser certains à entreprendre eux-mêmes leur fabrication pour des raisons de sécurité, de prestige et de puissance. Le problème n'est pas le même que celui de l'interdiction des essais, où le refus des Soviétiques d'arriver à une entente et leur reprise d'expériences massives nous ont contraints à recommencer nous-mêmes les explosions dans l'atmosphère. Quelle que soit la décision que les Soviets, les Français, les Chinois et d'autres prendront — ou ne prendront pas — au sujet d'un traité de non-prolifération, notre intérêt national le plus profond sera toujours d'empêcher ces armes d'être disséminées en dehors de leurs actuels possesseurs.

En outre, cette méthode de contact pays par pays serait nécessaire même si nous arrivions à nous mettre d'accord sur un texte de traité à Genève. En effet, les nations possédant la capacité nucléaire ne seraient pas liées — à moins qu'elles y consentent — par un pacte entre les États-Unis et l'Union soviétique. Leur adhésion — et le maintien de celle-ci après la signature — dépendraient aussi d'un consentement toujours renouvelé. Le projet actuel contient une clause prévoyant que les signataires pourront produire ou acquérir des armes nucléaires pour des raisons d'intérêt national suprême. Même sans elle, le traité ne s'exécuterait pas de lui-même et automatiquement. L'histoire montre que les nations rompent leurs engagements — y compris celui-là, nous pouvons nous y attendre — si elles pensent y trouver quelque avantage important, qu'il s'agisse de puissance

ou de sécurité. Donc, même la conclusion d'un traité
destiné à empêcher la prolifération des armes nucléaires
exigera encore de notre part un traitement attentif de
chaque pays ayant la capacité potentielle et le désir de
les posséder.

Un exemple des pressions urgentes auxquelles nous
aurons à faire face est fournie par l'Inde que menacent
au Nord la Chine communiste et à l'Ouest le Pakistan
à qui l'oppose depuis vingt ans la question du Cachemire.
C'est le pays encore non nucléaire le plus près de le
devenir; il possède des savants éminents et bien entraînés,
des réserves d'uranium naturel, des centrales atomiques,
les installations de retraitement qui représentent le dernier
stade dans la production de matières fissiles à usage
militaire — ainsi que les bombardiers capables de transporter des engins nucléaires simples. Et des voix puissantes s'y élèvent qui réclament leur production et leur
emploi pour essayer d'intimider le Pakistan au sujet
du Cachemire, ou d'éviter une humiliation infligée par
la Chine Rouge.

Dans une telle situation il est particulièrement urgent
de sauvegarder l'accord de Tachkent et d'arriver à un
règlement permanent du problème cachemiri — une
urgence qui dépasse de loin les conséquences possibles
de ce dangereux conflit où des armes américaines ont été
utilisées dans les deux camps. L'Inde a été le chef de
file des nations nées depuis la Deuxième Guerre Mondiale
et qui ont refusé de s'aligner sur l'un quelconque des
grands blocs. Son action, encore que nous ne l'approu-
vions pas toujours, est orientée vers des méthodes démocratiques de développement et fournit donc aux pays
situés dans sa sphère d'influence un autre modèle que
celui proposé par la Chine communiste — il est conforme
à notre intérêt de soutenir son prestige.

Mais si, pour sauvegarder sa position, elle devait

recourir à la production d'armes atomiques, ce serait un coup tragique porté aux espoirs que nous avons de contenir leur diffusion. Elle serait la première des puissances non alignées à le faire et d'autres se hâteraient à coup sûr de l'imiter. La pression directe ainsi exercée sur le Pakistan le pousserait certainement à rechercher un armement non conventionnel, peut-être au moyen d'un accord avec la Chine communiste. Sans doute aussi, ce qui serait plus grave encore, la présence d'armes atomiques dans un pays comme l'Inde amènerait-elle plusieurs puissances européennes possédant des capacités industrielles beaucoup plus développées à rejeter toute contrainte et à acquérir des arsenaux complets. Renoncer à ceux-ci quand on sait qu'ils sont détenus par cinq nations seulement, celles-là mêmes dont la situation spéciale dans le monde a été reconnue par l'attribution de sièges permanents au Conseil de Sécurité des Nations Unies est une chose. Mais si l'Inde, Israël ou d'autres parmi les nations récentes, forcent les portes du « club », le seul souci du prestige pourrait inciter des États qui se jugent beaucoup plus importants à se doter de ces symboles modernes de la puissance et de la position.

Il est des mesures que nous pouvons et que nous devrions prendre pour sauvegarder la situation de l'Inde en Asie et la convaincre que son intérêt n'est pas de posséder des armements atomiques. La plus importante serait une garantie de protection contre une attaque ou une menace nucléaire venant de la Chine communiste. Le Président Johnson a clairement indiqué que les U.S.A. seraient prêts à défendre l'Inde contre un chantage atomique. Mais, désireuse de conserver sa position de non-alignement elle a fait savoir à Genève qu'elle exigerait des garanties semblables des U.S.A. et de l'Union soviétique, attitude qui pourrait bien être celle de nombreux pays redoutant la puissance et les intentions chinoises. Une telle garantie conjointe ou parallèle, peut-être sous les auspices des Nations Unies, mais très probablement sans aucune coopération U.S.A.-U.R.S.S. explicite, devrait être donnée[1].

Au-delà des mesures directes de sécurité, nous devrions intensifier l'aide que nous apportons au développement intérieur de l'Inde. Si elle parvient à le réaliser par des moyens démocratiques, ce qui est son but, elle n'aura plus autant besoin d'armes atomiques pour maintenir son prestige et sa position en face de la Chine et les pressions internes sur le gouvernement se feront beaucoup moins fortes à cet égard. Que l'on ne s'y trompe pas! Il n'existe aucun pays au monde, pas même le nôtre, où des éléments irresponsables ne puissent tenter de brandir l'épée nucléaire et Henri IV d'Angleterre n'a pas été le dernier souverain à vouloir noyer les querelles intestines dans les guerres et les aventures étrangères[2]. Mais le désir d'acquérir des armes atomiques répond aussi en partie à des considérations légitimes de sécurité nationale : dans le cas de l'Inde, la menace d'un conflit sur deux fronts avec le Pakistan et la Chine. Si nous lui demandons de renoncer à cet armement nous devons l'aider à assurer sa sécurité par d'autres moyens[3].

1. On se rappellera que, pendant le conflit frontalier entre l'Inde et la Chine, il y a deux ans, l'Union soviétique continua ses envois d'avions de combat à l'Inde, cependant que les U.S.A. aidaient cette dernière à organiser sa défense anti-aérienne Sans que l'on puisse relever un semblable parallélisme, la médiation du Président Kossyguine dans la querelle du Cachemire avec le Pakistan a bien prouvé que l'intérêt stratégique des Soviets est de préserver la position de l'Inde en face de la Chine.
2. « Donc, Harry mon fils, prends bien soin d'occuper les esprits agités à des querelles étrangères ». *Henry IV*, IIe partie, IV, 5.
3. Il est d'autres exemples d'une telle situation qui peuvent exiger d'autres mesures de la part des U.S.A. Si nous voulons par exemple qu'Israël reste fidèle à l'engagement qu'il a pris de ne pas introduire le premier des armes atomiques au Moyen-Orient, sans doute devrons-nous soutenir beaucoup plus fer-

LE TRAITÉ : DISSÉMINATION NUCLÉAIRE EN EUROPE.

Pendant l'année 1965 et une grande partie de 1966, le principal obstacle à tout accord fut la question de l'éventuel accès de la République Fédérale d'Allemagne aux armes atomiques. Pour l'Union soviétique, en effet, l'interdiction de cet accès était et demeure l'objet essentiel d'un traité de non-prolifération. Les U.S.A. essayaient, eux, de préserver la possibilité d'une participation ouest-allemande à une force nucléaire commune dans le cadre de l'O.T.A.N. et dont la force nucléaire multilatérale était une des versions proposées. Mais cette dernière, comme toutes les autres tentatives pour étayer au moyen de gadgets une alliance qui exige des réajustements fondamentaux, est aujourd'hui abandonnée et oubliée. Le problème essentiel de la sécurité européenne demeure[1].

mement que jusqu'à présent ses droits et ses forces militaires conventionnelles.

Une action menée pays par pays pour empêcher la dissémination des armes nucléaires ne devrait pas se limiter, bien entendu, à ceux qui pourraient les acquérir, mais s'étendre à ceux qui auraient la possibilité d'aider les autres à devenir des puissances atomiques. Ainsi les quelques puissances qui sont capables de fabriquer certains équipements spéciaux devraient être amenées à empêcher leur usage pour la production d'armements nucléaires, tout comme les U.S.A. et le Canada cherchent à empêcher que l'uranium qu'ils vendent soit utilisé à des fins militaires au moyen d'inspections de l'*International Atomic Energy Agency* ou d'autres garanties de ce genre.

1. Il est, bien entendu, au centre des préoccupations depuis des années. La Force Nucléaire Multilatérale elle-même a été à l'étude à partir de 1959, et surtout pendant le mandat du Président Kennedy, en 1962-1963. Le projet fut néanmoins ressuscité par ses partisans du State Department en 1964 et passa au rang de priorité nationale. 1965 et 1966 sont mentionnées seulement comme des années au cours desquelles, les négociations étant entrées dans une phase active, la F.N.M. constitua le principal obstacle.

Depuis le début de la guerre froide, l'Europe s'est abritée sous le parapluie nucléaire américain : en dernière analyse, l'O.T.A.N., destinée à empêcher la pénétration soviétique dans l'ouest du continent, reposait sur la volonté des U.S.A. d'employer la force atomique pour riposter à toute agression venant de Moscou. Pendant les premières années, l'organisation fut un succès total. Derrière le bouclier de la puissance américaine, avec l'aide généreuse et prévoyante du Plan Marshall, l'Europe ravagée put reconstruire ses villes et ses industries, stabiliser une vie politique auparavant menacée par des dissensions internes et des partis communistes importants, enfin retrouver la confiance en elle-même.

Mais le temps allait prouver que l'histoire ne connaît pas de victoires définitives : les problèmes posés par le succès sont parfois aussi difficiles à résoudre que ceux de l'échec. L'O.T.A.N. avait assigné la ligne partageant l'Allemagne comme limite extrême à l'expansion soviétique et offert à la République Fédérale une place dans l'Europe occidentale renaissante. Elle la prit, et sa contribution militaire aussi bien qu'économique en vint à être un élément majeur de l'Alliance. Mais plus elle devenait proche de l'Europe occidentale, plus elle s'intégrait aux structures défensives de l'Ouest et plus la réunification s'éloignait dans l'avenir. En effet, la puissance grandissante de la République Fédérale — par elle-même et par opposition aux sordides cruautés de la R.D.A. — constituait une menace elle aussi grandissante par l'Union soviétique. Cette dernière, avec ses subordonnés du régime est-allemand, durcit donc sa résistance à la réunification, menaça de rendre la partition définitive en signant un traité de paix séparé avec la R.D.A. et provoqua une série de crises à propos de Berlin. Plus Khrouchtchev tempêtait, plus les liens de la République Fédérale avec les U.S.A. se resserraient, et ainsi de suite, jusqu'à ce qu'au-

cun homme d'État ou dirigeant ne fût plus en mesure
de suggérer des délais précis ou quelque perspective
réelle pour la réunification. La défense de l'Allemagne
occidentale et surtout la survie de Berlin-Ouest repo-
saient sur la garantie nucléaire américaine. Mais cette
dépendance, avec ses liens politiques et militaires conco-
mitants à l'égard de l'O.T.A.N. et des U.S.A., empêchait
tout pas en avant. Politiquement, l'Allemagne était
paralysée, incapable d'en venir aux prises avec l'avenir
sans compromettre le présent, ou d'assurer le présent
sans abandonner l'avenir.

Pendant ce temps, la France avait commencé sa remon-
tée. Avec l'accession de de Gaulle au pouvoir en 1958,
elle fit ses premiers pas vers la stabilité gouvernementale
et se remit progressivement des guerres coloniales qui,
depuis 1946, avaient sapé son énergie en Indochine
d'abord, puis en Algérie. De Gaulle apportait aussi une
vision de gloire et d'autorité renaissante dans le concert
des nations, ainsi que la fin de la dépendance envers les
« Anglo-Saxons ». Avec une prescience remarquable
et une rare habileté politique, il contribua grandement à
faire de cette vision une réalité : quasi par la seule force
de sa volonté, il haussa la France au rang de puissance
prédominante sur le continent et dans le Marché commun,
centre des débats pour un nombre considérable de problèmes divers.

Un de ses principaux leviers politiques fut l'arme
nucléaire. Avant la détente survenue dans les rapports
soviéto-américains, de Gaulle doutait que les États-Unis
risquassent jamais 150 millions de morts pour défendre
d'autres nations, leurs alliés de l'O.T.A.N.; il estimait
que si l'U.R.S.S. attaquait l'Europe en force, la garantie
nucléaire américaine ne serait pas honorée[1]. Donc, la

1. Le Président Kennedy avait énormément augmenté nos
forces conventionnelles en Europe (aux effectifs jusqu'alors

France devait posséder sa propre force de dissuasion, et il ordonna de commencer l'exécution d'un programme approprié. En 1962, après la crise de Cuba, il conclut que l'O.T.A.N. pourrait être entraînée dans une guerre nucléaire sans son consentement, sans même être consultée, invoquant comme preuve le fait que les U.S.A. avaient décidé le blocus et l'affrontement avec l'U.R.S.S. sans avoir pris auparavant l'avis de l'Organisation. En même temps, il jugeait que, la crise l'avait prouvé, l'Union soviétique ne constituait plus un danger sérieux en Europe et que la force de dissuasion américaine ne valait plus d'être payée par « la subordination, connue sous le nom d'intégration, qui est le fait de l'O.T.A.N. ». Le temps passant, l'Union soviétique paraissant plus pacifique, il en arriva à penser que compter sur l'O.T.A.N. et les U.S.A. empêcherait tout progrès vers une détente entre les nations du vieux continent et vers un règlement général européen. Quand, en 1963, nous arrivâmes à un accord sur le traité interdisant les essais atomiques, il refusa de le signer, disant cette fois que l'exclusivité américano-soviétique n'était qu'un plan mis au point par ces deux puissances pour dominer le monde de concert. Depuis lors, rejetant tous les projets américains de coopération nucléaire au sein de l'O.T.A.N., il a usé de sa puissance atomique pour prouver que l'Europe,

faibles, mal préparés, mal armés) si bien qu'un affrontement avec l'Union soviétique n'eût pas automatiquement abouti à un duel nucléaire. Il souhaitait éviter, dans la mesure du possible, d'être acculé à un choix entre la capitulation et la guerre à outrance. Mais le renforcement des dispositifs conventionnels fit naître en France et chez Adenauer en Allemagne le soupçon que les U.S.A. se refuseraient dans tous les cas à employer des armes atomiques. Il est vrai que le Président Kennedy y répugnait, ce qui était bien compréhensible; il ne l'aurait fait qu'après avoir épuisé toutes les autres possibilités de défense — et il estimait que nous devions en avoir beaucoup à notre disposition avant cette décision fatale.

comptant sur sa propre force de dissuasion, pouvait
rompre ses liens étroits avec les U.S.A., puis, à partir
de cette position indépendante, se réconcilier avec l'Union
soviétique, l'éliminer ainsi que les U.S.A. de l'Europe
centrale et reprendre la première place dans les affaires
du monde.

Les incidences de la position ouest-allemande au-delà
de la politique de de Gaulle sont trop vastes et trop
fluctuantes pour être traitées dans les seules limites du
problème nucléaire. Ce bref examen est seulement destiné à illustrer certaines des complexités et certains des
dangers de la dissémination des armes atomiques et il
en ressort quelques points très nets.

D'abord, ces armes ne sauraient en aucun cas résoudre
le problème de la sécurité nationale, ni tenir lieu de
politique. Elles peuvent empêcher une brusque offensive
de grande envergure contre nos intérêts nationaux les
plus vitaux, elles l'ont fait dans le passé, mais elles ne
sauraient ni provoquer, ni prévenir dans la ligne politique
des nations des infléchissements susceptibles d'avoir
autant d'importance que n'importe quelle confrontation
militaire. Elles ne sauraient amener la réunification de
l'Allemagne; bien plus, pour beaucoup d'Allemands,
la confiance mise par la République Fédérale dans le
bouclier nucléaire américain est devenu un obstacle
à cette réunification et donc une raison de regarder plutôt
vers la France. Notre supériorité atomique incontestée
est également incapable de préserver l'O.T.A.N. telle
qu'elle était; au contraire, en accroissant la sécurité de
la France, elle n'a peut-être fait qu'accroître les possibilités d'action indépendante dont de Gaulle a disposé.

En deuxième lieu, il existe néanmoins une grande
et terrible tentation d'utiliser les armes nucléaires pour
affirmer le prestige et l'indépendance d'un pays. La
puissance et la position nationales, après tout, s'évaluent

par rapport à celles des autres et si la plupart des éléments du prestige sont intangibles, donc sujets à discussion, les armes nucléaires sont des réalités de fait : on les possède, ou on ne les possède pas. Ainsi de Gaulle, recherchant une position d'indépendance et d'autorité en Europe, a tout à la fois dramatisé et servi sa cause en faisant de la France une puissance atomique. Les efforts constants et incessants qu'il a déployé dans ce sens ont été appuyés par des arguments qui se sont modifiés à chaque tournant pris par les événements. Que des raisons si nombreuses et diverses aient toutes conduit au même résultat peuvent au moins amener à se demander si elles n'ont pas, en fait, été déterminées par le but à atteindre.

En troisième lieu, nous ne pouvons nous attendre à ce que d'autres pays, fussent-ils nos alliés les plus proches, continuent indéfiniment à renoncer aux armements nucléaires contre la seule promesse que nous les protègerons des Russes. Si souvent ou si fort que nous répétions nos assurances et nos engagements de soutien atomique — si sincères même que nous soyons en les donnant, ou dans notre conviction qu'elles sont conformes à nos intérêts — d'autres nations continueront à douter que nous mettions notre propre existence en jeu pour défendre la leur.

Tout cela montre bien qu'il est nécessaire d'aller au-delà de la dissémination atomique, que nous devons diminuer notre propre dépendance envers les armes non conventionnelles et arrêter le développement des possibilités écrasantes qu'ont dans ce domaine les U.S.A. aussi bien que l'U.R.S.S. La marge de supériorité dont nous disposons sur tous les autres pays est ce qui suscite les craintes des Européens pour leur indépendance. La capacité de destruction mutuelle des U.S.A. et de l'U.R.S.S. est ce qui fait craindre à certains d'entre eux que nous ne risquions jamais la guerre pour les défendre — bien

7

que, paradoxalement, ce soit notre possibilité assurée
de détruire tout assaillant, même après avoir nous-mêmes
subi une attaque surprise, qui rende notre force de
dissuasion convaincante et permette à l'Europe de faire
fond sur elle. Mais surtout, c'est le prestige associé au
gigantisme nucléaire, humiliant et exaspérant pour les
petites nations, qui les incite à croire que seule une
puissance qui en est dotée peut être entendue dans les
conseils de l'humanité.

Il serait de l'intérêt le plus direct pour les U.S.A. et
l'Union soviétique de réduire ces forces. Ainsi que l'a
montré le Secrétaire McNamara, chaque pays a plus
qu'il n'en faut pour détruire l'autre, mais aucun n'en
aura jamais assez pour éviter de l'être. Des réductions
devraient être possibles sans affaiblir la « riposte » qui
est au cœur de l'équilibre de la terreur. Et même substan-
tielles, elles ne compromettraient pas notre supériorité
sur la Chine, au moins dans un avenir prévisible. Surtout
il est essentiel que les deux super-grands prouvent au
monde, par des mesures concrètes, qu'ils sont résolus
à se détourner des armes de destruction absolue pour
montrer le chemin vers un monde fondé sur d'autres
forces. Au cours des deux dernières années, le Président
Johnson a pris l'initiative, en ralentissant la production
de plutonium et d'uranium-235, en mettant progressivement certains types de bombardiers au rancart et en
proposant la conversion par les U.S.A. et l'U.R.S.S.
de matériel militaire à des fins pacifiques. Mais il reste
bien davantage à faire. En effet, ainsi que le *New York
Times* le signale de Genève, toute la question est de
savoir si le traité « tiendra... au cas où, au moment où
se réunira la Conférence [dans cinq ans], les puissances
nucléaires n'auraient pas commencé à désarmer. La
Grande-Bretagne, le Canada et d'autres ont averti que
le traité ne durerait pas s'il cherchait seulement à rendre

permanent le gouffre qui sépare les possédants atomiques des non possédants ». Si nous ne voulons pas déposer notre gros bâton, pourquoi les autres s'interdiraient-ils d'en ramasser un pour leur propre compte?

Bien entendu, le succès des efforts visant à arrêter l'accumulation des armements nucléaires dépend de négociations directes avec l'Union soviétique. Or elles soulèveraient des problèmes de la plus haute importance pour la sécurité nationale. L'U.R.S.S. est encore la seule puissance matériellement capable de mettre en danger notre intérêt suprême — la survie des U.S.A. Et quelles que soient les estimations — ou les suppositions — faites au sujet de ses intentions, la vérité est qu'il y a là beaucoup de choses que nous ignorons et plus encore que nous ne comprenons pas. Nous serions bien fous de jouer notre avenir sur la « libéralisation » dont la Chine accuse l'U.R.S.S. Ses dirigeants actuels sont peut-être plus « pragmatiques » que Khrouchtchev; pourtant celui-ci, jugé plus libéral et réaliste que Staline, a mené une politique étrangère beaucoup plus dangereuse et aventurée, comportant des affrontements directs avec les U.S.A. à propos de Cuba et de Berlin tels que son prédécesseur prenait en général grand soin de les éviter. Jusqu'à présent ceux qui lui ont succédé se sont révélés relativement prudents et plutôt tournés vers les problèmes intérieurs. Mais nous ne possédons aucune garantie quant à leur politique future — nous ne pouvons savoir, par exemple, s'ils renforceraient la puissance militaire de leur pays à la suite de revers dans le monde, d'une prolongation de la tension au Vietnam, ou de difficultés intérieures. Nous ne savons pas non plus s'ils ne représentent pas une simple transition entre Khrouchtchev l'activiste et certains autres dirigeants qui pourraient essayer de faire revivre l'attirance messianique exercée par l'U.R.S.S. lors de sa période agressive. Rappelons-nous qu'il a fallu trois ans à Khrouchtchev pour émerger de la direction collégiale instituée après la mort de Staline. A bien des égards, l'Union Soviétique demeure pour nous un adversaire inconnu et dangereux.

Cependant la prudence ne peut nous condamner à l'inaction. Tout au contraire. La conscience d'un danger persistant et la relative modération des dirigeants actuels devraient nous inciter à de plus grands efforts pour contrôler, avant qu'il soit trop tard, la terrifiante capacité de destruction des deux pays. Mais précisément parce que toute négociation avec les Soviets sur ce point va au cœur de notre sécurité nationale, elle ne saurait être menée qu'aux niveaux les plus élevés, par des représentants jouissant de la pleine confiance du Président et investis du pouvoir d'agir. De plus elle ne pourra être ouverte que dans le contexte d'un effort continu pour coordonner la politique suivie par tous les départements du gouvernement, afin que les pourparlers ne butent pas sur quelque obstacle soulevé par d'autres services, ni ne compromettent par mégarde quelque autre intérêt national. Coordination et direction aux plus hauts niveaux sont également indispensables afin de surmonter les préférences bureaucratiques pour le *statu quo*. Jamais le traité sur l'interdiction des essais nucléaires n'aurait pu être conclu par les voies normales; nombre de hauts fonctionnaires au sein du gouvernement estimaient qu'une telle initiative serait à coup sûr improductive, mais Averell Harriman, représentant particulier du Président, soutenu par lui et lui rendant compte directement, parvint avec l'U.R.S.S. à un accord qui sauvegardait les intérêts vitaux des U.S.A. et cela en pleine coopération avec tous les départements et services du gouvernement.

Mais tous les pays, le nôtre y compris, n'ont pas déployé le même zèle pour mettre au point un traité de non-prolifération. Le résultat, c'est que les chances de succès en sont sérieusement compromises. Partis pour rechercher la conclusion d'un accord, nous avons commencé à apercevoir en route ses incidences sur les lignes politiques et les intérêts, à mesure que des objections s'élevaient contre lui. Nous avons ainsi « découvert » que l'Allemagne de l'Ouest répugnait à compter exclusivement sur la garantie nucléaire américaine, que les Européens désiraient une force de dissuasion indépendante et nous avons essayé de ressusciter la F.N.M., ce qui a eu pour effet de nous créer des difficultés avec nos alliés et d'empêcher tout accord avec les Soviets. De même, c'est seulement au cours des conversations de Genève, que nous nous sommes vraiment rendus compte à quel point les Européens craignaient d'être coupés des progrès de la technique nucléaire et, là encore, la recherche d'une réponse à ce problème a fait perdre du temps. Plus grave encore, nous avons mené ces négociations en essayant d'empêcher toute modification à l'Alliance atlantique. Inquiets des efforts faits par de Gaulle pour transformer sinon détruire l'O.T.A.N., nous avons compté de plus en plus sur l'Allemagne de l'Ouest qui s'est de plus en plus rapprochée de nous, ce qui a aggravé l'embarras de ce pays, déjà placé devant des choix difficiles, et limité notre marge de manœuvre dans les pourparlers concernant le traité. Résolus à sauvegarder le monopole nucléaire conjointement avec les Soviets et sans politique systématique pour diminuer les tensions en Europe, nous avons voulu ignorer l'urgence de mesures concrètes en vue d'une réduction mutuelle des forces atomiques des deux super-grands sur le continent.

Cependant, si un contrôle efficace des armes non conventionnelles doit être instauré, la responsabilité ne peut en incomber exclusivement aux U.S.A., ni même aux U.S.A. et à l'U.R.S.S. Nombre de pays ont assumé leur part et davantage : l'Irlande par exemple qui la

première a suggéré le traité de non-prolifération et la
Suède qui a fait montre de beaucoup d'imagination et
de persévérance dans la recherche des moyens pour
sortir de l'impasse dans laquelle était engagé le traité
sur l'interdiction des essais. Mais combien d'autres ont
été moins disposés à déployer leurs efforts ! J'ai déjà
signalé plus haut la répugnance de certains pays latino-
américains à créer une zone dénucléarisée, qui pourtant
aiderait beaucoup sans doute à l'établissement d'autres,
du même type, dans l'Afrique au sud du Sahara, ou
même éventuellement en Europe centrale. Un autre
cas grave est celui de l'inspection qui a été à Genève un
des principaux obstacles à l'accord ; le projet américano-
soviétique présenté en août, a laissé cet article en blanc,
tant les divergences étaient profondes.

Pourtant l'inspection est un point essentiel de tout
traité sur la non-prolifération. Même de petits réacteurs
d'études peuvent en un an ou deux produire assez de
plutonium pour fabriquer une bombe. Les centrales
nucléaires en donnent des quantités beaucoup plus
importantes comme sous-produit de leurs opérations
normales. Les U.S.A. ont toujours inspecté les nombreux
réacteurs construits ou entretenus à travers le monde
avec leur aide, mais la confiance nécessaire à un accord
sur la non-prolifération ne peut être créée que par un
service d'inspection international auquel participeraient
tous les signataires du traité. Or, il existe : c'est l'*International Atomic Energy Agency* (I.A.E.A.) seul forum en
fait où les U.S.A., l'U.R.S.S. et la Grande-Bretagne ont
pu travailler sans frictions sérieuses et sans veto soviétique. Nous lui avons apporté un soutien de premier
ordre en exigeant que tous les réacteurs assistés par nous
soient accessibles au contrôle de l'Agence et en ouvrant
certains des nôtres, dans le domaine civil, à ses inspecteurs.
Mais jusqu'à présent les nations européennes ont

refusé toute intervention de l'I.A.E.A., soutenant que leurs propres inspections mutuelles — effectuées aux termes de l'accord sur l'Euratom — étaient suffisantes, et refusé aussi toute stipulation qui tendrait à les remplacer par celles de l'Agence Internationale. Or, de leur côté, les Soviets, surtout préoccupés par l'Allemagne de l'Ouest, exigent que l'Euratom soit subordonné à l'I.A.E.A., et des pays comme l'Inde et le Japon, n'admettraient certainement pas que l'Europe jouisse d'une situation privilégiée. Les U.S.A. ont proposé, en manière de compromis, la transition progressive d'une autorité à l'autre. On pourrait aussi envisager la poursuite des activités de l'Euratom sous la supervision de l'I.A.E.A. Réclamer moins encore serait, à mon avis, déraisonnable de la part des Européens et porterait à tout espoir de traité un coup qu'aucun danger pour l'Euratom ne justifie.

En 1965, dans le premier discours que j'ai prononcé en prenant possession de mon siège au Sénat, et qui portait précisément sur l'urgente nécessité d'un traité de non-prolifération, j'ai soutenu que toute assistance des U.S.A. au développement nucléaire européen devrait être arrêtée si les pays intéressés refusaient l'inspection internationale de leurs réacteurs civils. Je maintiens ma position, mais il faut aller plus loin. La grande raison — déclarée — de la répugnance européenne à autoriser l'inspection de l'I.A.E.A., est la crainte de l'espionnage industriel, la crainte que leurs procédés et leurs techniques soient découverts, puis copiés par d'autres. Cette inquiétude est naturelle, car les progrès dans ce domaine constitueront, selon toute probabilité, un élément majeur de la compétitivité économique durant les décennies à venir. Mais le risque de perdre cet avantage est peu de chose si on le compare à la menace d'une prolifération sans frein des armements. Cela les Européens doivent

le reconnaître et nous aussi. La seule véritable solution
à long terme sera donc sans doute non seulement que
nous ouvrions la totalité de nos réacteurs civils à une
inspection internationale égale pour tous mais que nous
mettions nos connaissances les concernant en commun
avec les Européens, perdant ainsi certains avantages
commerciaux dans l'intérêt de notre ultime survie.

Défense occidentale, prestige national, avantages commerciaux, ressentiments contre le gigantisme nucléaire,
tels sont certains des facteurs qui ont fait reculer la
conclusion d'un accord de 1965 à 1967 et peut-être au-
delà. La responsabilité est partagée par de nombreux
pays. Les conséquences en sont graves pour tous. En
effet, l'élan s'est considérablement ralenti et des nations
qui auraient signé le traité sans hésitation en 1965 —
non seulement l'Inde mais le Brésil, entre autres — ont
manifesté quelque répugnance à le faire au début de
1967, soulevant des objections qui n'avaient pas été
envisagées deux ans plus tôt. On peut néanmoins espérer
qu'il sera conclu cette année. Mais si nous voulons limiter
la dissémination des armes atomiques, nous devrons
faire des efforts beaucoup plus sérieux que par le passé,
non seulement pour rechercher des solutions aux problèmes connexes, mais aussi — lorsque ce sera inévitable
— pour subordonner d'autres objectifs et d'autres intérêts à cette nécessité suprême : empêcher la prolifération
des armes nucléaires.

LA CHINE ET LES ARMES NUCLÉAIRES.

Parmi les initiatives qui eussent été nécessaires pour
réaliser le contrôle des armes nucléaires et que nous
avons négligées, aucune ne l'a été davantage que l'ouverture en direction de la Chine. Certes, il est difficile de

négocier sur quelque question que ce soit avec les chefs intransigeants de ce pays — doublement, triplement difficile au milieu du chaos qui y règne et de la guerre au Vietnam. De plus, la Chine nourrit à notre égard une méfiance et une hostilité profondes, tout comme nous nous méfions justement d'elle. Mais elle est là, elle possède des armes nucléaires et sans sa participation, il sera infiniment plus difficile, peut-être impossible, d'empêcher la prolifération à long terme. En effet, le spectre de la puissance nucléaire dans les mains d'hommes que si peu d'étrangers connaissent, ou jugent dignes de confiance, pousse de nombreuses nations à penser à leurs propres besoins dans ce domaine et fait hésiter les U.S.A. aussi bien que l'U.R.S.S. à limiter leurs propres arsenaux.

Pourtant, malgré l'hostilité de la Chine, peut-être serait-il possible d'arriver à des accords bien définis, limités et conformes aux intérêts des deux. « La paix mondiale » a dit le Président Kennedy en 1963 « n'exige pas que tout homme aime son prochain ». Peut-être pourra-t-on convaincre les dirigeants de la Chine que leur intérêt à long terme, tout comme celui des U.S.A. et des autres pays, réside non pas dans la prolifération, mais dans le strict contrôle des armes nucléaires. Nous avons engagé, depuis quelques années, des conversations régulières avec l'ambassadeur de Chine à Varsovie et je crois savoir qu'il a soumis certaines propositions qui, quel que soit leur mérite ou leur sincérité, témoignaient d'une attention et d'un sérieux considérables dans leur préparation. Mais ces entretiens n'offrent qu'un cadre trop restreint. Il y a longtemps, ainsi que je l'ai souligné en 1965, que les Chinois auraient dû être invités aux pourparlers de Genève sur le désarmement. S'ils acceptent, ces derniers prendront un sens et une importance beaucoup plus considérables. S'ils refusent, leur prestige sera le seul à en souffrir. Ce qui est plus grave encore peut-être que de ne pas avoir envoyé cette invitation, c'est l'attitude qu'implique une telle carence : elle donne à penser que nous acceptons de voir nos relations avec la Chine compromettre la possibilité d'accords qui seraient conformes à notre intérêt national.

En mai 1966, la Chine a fait exploser son troisième engin nucléaire. Après quoi le Premier ministre Chou En-lai a déclaré que son pays avait informé les U.S.A. de son intention de cesser les essais dans l'atmosphère — acceptant ainsi de mettre un frein très sérieux au développement des armements — si les U.S.A. s'engageaient à ne pas prendre l'initiative d'employer des armes nucléaires lors d'un différend entre les deux nations. Il ajoutait que cette offre avait été repoussée. Ultérieurement, le State Department devait confirmer que la proposition avait en effet été faite et rejetée, l'explication donnée étant qu'elle n'avait pas été jugée sincère, ni « assortie de garanties suffisantes ».

Il eût été de notre intérêt le plus évident et le plus immédiat d'obtenir de la Chine l'engagement de cesser les essais atomiques : moins elle développera sa capacité dans ce domaine et plus le monde sera en sûreté. Le scepticisme était justifié en l'occurrence, car les Chinois devaient déjà être fort près de mettre au point leur bombe H. Mais il n'est pas impossible non plus, s'étant rendu compte de notre avance énorme dans ce domaine, qu'ils eussent accepté de renoncer à leurs essais dans l'atmosphère pour écarter la menace d'attaques atomiques américaines contre leur pays. De toute manière, leur sincérité aurait pu être mise à l'épreuve. S'ils avaient failli à leur engagement, la reprise des essais aurait été aussitôt décelée et nous aurions été dégagés du nôtre. Il n'y avait pas besoin d'autres « garanties ». L'accord proposé n'aurait ni ralenti notre propre développement, ni vidé nos arsenaux. Il n'aurait même pas limité notre emploi des armes non conventionnelles contre les troupes chinoises en dehors de leur territoire national, par exemple au Vietnam, puisqu'il ne visait que les attaques contre le pays lui-même, et si la Chine l'avait respecté, il aurait pu diminuer de façon notable les pressions exercées pour que l'Inde se dote d'un armement atomique. En bref, nous avions tout à gagner et peu de chose à perdre; pourtant nous avons refusé, permettant ainsi au monde entier de douter que notre intention de contrôler la prolifération fût sérieuse. Peu après la déclaration de Chou En-lai, le State Department, revenant sur sa position, annonçait son intention d'explorer le problème avec les Chinois. Mais à ce moment ceux-ci avaient essayé leur bombe et la proposition — si elle méritait ce nom — avait été retirée[1].

Pourquoi avons-nous adopté cette attitude? La question fait partie d'un contexte plus large qui sera étudié dans le chapitre suivant. Ce qui est essentiel à cet égard, c'est la nécessité de surmonter l'optimisme béat qui fait considérer le contrôle des armes nucléaires comme un problème parmi beaucoup d'autres et sur le même plan qu'eux, qu'il vaudrait mieux résoudre, certes, mais sans nous inquiéter par trop d'un échec. Ce point de vue est assez répandu chez les représentants officiels du gouvernement et les commentateurs; certains se déclarent même en faveur de la dissémination. Pourquoi, demandent-ils, les U.S.A. devraient-ils fournir des garanties de sécurité à d'autres pays qui risqueraient de nous entraîner dans quelque conflit nucléaire et de là à notre

---

1. Deux ans auparavant, la Chine avait publiquement suggéré que toutes les puissances dotées d'armes nucléaires s'engagent à ne pas prendre l'initiative de les employer l'une contre l'autre. Mais l'offre, divulguée en mai 1966, avait été semble-t-il, présentée lors de discussions privées et ne concernait qu'une entente sur ce point entre les U.S.A. et la Chine.

perte? Selon eux, mieux vaudrait que l'Inde se dotât du contrepoids dont elle a besoin en face de la Chine et l'Europe de son propre « parapluie », les craintes réciproques assurant que les armes nucléaires ne seraient pas utilisées, ou du moins dans les seuls conflits locaux.

Mais sur le plan de la théorie abstraite que l'on propose parfois en guise de doctrine réfléchie sur les problèmes mondiaux, ce point de vue est profondément erroné; la guerre des Six Jours au Moyen-Orient n'est que la dernière démonstration en date des erreurs de calcul (ou de l'aveuglement volontaire) dont les pays peuvent se rendre coupables à propos de l'issue probable d'un conflit. Certains veulent voir dans la crise de Cuba la preuve qu'en dernière analyse l'emploi de ces armes est peu vraisemblable entre deux puissances nucléaires. Mais si Khrouchtchev n'avait pas eu le bon sens de reculer, elle aurait presque certainement abouti à une guerre atomique de grande envergure. De plus le courage d'admettre une erreur et de faire marche arrière n'est pas une caractéristique universelle des chefs d'État.

Allons plus loin encore. Ceux qui traitent par le mépris la menace des armes nucléaires veulent ignorer toutes les manifestations des instincts les plus ténébreux de l'homme, toutes les preuves apportées par l'histoire de l'Occident — la nôtre. Maintes fois les nations ont été plongées dans d'inexplicables cataclysmes, des massacres mutuels si effroyables et si étendus qu'ils équivalaient presque au suicide d'une civilisation. Les guerres de religion au XVIᵉ siècle, la guerre de Trente Ans au XVIIᵉ, les terribles excès qui suivirent la Révolution française, tous ont été égalés et dépassés au XXᵉ. Deux fois dans le souvenir d'hommes encore vivants, les pays européens, ces sociétés les plus évoluées et les plus cultivées du monde, se sont déchirés pour des causes si dérisoires, comparées au coût de la lutte, qu'on est bien obligé de les considérer comme l'expression de quelque noire pulsion intérieure. Barbara Tuchman nous rappelle qu'ils ont été *soulagés* quand a éclaté la Première Guerre Mondiale. « Mieux vaut une fin horrible qu'une horreur sans fin », disaient les Allemands. « La paix n'est-elle pas un élément de corruption civile », demandait le grand écrivain Thomas Mann et « la guerre une purification, une libération, un énorme espoir »?. Les Anglais acclamaient l'ouverture des hostilités pendant une journée et une nuit, cependant que Rupert Brooke écrivait :

Dieu soit loué maintenant Qui nous a appareillés avec
Son heure
L'honneur est revenu
Et nous sommes entrés en possession de notre héritage.

Il n'y a peut-être qu'en Allemagne où un semblable enthousiasme accueillit la reprise des combats en 1939. Mais les dommages de cette deuxième guerre ont été plus grands, surtout en ce qui concerne les non-combattants. Les camps et les fours, les meurtres et les atrocités inhumaines autant que réciproques sur le front oriental, le bombardement sans restriction des villes (avec concentration délibérée sur les quartiers habités par les ouvriers), la première utilisation de la bombe atomique, c'était vraiment la guerre sans règles ni limites. Mais sa leçon la plus importante pour nous est peut-être que nous ne lui trouvons pas d'explication réelle. Nous pouvons démontrer le mécanisme de son déclenchement. Nous comprenons nos propres réactions devant la menace nazie. Mais la raison d'une disproportion aussi fantastique entre les buts des combattants et les actes commis, rien ne peut l'expliquer, sauf peut-être la frénésie belliqueuse décrite par Achille au Livre XVIII de l'*Iliade*:

« La colère qui trouble le plus sage et, plus douce que

le miel liquide, se gonfle comme la fumée dans la poitrine des hommes[1] ».

Les destructions des deux guerres mondiales n'ont eu d'autres limites que les possibilités de la technique. Aujourd'hui, les armes nucléaires ont fait disparaître ces bornes. Or, qui peut dire qu'elles ne seront pas utilisées, qu'un équilibre rationnel de la terreur jugulera des passions que nous ne comprenons pas? Évidemment nous abordons la troisième décennie de l'ère atomique et nous sommes toujours en vie. Cependant malgré bien des conflits limités et des crises avant 1914, l'Europe avait connu une paix assez générale pendant un siècle — à la fin duquel elle accueillit la conflagration comme une délivrance. La guerre nucléaire n'aura peut-être jamais lieu, mais ce serait la pire des folies et des ignorances de croire qu'elle n'est pas possible parce que les hommes, étant doués de raison, se rendront compte des destructions qu'elle causerait. Et malgré cela la leçon n'a pas encore été apprise. Lors d'un récent voyage en Europe, j'ai demandé à un haut fonctionnaire français si la politique nucléaire de son pays, telle qu'elle est exposée dans les discours de de Gaulle, n'amènerait pas infailliblement l'Allemagne à en pratiquer une semblable, l'un de ses futurs dirigeants (peut-être parmi sa longue succession de chefs nationalistes à poigne) reprenant les idées du Président français pour les appliquer à son pays. « Impossible » m'a-t-il répondu, « ils ont déjà provoqué trop de malheurs ».

Or naturellement « ils » le peuvent et « ils » le feront dans une douzaine de pays à travers le monde, si nous ne prenons pas des mesures pour contrôler des armements devenus trop forts pour la faiblesse de notre politique. Cette génération a libéré le secret de la nature et doréna-

1. Trad. Leconte de Lisle.

vant tous les hommes devront vivre en sachant qu'ils possèdent le pouvoir de se détruire jusqu'au dernier. Telle est la prérogative du choix, tragédie et gloire de l'humanité. Comme l'a dit le Pape Paul VI : « Le vrai danger vient de l'homme lui-même ». C'est le danger le plus difficile à éviter, et c'est pourtant celui que nous devons affronter.

Vers une politique chinoise

« La finalité, a écrit Disraëli, n'est pas la langue de la politique ». Rarement ce fait a été imposé à notre attention avec plus de force que par le cours récent de l'histoire chinoise et de nos relations avec elle. Rarement un tel rappel a été plus nécessaire qu'en cette heure où, après quinze ans écoulés, nous sommes à la recherche d'une nouvelle politique envers ce pays.

Nous commençons à redécouvrir la Chine, comme s'il s'agissait d'une planète nouvelle et étrange révélée par nos astronautes. Depuis plus de quinze ans, elle n'avait joué aucun rôle important dans notre vie politique et intellectuelle. Une fois nous avons combattu ses armées en Corée; deux fois au cours des années 1950 nous sommes arrivés, selon le Secrétaire d'État du moment, au bord d'une guerre nucléaire et pendant une brève période deux îles côtières ont tenu la vedette dans une campagne présidentielle. Mais le reste du temps, la Chine a été ignorée. Pourquoi? En partie parce que le nœud de la guerre froide était nos relations avec l'Union soviétique, adversaire beaucoup plus puissant, doté d'armes nucléaires perfectionnées, mais aussi chef reconnu du mouvement communiste mondial, ayant donc à ce titre le pas sur la Chine. Une seconde raison était l'isolement de celle-ci, marqué par le fait qu'elle n'était ni admise aux Nations Unies, ni reconnue par les U.S.A., non plus que nombre d'autres pays, et encore délibérément accru par l'élimination de l'influence étrangère et l'interdiction de son territoire aux étrangers.

A chaque jour suffisait ses problèmes : tandis que nous affrontions l'U.R.S.S. au sujet de Berlin, constations le défi cubain en Amérique latine, et nous tourmentions des crises du Moyen-Orient et de l'Afrique, la Chine était loin de nos pensées. Bien qu'on ait peine à le croire, la mesure de notre ignorance est donnée par le fait qu'aujourd'hui encore un quart des Américains ne sait pas que la Chine, qui comprend le quart de la population du globe, a un gouvernement communiste [1].

Mais tout cela commence à changer. L'assouplissement de nos relations avec l'Union soviétique, la rupture entre celle-ci et la Chine, l'accession de cette dernière à la puissance nucléaire et la guerre au Vietnam nous

---

[1]. L'ignorance n'a pas empêché l'expression de sentiments comme ceux-ci, assez répandus à un moment donné dans nos discussions politiques :
« Avec l'aide de Dieu, nous allons élever Changhaï plus haut, toujours plus haut, jusqu'à ce qu'il soit exactement comme Kansas City ».

Sénateur Kenneth Wherry, 1940

« Certains Chinois sont grands, pratiquement tous les Japonais sont petits. La plupart des Chinois évitent les lunettes cerclées d'écaille... Leur expression est en général plus placide, affable, ouverte; celle des Japonais, péremptoire, autoritaire, arrogante. Les Japonais sont hésitants, nerveux, dans une conversation et rient à contretemps; ils marchent en se tenant raide, très droit et font sonner leurs talons. Les Chinois, plus détendus, ont une allure naturelle et traînent parfois les pieds. »

Comment distinguer vos amis des Japonais.

Time, 22 Décembre 1941

ont contraints à reporter notre attention sur l'Extrême-Orient, et sur nos rapports avec un pays qui diffère des autres par ses dimensions, ses problèmes, sa conception du monde et la dureté de son attitude à l'égard des U.S.A. On peut dire, sans crainte d'erreur, qu'il n'est aucun aspect de la politique étrangère américaine aussi important et pourtant aussi incertain, aucun pays aussi menaçant en apparence et dont nous sachions si peu de choses.

Je n'ai pas l'intention de passer en revue tout l'ensemble de notre politique chinoise, ni de porter des jugements de valeur sur elle. Trop d'éléments nous échappent et les événements modifient trop vite le peu que nous savons. Donc, pour nous, l'heure est avant tout à la réflexion, il nous faut récapituler le passé, analyser le présent, dresser des plans pour l'avenir des relations entre les deux nations. Nous pourrions commencer par essayer de faire revivre l'histoire, nous remémorer les origines des problèmes actuels, non pas du tout pour rouvrir de vieilles blessures, ni trouver dans les injustices commises envers la Chine par le passé la justification de celles qu'elle commet aujourd'hui envers les autres, mais simplement pour mettre des jugements informés au service de notre politique.

Durant ces quinze années d'isolement le souvenir de la Chine s'est estompé et d'ailleurs nos connaissances n'ont peut-être jamais été bien considérables. Elle a élaboré la plus grande des civilisations avant l'ère chrétienne, puissant empire exigeant le tribut et l'obéissance nominale de tous les peuples vivant à ses frontières, imité par ses voisins — le Japon surtout — en matière de religion, d'administration publique et de stratégie militaire. Quand les Occidentaux sont entrés en contact avec la Chine au XIXe siècle, ils n'ont vu en elle qu'une société techniquement très inférieure, dominée sans peine par leurs expéditions militaires, vaincue sur les

champs de bataille et contrainte de faire des concessions
territoriales aussi bien que commerciales. En 1839, les
Britanniques livrèrent une guerre pour la contraindre à
autoriser les importations d'opium, de manière qu'ils
puissent payer ainsi les marchandises qu'ils lui achetaient.
La perte de cette guerre marqua pour elle le début d'un
siècle d'humiliations. Les grandes puissances la découpèrent
en zones d'influence, prenant la haute main sur ses chemins de fer, ses mines de charbon, certaines parties de
ses villes et de ses provinces, cependant que les canonnières
et les troupes d'une demi-douzaine de nations patrouil-
laient dans ses rivières et ses ports. De 1844 à 1943, les
Américains et de nombreux autres étrangers ne pouvaient
être jugés par ses tribunaux pour des délits commis
chez elle. Chaque fois qu'elle essaya de recouvrer son
indépendance, ce fut une écrasante défaite : guerre de
1860, révoltes des T'ai P'ing et des Boxers, guerre avec
le Japon en 1894-1895 et enfin agression japonaise de
1931-1945. En 1938, les Japonais avaient pratiquement
pris toutes les grandes villes de la Chine, tué près d'un
million de ses soldats dans les combats et assuré leur
domination sur la plus grande partie de sa population[1].

Quels en furent les effets sur cette dernière? Nous
avons peine à nous en rendre compte, parce que nous
n'avons vu que les apparences extérieurs de ce qui a dû
être un conflit intérieur déchirant. Après la guerre de
l'opium, la société chinoise fut bouleversée et désorga-
nisée par une série de tentatives pour s'adapter à cette
nouvelle réalité d'impuissance et d'infériorité, encore
aggravée par la décadence progressive des institutions

---

1. On a dit, non sans quelque raison, que la Chine avait
subi tous les désavantages du colonialisme sans en avoir aucun
des bénéfices, par exemple la stabilité, l'organisation et l'influence modernisatrice que les Britanniques ont apportées à
l'Inde.

nationales. Les révoltes des paysans, traditionnelles dans le pays, prirent alors la forme nouvelle d'entreprises extravagantes pour imiter les étrangers et détruire la vieille Chine, comme celle des T'ai P'ing, ou au contraire exalter les traditions autochtones et éliminer toutes les traces d'occidentalisation, comme celle des Boxers. Tous les systèmes de l'Occident — militarisme, république, fascisme, démocratie — furent essayés pendant quelques années ou quelques décennies, comme autant d'instruments destinés à rebâtir le pays, avant de s'effondrer finalement dans la corruption, l'inefficacité et la faiblesse. Pendant tout ce temps, les paysans, c'est-à-dire 90 % de la population, exploités par les propriétaires terriens et des gouvernements corrompus, enrôlés de force dans les innombrables guerres civiles qui ravageaient le pays, leurs terres périodiquement dévastées par des inondations dont chacune pouvait faire périr deux millions d'êtres humains, étaient la proie de la famine et de la maladie. Enfin comme devait le dire le Secrétaire d'État Dean Acheson, « la population chinoise en eut assez de supporter sa misère. Elle ne prit pas la peine de renverser le gouvernement [nationaliste]. Il n'y avait rien à renverser. Elle fit simplement comme s'il n'existait pas et cela dans tout le pays ».

De ces longues années, la Chine émergea telle que nous la connaissons aujourd'hui, mêlant le nationalisme de trois millénaires et les ressentiments d'un siècle d'humiliations aux idéologies révolutionnaires occidentales les plus totalitaires et les plus « modernes », faisant de grands sacrifices pour mener à bien le développement économique qui est la base de la puissance, — nation que tous ses voisins, sur un vaste arc de cercle allant du Japon à l'Union soviétique par le Sud-Est asiatique et l'Inde, considèrent avec perplexité et inquiétude. Cette nouvelle Chine a déjà accompli des progrès que bien peu eussent prévus lorsque le régime nationaliste s'effondra en 1949. Son taux de croissance, lors du premier plan quinquennal, avait atteint 11 %, avant les sérieux échecs du Grand Bond en avant, et elle a prouvé en Corée qu'elle pouvait au moins résister avec détermination aux offensives occidentales. Beaucoup plus tôt que prévu, beaucoup plus rapidement que la France, elle a acquis une capacité nucléaire rudimentaire et s'achemine vers la constitution d'un arsenal de missiles dont la force ne sera pas négligeable. Peut-être les convulsions intérieures actuelles compromettront-elles sérieusement ses chances de devenir une nation unifiée et moderne. Mais quelles qu'en soient l'intensité et la durée, la Chine a montré que si elle pouvait mobiliser sa formidable population, elle disposait des ressources nécessaires en habileté technique et en énergie pour devenir une puissance mondiale.

Mais elle mêle la force à la faiblesse, les limitations aux possibilités. Pour l'étudier, il faut non seulement en savoir davantage, mais porter des jugements aussi sereins que possible. Or, depuis la guerre de Corée, on a présenté au public américain des estimations souvent très exagérées du potentiel agressif qu'elle représente. Chaque nouvelle augmentation de sa population (évaluée aujourd'hui à un peu moins de 700 millions) paraît rapprocher le risque de voir ses hordes se répandre à travers le monde, ou dans les Indes, ou les vallées fertiles du Sud-Est asiatique. Il ne faut cependant pas oublier que c'est après tout une nation fort pauvre, qui n'arrive à faire subsister sa population qu'au prix d'efforts et de peines immenses; son revenu annuel par tête, qui se situe aux environs de 85 dollars (les estimations varient entre 75 et 90), est l'un des plus faibles du monde, encore inférieur à celui de l'Inde, et son budget national à peu près le même (17 milliards de dollars) que celui de la

France qui a quatorze fois moins d'habitants et un secteur privé infiniment plus productif[1].

La capacité atomique déjà menaçante de la Chine augmentera sans doute rapidement, mais elle n'a pas les moyens de transport et le soutien logistique, les forces navales et aériennes nécessaires pour s'engager sous peu dans des conquêtes agressives prolongées. Autrefois l'Union soviétique suppléait à beaucoup de ces besoins, comme en Corée, mais ce temps est passé. L'armée de terre chinoise elle-même est beaucoup plus réduite par rapport à sa population que la nôtre, qu'elle dépasse d'ailleurs de peu en effectifs. Dans les deux cas, ils avoisinent trois millions d'hommes et notre puissance de feu est incomparablement supérieure.

Nous avons dans l'ensemble surestimé ses possibilités, et cela s'applique également à son potentiel en tant qu'exportatrice de révolution. Son expérience dans ce domaine n'est semblable à aucune autre et il est évident que le credo qui l'accompagne ne saurait être aisément transféré à d'autres pays. A Cuba, en Indonésie, en Algérie, en Afrique, des hommes se sont levés pour proclamer

1. La récente description faite par Jan Myrdal d'un village chinois de 212 habitants révèle assez bien la précarité de la situation. En une année de labeur exténuant, pratiquement sans outillage agricole ni engrais, ils ont produit juste assez pour se nourrir eux et trente autres personnes. Ce « surplus » a été livré à l'État et c'est lui qui, avec ceux venus des autres parties du pays, soutient non seulement « tout l'État chinois avec armées, armes atomiques, universités, diplomates et monuments nationaux, mais aussi la nouvelle expansion industrielle ». Il représente également toute la marge dont dispose la bourgade pour les vêtements, le logement et les nécessités de chaque jour. Elle ne reçoit aucune aide de l'État et doit assurer elle-même l'assistance aux handicapés, aux vieillards, etc... Myrdal raconte qu'une famille a été obligée de tuer son petit chien, parce que les autres villageois n'admettaient pas qu'il mange des miettes et des rognures que des êtres humains auraient pu consommer.

qu'ils entendaient modeler l'original et contrôler leur propre révolution nationale. On tente parfois de présenter l'affaire du Vietnam comme un conflit inspiré par la Chine qui aide, certes le Nord : mais le communisme de celui-ci est foncièrement autochtone, doté de ses propres traditions et de son propre dynamisme. Il subsiste toujours un danger vitruel que nous ne devons pas perdre de vue, mais on peut constater à la date de 1967 qu'aucune révolution fomentée, ou dirigée par la Chine, où que ce soit dans le monde, n'a remporté un succès durable. Seule celle de Malaisie a marqué quelques points, fort peu, avant d'être écrasée; et elle a été exécutée non par les naturels du pays, mais par des Chinois. Les efforts faits par ces derniers pour exporter la révolution se sont soldés jusqu'à présent par une suite d'échecs dramatiques, ce qui ne saurait étonner de la part d'un pays dont le principal terme pour désigner les étrangers est l'équivalent de « barbares » 'et dont le ministre des Affaires étrangères est capable d'appeler publiquement à la révolte armée, en présence du chef d'État africain qui le reçoit[1].

Tout cela ne veut pas dire que la Chine soit un « tigre de papier » — comme ses dirigeants ont appelé les U.S.A. — ni qu'elle puisse être tenue pour négligeable en tant que force dans le monde. On peut compter que ses millions d'habitants pèsent, et pèseront à l'avenir, d'un poids considérable en Asie. Sa révolution peut encore

---

1. Les Chinois semblent d'ailleurs l'avoir reconnu, au moins pour le moment. Le célèbre manifeste de Lin Piao incitant les « campagnes » sous-développées à encercler les « villes » de l'Occident, indiquait en fait très clairement que chaque pays devait faire sa révolution sans l'aide de l'extérieur. Cette réserve doctrinale découle probablement de faiblesses effectives et serait vite abandonnée si l'aventure promettait de meilleurs résultats. L'important n'est pas que les Chinois s'abstiennent d'exporter la révolution où ils le peuvent, mais sachent reconnaître, avec réalisme, les cas où cela leur est impossible.

servir d'exemple et d'encouragement pour les autres. Elle peut, comme elle l'a déjà fait par le passé, prendre une part active et dangereuse dans les prétendues guerres de libération nationale. Nous ne saurions non plus négliger la possibilité que ses efforts pour assister et même dominer les mouvements communistes dans d'autres pays remportent quelques succès éclatants — encore que là aussi les craintes puissent être tempérées par le fait qu'elle a retiré ses troupes de la Corée du Nord, après y avoir laissé presque un million de morts, et que les habitants de ce pays ont vigoureusement proclamé leur indépendance sinon leur hostilité.

Vouloir ignorer la Chine ou la croire faible serait extrêmement périlleux pour nous. Mais nous n'arriverons jamais à définir une politique judicieuse à son égard si nous n'évaluons pas sa puissance avec réalisme. Et nous ne devrions pas, pour attirer l'attention des autres sur une menace réelle, exagérer celle-ci au point que nos déclarations paraissent tout bonnement incroyables à ceux que nous voudrions influencer. Pourtant l'incompréhension et l'ignorance mutuelles nous ont souvent amenés à évaluer inexactement le danger de la Chine, cependant que celle-ci se faisait une idée tout à fait fausse de nos attitudes et de nos intentions. Parce que nous ne comprenions pas les racines profondément nationales de son communisme et son intense xénophobie, nous avons sous-estimé ou négligé pendant des années la réalité et l'importance de la rupture sino-soviétique; aujourd'hui encore, nous ne les reconnaissons pas pleinement dans notre politique. Parce que nous oublions si facilement l'histoire du siècle dernier, certains sousestiment l'hostilité des Chinois envers l'Occident, ou ne se rendent pas compte qu'à leurs yeux nous sommes les héritiers des Japonais; nous avons même leurs bases : la Corée, Formose, Okinawa, voire l'archipe nippon[1].

Mais les incompréhensions, les erreurs de calcul et l'ignorance elles-mêmes ne sont pas les conséquences les plus graves de ces années passées. Le plus gênant n'est pas ce que nous ne savons pas de la Chine, mais ce que nous ne savons pas de nous-mêmes — de nos propres buts, de nos orientations politiques, de nos propres conceptions concernant notre intérêt national en Asie. Pendant trente ans et davantage, nous avons été la plus grande puissance dans ce continent. Notre aide, nos forces armées, nos bases et notre commerce nous valent une influence plus considérable que celle d'aucun autre pays. Mais sur l'immensité de cette partie du monde où nous sommes si profondément engagés,

1. Un autre exemple de notre méconnaissance de la Chine a des incidences politiques moins directes, mais vaut néanmoins d'être noté. Voyant le chaos et la désorganisation de la Grande Révolution culturelle prolétarienne et les extravagances des Gardes Rouges, certains ont tendance à considérer Mao et ses partisans comme des fous et à abandonner tout autre effort d'analyse. Mais des spécialistes soutiennent qu'il existe une explication rationnelle à ces phénomènes. Selon eux, la paysannerie n'a pas voulu continuer ses terribles sacrifices pendant qu'une nouvelle classe de bureaucrates et de techniciens vivait dans un luxe relatif et a tenté de se rebeller, comme beaucoup l'avaient fait après le Grand Bond en avant. Ils notent que si l'Union soviétique, pour extorquer des capitaux aux koulaks, a tué plus de 15 millions des siens, le régime chinois, tout aussi aux abois, achète chaque année sept millions de tonnes de blé canadien et australien qu'il paie comptant. D'après ce point de vue, le bouleversement actuel serait destiné à discipliner, voire à supprimer les nouvelles classes privilégiées, surtout dans la hiérarchie du Parti.

Bien entendu, cette explication peut être tout à fait fausse; ses partisans ne semblent pas avoir de preuves spéciales pour l'étayer et je ne peux trancher le débat. Tout ce que je tiens à souligner, c'est que leurs arguments paraissent aussi solides, ou aussi fragiles, que ceux qui concluent à la folie de Mao et que sous-estimer un ennemi est toujours dangereux.

l'ombre de la Chine s'étend, plus vaste et plus redoutable que toutes les autres. C'est même ce fait chinois qui nous a incités, par des traités et des mouvements de forces, à prendre pendant la dernière décennie la position que nous avons aujourd'hui. Pourtant, pendant bien des années, nous avons disposé nos forces, assumé des engagements, conduit nos entreprises et livré des guerres pratiquement sans politique ni direction consciente, sans savoir ce que nous voulions, ni le prix que nous étions disposés à payer. Nous avons essayé d'isoler la Chine du reste du monde et nous l'avons traitée avec une hostilité incessante. Mais ce n'est pas une politique. C'est une attitude fondée sur la peur, la passion et des espoirs fallacieux. En Corée, dans le détroit de Formose, en Inde, nous avons réagi devant des dangers immédiats; ces actions étaient nécessaires mais destinées à sauvegarder le présent plutôt qu'à préparer l'avenir. Il convient d'ailleurs de souligner que ces réactions, ce manque d'information et de directives cohérentes et suivies ne sont pas le fait d'un seul gouvernement ou d'un seul parti. Au contraire, notre prise de conscience et notre connaissance du problème ont plus progressé au cours de l'année passée que pendant toute la décennie.

Mais nous manquons toujours d'une politique et le moment ne saurait être plus propice pour en commencer au moins l'élaboration. Les passions politiques se sont apaisées. Compréhension et intérêt se sont éveillés. En Occident la guerre froide a diminué d'intensité, nous permettant ainsi de consacrer une partie de nos énergies et de nos pensées à l'Asie. Surtout, alors que le conflit du Vietnam révèle la possibilité de telles crises, récurrentes et usantes, la nécessité, cette grande accoucheuse de la politique étrangère, s'impose à nous. Certes nous allons nous diriger à tâtons vers cette nouvelle politique chinoise — des connaissances limitées, l'incertitude du présent et l'obscurité de l'avenir ne nous permettent pas grande illusion à ce sujet. Elle ne jaillira pas comme une révélation, elle se dégagera lentement des discussions, des dangers, des événements fluctuants et des pénibles batailles. Mais assurément pas toute seule. Il nous faudra faire des efforts énergiques pour réfléchir, prévoir, apprendre, décider et agir. Nous pouvons discuter de ce qu'est une politique et commencer à apercevoir une direction générale pour celle qui doit venir. Mais soyons déjà bien sûrs de savoir ce qu'elle n'est pas.

D'abord une position qui nous plaît, mais sans aucune chance raisonnable d'être acceptée, ou mise en œuvre, n'est pas une politique. Ainsi, la libération de la Chine continentale par les Nationalistes n'était au mieux que vaine rhétorique et au pire que dangereuse illusion. De même, ce n'est pas une politique de dire que nous devrions travailler à faire admettre à la fois la Chine et Formose aux Nations Unies. La première ne veut pas admettre l'indépendance de la seconde, ce qui, à ses yeux, serait légitimer notre intervention dans sa guerre civile inachevée et les Nationalistes n'admettent pas davantage une solution qui anéantirait toutes leurs prétentions à une autorité souveraine et légitime sur l'île.

Deuxièmement, la foi dans la bonté de la nature humaine ou l'influence salvatrice du progrès n'est pas une politique. Nous ne pouvons attendre sereinement le jour où la richesse matérielle et une meilleure compréhension des réalités économiques « ramèneront la Chine (ou une nouvelle génération de dirigeants) à la raison ». L'histoire de notre temps donne assez de preuves que les pays avancés, cultivés et sûrs d'eux sont parfaitement capables de noirs désordres, de violences et d'agressions. Ce n'est pas Staline mais Khrouchtchev qui dans la quarantième année de la Révolution russe, a écrasé la Hongrie et, sept ans plus tard, amené le monde au bord d'une guerre nucléaire lors de son aventure cubaine. C'est une Allemagne « avancée » bien au-delà des objectifs lointains de la Chine qui a détruit à demi un continent et massacré des millions d'êtres humains. En outre, les armes atomiques donnent aujourd'hui à un pays des capacités de destruction qui dépassent de loin sa puissance ou sa richesse réelles. Ce fait en lui-même exercera certainement sur les dirigeants chinois une influence dangereuse bien qu'encore imprévisible; ainsi, le conflit au Vietnam serait à coup sûr très différent s'ils avaient la possibilité de détruire Chicago ou New York avec des missiles nucléaires. Homère l'a dit il y a bien longtemps : « C'est souvent l'épée elle-même qui pousse l'homme à se battre ». La Chine peut devenir ou ne pas devenir moins agressive et dangereuse à mesure qu'elle progressera, tout comme l'Union soviétique, l'Allemagne, le Japon ou nous-mêmes. Il est louable d'espérer en sa modération et d'y travailler, mais la considérer comme le fruit assuré du temps et régler nos actions sur cette conviction serait tenter le sort.

Troisièmement, le désir de la réconciliation ou l'espoir de l'amitié n'est pas une politique. L'hostilité jaillit du heurt des intérêts et des ambitions, aussi leur résolution ou un compromis — c'est-à-dire l'acceptation mutuelle des prétentions et intérêts légitimes — est-il au cœur de l'accommodement. Cette résolution, ce compromis doit précéder et non pas suivre la réconciliation. Déterminer une politique, c'est déterminer les conditions auxquelles la réconciliation doit être et sera effectuée.

Quatrièmement, la foi dans la sûreté de notre jugement historique n'est pas une politique. Nous ne pouvons agir comme si nous savions que la Chine essaiera sûrement, ou n'essaiera jamais, de s'agrandir par la force. Nous ne pouvons compter que l'expansion communiste en Asie sera inévitablement absorbée par le nationalisme des États dans cette partie du monde, ni que toutes les révolutions seront annexées par les marxistes, ni que tous ceux qui se donnent ce nom passeront sous l'autorité de Pékin. Nous devons au contraire nous préparer à toutes les contingences qui peuvent menacer les intérêts nationaux évidents des U.S.A.

Donc une politique n'est aucune de ces choses, pas plus qu'elle n'est peur, hostilité ou souhait. C'est la détermination d'objectifs et d'une ligne d'action rationnellement calculée pour les atteindre. Elle doit être prête à céder devant la logique décisive des événements et pourtant s'efforcer de modeler les circonstances plutôt que d'y réagir tardivement. Nous n'avons pas une telle politique envers la Chine. Nous avons déjà souvent agi, ces actions s'appuyant sur des raisons dont la sagesse et la force de conviction étaient variables. Pourtant, nos motifs et nos buts déclarés ont rarement été poursuivis avec la cohérence et l'application soutenue qui les eussent élevés à la dignité d'une politique. Souvent ils sont devenus la justification d'actes particuliers au lieu d'être l'expression d'un dessein national conséquent.

On a prétendu, par exemple, que nous poursuivions des intérêts stratégiques en Asie, y refusant le contrôle de nouveaux territoires et de nouvelles ressources au communisme. Pourtant, il y a moins de deux ans, nous étions tout disposés à accepter sa diffusion en Indonésie, nation de cent millions d'habitants, aux richesses incomparables, située sur le détroit de Malacca, point crucial au flanc des Philippines. Bien entendu, nous voulons empêcher des puissances profondément hostiles aux U.S.A. de s'étendre et d'acquérir des ressources considérables. Mais ce n'est là que le commencement des réflexions. Comment distinguer entre expansion chinoise et révolte autonomiste? Où et dans quelles circonstances faire intervenir effectivement notre puissance? Où et dans quelles circonstances nous limiter à aider les autres sans risquer un combat de grande envergure, une guerre à fond? Ce ne sont pas là des questions auxquelles il est aisé de répondre. Mais tant que nous n'aurons pas au moins commencé à les discuter et à les débattre, nous serons incapables de mettre au point le moindre plan à longue échéance — et moins encore bien entendu une politique. Même alors, la mise en œuvre de celle-ci dans une situation donnée, quelle qu'elle soit, pourra être pénible et difficile.

L'assertion pharisaïque de principes moraux universels et définitifs en guise de politique est plus corruptrice encore, bien que moins dangereuse, quoique nous nous affranchissions assez volontiers des dits principes lorsque l'exige l'idée que nous nous faisons de notre intérêt national. Nous proclamons notre intention d'assurer l'autodétermination, en y sacrifiant au besoin des vies américaines; pourtant nous soutenons et nous défendons Formose où les autochtones n'ont aucune voix au gouvernement et nous n'élevons pas la moindre protestation. On nous dit que « les nations doivent apprendre à ne pas se mêler des affaires de leurs voisins ». Or nous ne ne mettons pas toujours la maxime en pratique dans cet hémisphère. Nous ne pouvons pas non plus proclamer vertueusement que « nous recherchons uniquement la liberté et la dignité de l'homme partout dans le monde », alors que nous avons soutenu, pour des causes qui nous semblaient bonnes, des gouvernements tyranniques et corrompus dans tous les continents.

Je ne nie pas que certaines de ces actions eussent été nécessaires, mais elles nous enseignent que les proclamations morales passe-partout ne peuvent déterminer toutes les décisions stratégiques et que le fait de les énoncer ne constitue pas une politique. Il se peut qu'une plus grande conformité avec les principes sur lesquels

se fonde cette nation aboutisse, à long terme, à une politique plus saine et une protection plus efficace de nos
intérêts. Je crois qu'il en sera ainsi. Mais si nous proclamons solennellement des principes qui ne seront ni
ne pourront être appliqués avec suite et conséquence,
nous nous leurrons nous-mêmes et nous exposons à
de graves accusations d'hypocrisie.

En Afrique, j'ai essayé de répondre à ceux qui me
demandaient : « Si les États-Unis luttent pour l'autodétermination au Vietnam, comment se fait-il qu'ils
n'apportent pas leur appui à l'Angola et au Mozambique
qui luttent pour la leur? ». Mes réponses n'étaient pas
satisfaisantes parce qu'elles ne pouvaient pas l'être —
il n'en existe pas de bonne. Cependant, pour ceux qui
nous interrogent ainsi, c'est moins notre intention que
notre prétention qui est critiquable. Et ainsi de faux
principes détruisent cette confiance dans notre jugement
et nos desseins qui est le véritable fondement de l'influence
exercée par une puissance mondiale.

On peut en dire autant d'un autre genre de formule
omnibus : nous devons faire honneur à nos engagements.
Bien sûr, nous devons faire honneur à nos engagements.
Mais selon quels critères et dans quels desseins ont-ils
été pris? Jusqu'où vont-ils et quels moyens seront
employés pour les tenir? Défendre des engagements
pris au Vietnam est une chose; étendre pour les remplir
les opérations militaires à la Thaïlande et prendre ainsi
un nouvel engagement vis-à-vis de ce pays en est une
autre. Qu'est-ce qui décidera de la forme à leur donner?
Faut-il promettre d'aider les autres à s'aider eux-mêmes,
ou d'assurer la victoire, qu'ils y participent ou non?
Quand nous prenons le premier engagement, acceptons-
nous, lentement, inexorablement le second?

Rien de tout cela — déclarations de principe aussi
absolues que générales, vœux pieux, engagements gran-

dioses — ne constitue une politique chinoise d'avenir. Elle devra être fondée sur la réalité et la diversité de l'Asie actuelle, sur une estimation judicieuse de nos propres intérêts, possibilités et limitations. Elle devra tenir compte des dangers, des capacités et des désirs d'autres pays. Nous ne sommes pas seuls en face de la Chine en Asie. Il y a aussi l'Inde, deuxième nation du globe pour la population, héritière d'une grande civilisation; le Japon qui deviendra bientôt la troisième puissance industrielle du monde et dont l'importance future n'a d'égale que notre ignorance à son égard; l'Indonésie avec ses ressources et sa position stratégique dominante. A long terme la clairvoyance et l'attitude de ces grandes nations asiatiques déterminera pour une large part le cours des événements dans le continent — tout comme la Grande-Bretagne, l'Allemagne de l'Ouest, la France et l'Italie mènent actuellement le train dans le développement de l'Europe occidentale. Notre ligne politique doit être fixée et notre action entreprise en pleine connaissance des intérêts et des décisions de ces pays — et la pleine conscience qu'il ne s'agit pas pour nous de nous substituer à eux, mais de les compléter.

De plus, nous devons bien comprendre que notre politique envers la Chine sera un facteur déterminant dans la mise au point de celle que nous adopterons envers tous les autres pays d'Asie. Si une Inde forte est jugée essentielle pour contenir la Chine et pour notre sécurité nationale, l'ampleur de notre aide économique et militaire devra refléter cette priorité. A l'heure actuelle, nous travaillons dans le vide pour ainsi dire : nous dépensons par exemple des milliers de vies et des milliards de dollars en partie parce que le Vietnam est jugé essentiel pour nous, alors que nous refusons d'aider, aux frontières de la Chine, d'autres pays dont les exigences seraient sans doute moindres, mais l'importance stratégique et

la vulnérabilité à la domination ou à la pénétration
chinoise, probablement plus grandes. Pourtant nous
avons appris que l'inaction peut avoir les pires conséquences. Si nous voulons demeurer une puissance asiatique, nous devons être prêts à payer le prix, sous forme
par exemple d'une aide économique accrue dans des
proportions suffisantes pour que nous n'ayons plus à
faire les sacrifices en hommes et en argent que nous
consentons aujourd'hui.

Notre politique chinoise devra être marquée par les
paradoxes et la complexité des circonstances dans lesquelles elle se formera. Elle tiendra compte du fait que
l'Asie de 1967 n'est pas l'Europe de 1949 où une grande
alliance, édifiée pour faire front à une grande menace,
servait de charpente à toute la politique. Ainsi l'Union
soviétique — notre principal adversaire et rival dans le
monde d'après guerre — est, au moins pour le moment,
violemment hostile à la Chine sur le plan idéologique
et semble avoir une conception très différente de l'avenir
du continent. Sa médiation dans le conflit indo-pakis-
tanais n'en est qu'un exemple, mais frappant. Ainsi
encore le Japon, notre ancien ennemi et actuel allié,
rival et imitateur, envahisseur et partenaire économique
séculaire de la Chine, passe des contrats avec l'Union
soviétique pour exploiter les ressources de la Sibérie,
mène une vaste campagne d'investissements en Chine,
proposant entre autres de développer l'industrie pétro-
chimique du pays, sert de base aux U.S.A. et verse les
premiers 200 millions de dollars à la Banque pour le
Développement de l'Asie, tout cela concurremment.

Notre politique chinoise devra être conçue en fonction
d'une probabilité : c'est que, une fois les convulsions
actuelles apaisées, nous nous trouverons encore en face
d'une Chine ennemie. Nous devons repousser la tentation de croire qu'un geste quelconque de notre part

améliorera notablement les relations. Pourtant les proclamations hostiles ne sont pas la guerre. Elles ne nous ont pas empêchés de conclure des accords sur des questions présentant un intérêt mutuel — comme après la crise de Quemoy en 1958, lorsque nous avons convenu de restreindre les activités agressives de Tchang et les Chinois de ne pas attaquer les îles. Elles ne nous empêchent pas d'avoir des contacts qui pourraient nous amener à en savoir davantage sur les Chinois et eux sur nous, évitant ainsi des erreurs de calcul qui risqueraient de déclencher l'holocauste nucléaire. Ne décourageons aucun rapprochement d'aucune sorte, qu'il soit tenté par nous ou par d'autres, qu'il soit économique, diplomatique ou même touristique : une Chine raisonnable ou mieux informée pourrait être un interlocuteur plus commode et ne saurait être à coup sûr plus incommode que si elle demeure irrationnelle et ignorante. Pourtant nos espoirs doivent être tempérés par le fait que les nations européennes, « au contact » depuis des siècles, ont emplis ceux-ci de haines, de conflits et de destructions mutuelles.

Notre politique devra également faire entrer en ligne de compte l'impossibilité où nous sommes de prévoir l'expansion militaire chinoise. Nous devons donc être prêts à aider les autres à se défendre, tout en refusant de fonder nos actions et nos plans sur l'hypothèse d'un conflit armé inévitable. Toute extension de l'influence chinoise n'est pas nécessairement une menace pour nous. Il nous faut distinguer entre attaque armée et révolution interne, entre les exhortations et la prise en main de forces subversives. Quand les forces chinoises ne sont pas directement engagées, ou des frontières franchies, nous devons nous demander s'il ne serait pas plus indiqué de nous en remettre d'abord à la puissance et à la vitalité du désir d'indépendance nationale. Après tout, c'est lui et non pas notre force militaire qui a chassé les Chinois

d'Afrique centrale, d'Algérie, d'Indonésie, lui encore
qui érode implacablement l'empire soviétique.

La politique exige enfin la reconnaissance en pleine
conscience, en pleine franchise, du fait que nous vivons
dans le même monde et évoluons dans le même continent
que la Chine — avec ses dangers et ses possibilités, ses
forces et ses terribles frustrations. C'est seulement quand
nous aurons accepté cette réalité que nous pourrons
nous consacrer à notre objectif essentiel : faire admettre
aux Chinois qu'ils doivent eux aussi vivre avec nous et
avec les autres nations du globe. Certes, ce sont là des
considérations générales plutôt que des directives pour
des actions bien précises.

Mais quelle différence dans ces actions si nous traitons la Chine comme un danger virtuel et une chance
possible, au lieu de voir en elle un ennemi certain et
une cause perdue !

Évidemment, l'ombre du Vietnam s'étend sur toutes
ces délibérations. C'est là un sujet immense et complexe
auquel nous allons passer sans tarder. Pourtant, la solution de ce conflit n'entraînera pas automatiquement le
dénouement de tous les problèmes asiatiques, encore
qu'elle dépende pour une large part de notre attitude envers Pékin. Au reste, malgré les liens étroits
entre notre politique chinoise et le Vietnam, la fin
de la guerre n'enlèvera rien à l'urgence du problème
d'ensemble.

Nous ne pouvons savoir quel sera le cours de nos relations avec la Chine dans l'avenir. Toutes nos intentions,
tous nos efforts se désagrégeront peut-être dans la violence
et le sang. Mais il existe une autre possibilité.

Un jour, peut-être, un diplomate américain se ren-
dra à Pékin porteur des mêmes instructions que celles
données par Daniel Webster à Caleb Cushing en 1843 :
dire au peuple chinois « que votre mission est entière-

ment pacifique... que vous êtes un messager de paix envoyé par la plus grande puissance d'Amérique à la plus grande puissance d'Asie pour lui offrir respect et bonne volonté et pour créer les moyens d'établir des rapports amicaux ».

Vietnam

Le poids de la stupéfiante puissance américaine s'abat aujourd'hui sur un peuple éloigné de nous, dans un petit pays ignoré. Il nous est difficile de sentir dans nos cœurs ce que cette guerre signifie pour le Vietnam : il est à l'autre bout du monde et ses habitants sont des étrangers. Peu d'entre nous sont directement touchés ; les autres continuent leur vie et poursuivent leurs ambitions sans être troublés par les bruits et les terreurs des combats. Mais pour les Vietnamiens cette guerre doit souvent être comme l'accomplissement de la prophétie de saint Jean : « Et je vis paraître un cheval de couleur pâle. Celui qui le montait se nommait la Mort et l'Enfer le suivait. On leur donna pouvoir sur la quatrième partie de la terre pour faire tuer par l'épée, par la famine, par la peste... ».

Bien que les imperfections du monde puissent susciter des actes de guerre, leur justice ne saurait faire oublier les tortures qu'ils infligent à un seul enfant. La guerre au Vietnam est un événement d'importance historique, polarisant la puissance et l'inquiétude de nombreuses nations. Mais c'est aussi cet instant vidé de tout ce qui n'est pas angoisse et stupeur, lorsqu'une mère avec son enfant voient le feu tomber des engins incroyables envoyés par un pays qu'ils se représentent à peine. C'est la brusque terreur du fonctionnaire ou du milicien tout absorbé par les travaux de son village, quand il se rend compte qu'un assassin va le tuer. Ce sont les réfugiés abandonnant les bourgades rasées en ne laissant derrière eux que ceux qui n'ont pas assez vécu pour fuir. Ce sont les jeunes hommes, vietnamiens et américains, qui sentent en l'espace d'un instant la nuit de la mort anéantir les promesses d'hier, famille, demeure, foyer.

C'est un pays où la jeunesse n'a jamais vécu un jour en paix, où les familles n'ont jamais connu un temps où il n'était pas nécessaire d'avoir peur. C'est un pays assommé par la montée incessante de la violence, de la haine, de la fureur sauvage, où des millions d'êtres consacrent jusqu'à la dernière parcelle de leur énergie non pas à vivre bien, ou mieux, mais à survivre. C'est un pays où les combattants se comptent par centaines de milliers, mais par millions les victimes éperdues de passions brutales et de croyances qu'elles comprennent à peine. Pour eux la paix n'est pas un terme abstrait désignant ces rares intervalles où les hommes ne s'entretuent pas. C'est un jour sans la terreur des bombes qui s'abattent. C'est une famille et la vie familière du village. C'est de la nourriture, une école, la vie.

Tout ce que nous disons, tout ce que nous faisons doit être marqué par la conscience que nous sommes en partie responsables de ces horreurs — et non pas seulement le pays, mais vous, mais moi. C'est nous qui vivons dans l'abondance et qui envoyons nos jeunes hommes mourir là-bas. Ce sont nos produits chimiques qui brûlent les enfants et nos bombes qui écrasent les villages. Nous sommes tous participants. Le savoir, sentir le poids de cette responsabilité n'est ni négliger d'importants intérêts, ni oublier que la liberté et la sécurité doivent parfois être payés par le sang. Mais si nous savons, en tant que nation, ce qu'il est nécessaire de faire, nous devons aussi, en tant qu'hommes, éprouver l'angoisse de ce que nous faisons.

UNE GUERRE D'UN GENRE NOUVEAU

Le Président Kennedy a dit en 1961 que le niveau des techniques rendait très improbable une guerre généralisée, parce qu'elle équivaudrait à la fin de la civilisation telle que nous la connaissons. Au lieu de cela, selon lui, nous nous trouvons devant « un autre genre de guerre — nouveau par son intensité, ancien par ses origines — une guerre de guérilla, de subversion, d'insurgés, d'assassins, où l'embuscade remplace la bataille et l'infiltration, l'agression; qui recherche la victoire par l'usure et l'épuisement de l'ennemi, non par l'engagement direct ». Au cours des vingt dernières années, la plupart des conflits dans le monde ont été de ce type, bien que leurs origines et leurs objectifs eussent été fort différents. En Algérie et à Chypre, ils visaient à libérer le pays d'une domination étrangère; en Birmanie, en Irak et dans les Monts Naga en Inde, à affirmer des identités régionales ou tribales en face de l'autorité centrale; en Malaisie et en Grèce à établir la domination de minorités communistes.

Telle est la guerre devant laquelle nous nous trouvons aujourd'hui au Vietnam. Son caractère a été masqué par la fumée des batailles conventionnelles. Des milliers d'Américains ont engagé le combat contre des troupes régulières nord-vietnamiennes et des unités du Viet-Cong; nos appareils de la marine et de l'aviation ont largué un tonnage d'explosifs supérieur à celui qu'a reçu tout le théâtre d'opérations européen lors de la Deuxième Guerre Mondiale : en 1966 seulement, deux tonnes par kilomètre carré et une tonne pour quarante personnes dans l'ensemble du Nord- et du Sud-Vietnam. Pourtant, si ces opérations se déroulent sur terre et dans les airs, c'est que d'autres efforts ont échoués auparavant : les

tentatives du gouvernement sud-vietnamien pour ins-
taurer, avec notre aide, un régime stable, une société
viable et mater une rébellion qui n'avait encore en 1959
(selon le défunt Bernard Fall) qu'une force active de
3 000 hommes environ. La « guerre révolutionnaire »
se poursuit sans relâche aujourd'hui, dans les 15 000 villages du Sud Vietnam et dans les postes de commandement secrets des villes. Elle se poursuit en dépit de nos
coups de balai massifs, sapant et énervant la société
autochtone aussi bien que notre effort de guerre. C'est
elle qui galvanise l'ennemi, lui fournissant la base de
sa puissance, de ses approvisionnements, de sa survie.

Les unités nord-vietnamiennes régulières ne constituent que l'une des trois forces engagées contre nous
dans le Sud et non pas la plus importante, loin de là,
puisque selon le général Westmoreland, elles n'alignent
pas plus de 50 000 hommes contre nous. Dans la plus
grande partie du pays, c'est au Viet-Cong que nous avons
affaire, c'est-à-dire des Sud-Vietnamiens en rébellion
contre leur gouvernement, encore qu'ils soient souvent
entraînés ou encadrés par le Nord et dépendent pour
une part de ses approvisionnements et de ses directives.
Cent mille d'entre eux environ sont organisés en unités
militaires qui constituent la « force principale ». Mais
c'est à la base de celle-ci que l'on trouve ce que l'ancien
ambassadeur Cabot Lodge a appelé « le véritable cancer » :
150 000 guérilleros Viet-Cong au travail dans tout le
pays, depuis de minuscules hameaux que nos troupes
n'ont jamais vus jusqu'au périmètre de nos grandes
bases et la porte même de notre ambassade à Saïgon.
Ils se sont battus presque sans arrêt depuis vingt ans :
contre les Français, contre d'autres groupes nationalistes,
contre le gouvernement sud-vietnamien, contre nous,
toujours dans la place, organisant et luttant à l'intérieur
de leurs propres villages ou autour d'eux. Ils ont fourni

du riz et recruté des soldats, assassiné des représentants du gouvernement et tendu des pièges, mais surtout groupé une partie importante de la population sud-vietnamienne en une opposition disciplinée et efficace aux dirigeants officiels. L'ambassadeur Lodge a déclaré que seule la destruction de l'infrastructure Viet-Cong, et non pas seulement la défaite de ses unités principales, serait jugée décisive par l'adversaire lui-même. Derrière la clameur des combats, le conflit du Vietnam est toujours une guerre révolutionnaire — au moins pour l'autre camp.

C'est là un fait qu'il faut garder présent à l'esprit et souligner parce que nous avons concentré l'escalade sur le Nord Vietnam. Or il est dangereusement facile, voire séduisant, de nous limiter à ce que nous connaissons le mieux : opérations conventionnelles, bombardements aériens, technique, armées agissant en dehors des considérations politiques. Seulement, c'est vouloir ignorer toutes les leçons de ce conflit et de ceux qui ont eu lieu depuis vingt ans. On les appelle guerres et ils ont de profondes répercussions internationales, mais en même temps, ce ne sont pas des guerres et leur issue est déterminée par des facteurs internes. Essentiellement politiques, ils visent à obtenir le contrôle du gouvernement et l'adhésion des populations. Or celle-ci est emportée comme dans n'importe quelle lutte politique, par une idée et une foi, par la promesse et l'accomplissement. Les gouvernements ne peuvent résister à de tels défis qu'en se montrant efficaces et sensibles aux besoins de leur peuple.

L'allégeance des hommes non plus que cette sorte de guerre ne sont gagnées par la puissance ou le nombre, ni par le perfectionnement des techniques. Dans la petite île de Chypre, la Grande-Bretagne avait 110 soldats et policiers pour chaque membre de l'EOKA, qui ne compta jamais plus de quelques centaines de terroristes.

Pourtant, elle dut abandonner la partie cinq ans après le début de la rébellion. En Algérie, l'armée française disposa pendant tout le conflit d'une écrasante supériorité en hommes, en puissance de feu et en communications, ainsi que d'une maîtrise aérienne totale et de la possibilité d'isoler complètement le pays des États voisins. Mais là aussi, au bout de cinq ans, la France dut rompre ses liens avec l'Algérie et la laisser au pouvoir des rebelles. Au Vietnam lui-même, de 1955 à 1959, l'armée du gouvernement Ngo Dinh Diem avait une supériorité numérique écrasante sur les Viet-Cong, y compris tous ceux qui s'étaient infiltrés depuis le Nord. Les observateurs les plus qualifiés estimaient que les guérilleros étaient pratiquement écrasés. Pourtant l'autorité du gouvernement ne suivit pas la même progression et cinq ans plus tard, la menace du Viet-Cong avait pris de telles proportions que, selon le rapport du Sénateur Mansfield [1] « l'effondrement total de l'autorité des dirigeants de Saïgon semblait imminent dans les premiers mois de 1965 ». Aujourd'hui encore l'armée de la République sud-vietnamienne est trois fois plus nombreuse au moins que les effectifs de ses adversaires, mais personne ne peut croire qu'elle durerait seulement un mois si les U.S.A. se retiraient tout à coup.

Ni le nombre ni la possession d'un armement très perfectionné ne sont décisifs et cela pour plusieurs raisons. L'une est le caractère même de la force militaire. Sous sa forme conventionnelle, elle ne peut que détruire. Or un gouvernement ne saurait faire la guerre à son peuple, ni anéantir son pays. Supposons par exemple qu'une unité gouvernementale essuie des coups de feu dans un village. Des dirigeants qui attaqueraient celui-ci avec l'aviation ou l'artillerie lourde abandonneraient

---

1. « The Vietnam Conflict : The Substance and the Shadow ».

jusqu'à l'apparence de vouloir protéger les habitants. Pourtant une telle protection est le premier devoir d'un gouvernement digne de ce nom et son absence est vivement ressentie par le village. Bien plus, ainsi que le général Edward Lansdale nous l'a dit, « après de telles actions la haine des civils envers les militaires constitue un puissant motif pour rejoindre [les rebelles] ».

Le problème a un autre aspect. Lorsqu'un soulèvement menaça de détrôner Jérome Bonaparte, son frère Napoléon lui conseilla de se servir de ses baïonnettes, à quoi le roi de Westphalie lui répondit très judicieusement que l'on pouvait tout faire avec elles — sauf s'asseoir dessus. On peut en dire autant des armes les plus perfectionnées. Canons et bombes ne peuvent remplir les estomacs affamés, ni instruire les enfants, construire des maisons, ni guérir les malades. Pourtant ce sont les fins pour lesquelles les hommes établissent des gouvernements et leur obéissent : ils n'accorderont leur loyalisme qu'à ceux qui satisferont ces besoins.

La victoire la plus convaincante jamais remportée par un gouvernement dans une insurrection moderne l'a été aux Philippines. Quand Ramón Magsaysay y devint Ministre de la Défense, les Hukbalahaps étaient aux portes de Manille et il n'avait que 50 000 hommes pour lutter contre 15 000 rebelles, alors que l'on estime en général à dix contre un la supériorité nécessaire pour battre des guérilleros. Son armement n'était pas moderne ni sa supériorité bien considérable dans les airs et les communications. Mais Magsaysay n'accordait qu'une confiance limitée et une priorité secondaire à l'action militaire. Son premier souci fut d'organiser des élections honnêtes dans tout le pays; après quoi il entreprit une réforme agraire complète, renforcée par des innovations telles que des tribunaux sur jeeps qui permettaient à des juges équitables de protéger les paysans contre les

intérêts locaux trop puissants. D'autres réformes suivirent, toutes orientées vers le bien de la population, y
compris l'amnistie et des terres pour les rebelles qui
cessaient le combat. Aidé par ses dons innés de chef,
ces mesures lui gagnèrent le loyalisme des populations.
En quatre ans la rébellion fut écrasée et ses chefs se
rendirent[1].

Si presque tout le monde semble reconnaître la dimension politique de nos actes, la priorité qu'elle exige lui
est trop souvent refusée. L'aspect militaire paraît plus
urgent et plus insistant. Pourtant la réforme et l'espoir
qu'elle porte en elle ne peuvent être plus longtemps
différés. L'essentiel de la rébellion, comme Bernard Fall
et Douglas Pike l'ont démontré avec tant d'autorité,
est l'organisation intensive et extensive d'une proportion
toujours croissante des populations, fondée sur leurs
besoins immédiats et pressants, leurs griefs et les injustices qu'elles subissent. Bien souvent ce sera la première
fois qu'elles participeront à une activité politique coor-
donnée ou à une entreprise d'envergure pour améliorer
leur sort. En outre, les insurgés instaureront très probablement au moins une apparence de réforme dans les
régions qu'ils contrôlent et cela même au milieu des
combats. Au Vietnam comme dans la Chine des années
1940, ils ont distribué des terres, ouvert des écoles et
des cours pour adultes, installé des tribunaux, entrant
ainsi en concurrence directe avec le gouvernement
établi. Si celui-ci néglige ou diffère les réformes tout en
essayant d'étouffer la rébellion avec les armes, il ne fait
que confirmer les prétentions des insurgés affirmant
qu'ils représentent les forces de la justice et du progrès.
S'il va plus loin, s'il essaie de démanteler les résultats

1. Sa résurgence ultérieure a été en proportion directe du
relâchement qui s'est introduit dans les réformes après la mort
de Magsaysay.

obtenus par eux — en aidant par exemple les propriétaires à récupérer les loyers de paysans auxquels les insurgés ont « donné » les terres — il fera plus pour leur recrutement que n'importe quel communiste. A quoi bon
avertir que le résultat final du marxisme sera la dictature
et l'exploitation? Les actes d'aujourd'hui, dont les promesses seront tenues demain, parlent assez haut.

La raison ultime de l'insuffisance révélée par la force
militaire, c'est qu'elle ne peut donner l'espoir. Elle est
neutre, elle n'a pas de programme. Tout mouvement
insurrectionnel vit essentiellement non pas de force
mais d'un rêve — un rêve d'indépendance, de justice,
de progrès, d'une vie meilleure promise aux enfants.
Pour lui les hommes supporteront des sacrifices et des
souffrances immenses, comme nous l'avons fait nous-
mêmes et le ferons encore. Sans une vision de l'avenir
à offrir, un gouvernement ne saurait ni exiger le moindre
sacrifice, ni opposer la moindre résistance aux terreurs
ou aux séductions de la rébellion. Seul un esprit d'abné-
gation et de détermination plus fort que celui des insurgés
peut gagner une telle guerre.

Ce qui est vrai de la force militaire en général l'est
bien plus encore quand elle est employée par un pays
étranger. Quel que soit l'attrait qu'exerce un mouvement
insurrectionnel par son programme de réformes il sera
considérablement accru si les meneurs peuvent se saisir
de la bannière du nationalisme, force politique la plus
puissante du monde moderne. Les pays sous-développés
d'Asie et d'Afrique sont d'anciennes colonies et dépen-
dances des puissances occidentales. Ils n'ont accédé que
depuis peu à la souveraineté politique, ils luttent encore
pour établir leur indépendance économique, culturelle
et intellectuelle. Pour un gouvernement, s'appuyer sur
un pays étranger, appeler les armées occidentales à
combattre des insurgés autochtones est à la fois un

terrible aveu de faiblesse nationale et une menace directe
pour l'indépendance si nouvellement acquise, permettant aux opposants de présenter les dirigeants comme
des pantins aux mains des colonialistes. Ce qui est plus
grave que tout, peut-être, c'est que chaque coup porté
aux étrangers par les insurgés peut faire naître un frisson
d'orgueil national même chez les partisans du gouvernement; au fond de son cœur aucun homme aimant son
pays ne peut se réjouir de voir ses compatriotes défaits
sur le champ de bataille, même s'il est personnellement
tout à fait hostile à leur politique. Un gouvernement
indépendant établi sur des bases saines et investi de
la confiance populaire peut survivre à l'aide étrangère
et même en profiter, comme au Venezuela, aux Philippines ou en Grèce après la guerre. Mais une équipe dirigeante faible, sans le soutien de son peuple ne peut qu'être
affaiblie par une assistance ou une intervention extérieure.
La première peut renforcer la volonté nationale, mais
quand cette volonté manque, la seconde ne saurait s'y
substituer.

Cela ne signifie pas que la force militaire soit inefficace
ou inutile. Le plus loyal des citoyens peut s'estimer délié
de ses obligations envers le gouvernement si celui-ci
ne jugule pas la rébellion. Les sociétés les plus évoluées
et les plus unifiées sont souvent amenées à faire usage
de la force pour se défendre contre ceux qui rejettent les
processus politiques pacifiques. Elle constitue le dernier
recours de tous les États, de toutes les sociétés et nous
l'avons nous-mêmes employée plusieurs fois pendant
les dix dernières années pour réprimer des désordres
intérieurs. La force militaire peut et doit faire partie
de toute action pour combattre l'insurrection; citoyens
et gouvernements ont besoin d'une protection, d'un
bouclier derrière lequel les réformes puissent s'accomplir.
Mais aucune intervention armée ne peut venir à bout

d'une rébellion profondément enracinée et soutenue par la population. Elle saurait moins encore racheter des erreurs politiques, ou gagner le loyalisme populaire à un gouvernement qui n'a rien fait pour le mériter. A mon sens, l'histoire des vingt dernières années prouve au contraire sans l'ombre d'un doute qu'en matière de guerre révolutionnaire, la seule action valable est essentiellement politique. Quand les besoins et les griefs du pays qui réclame soit des réformes sociales, soit l'indépendance nationale, commencent à être satisfaits par le processus politique, l'insurrection perd son caractère populaire pour devenir un problème de police, comme au Venezuela, aux Philippines et en Malaisie. George Marshall a dit un jour : « Ne parlons pas trop de cette affaire en termes militaires; nous pourrions en faire un problème militaire ». C'est en somme assez exactement ce qui s'est passé au Vietnam.

« L'AUTRE GUERRE » AU VIETNAM.

La guerre politique au Vietnam a reçu les appellations les plus diverses : pacification, action civique, Hameaux de la Nouvelle Vie, bataille pour « gagner les cœurs et les esprits » de la population et Développement Révolutionnaire. Depuis 1966, on la désigne souvent sous le nom de « l'autre guerre » pour la distinguer des combats menés par de grandes unités militaires, en majorité américaines. Ce terme suffit à nous révéler que dans l'esprit de ceux qui l'emploient, la « vraie guerre » est l'opération de grande envergure exécutée sur le champ de bataille.

Pourtant, c'est « l'autre », la lutte politique pour l'allégeance du peuple vietnamien, qui est en fait *la* guerre. Et elle a été perdue à maintes reprises pendant ces vingt

dernières années : d'abord par les Français, puis par
Diem, plus récemment par les gouvernements qui lui
ont succédé, et chaque fois non seulement du fait de
la force communiste mais aussi, mais surtout, de la faiblesse, de l'ignorance et de la cupidité des dirigeants.
Les Français ont dénié à l'Indochine le droit de se gouverner elle-même, sur quoi le Vietminh est devenu le
représentant, le chef et l'organisateur de ceux qui voulaient l'indépendance pour leur pays; l'élimination des
autres groupes nationalistes, qu'il a souvent effectué
par la brutalité la plus sanglante, prouve bien à quel
point il désirait s'emparer des avantages et du contrôle
de la cause. Vers la fin, le régime de Diem était devenu
si répressif qu'il s'aliéna la population et poussa nombre
des habitants à s'enrôler dans les rangs de ces insurgés
qu'il était trop corrompu et trop incapable pour supprimer. Lorsque Diem fut renversé par ses propres généraux,
les quinze mois de chaos dans l'exécutif et de luttes intestines pour le pouvoir qui s'ensuivirent conduisirent
tout droit à cet « effondrement total de l'autorité du
gouvernement de Saïgon » que le Sénateur Mansfield
jugeait imminent en 1965.

Ce sont ces échecs politiques qui ont abouti à une
extension continue de la guerre, tout en gaspillant follement
le temps et les occasions payées si cher en sang et en
sacrifices. Ces échecs sont essentiellement vietnamiens
et non pas américains, bien que les États-Unis y soient
mêlés et en prennent leur part. De toute évidence, ils ne
sont pas le fait d'un seul homme, ni d'une seule administration. Beaucoup pensent que le Vietnam est devenu
un tragique imbroglio, mais peu sont du même avis
quand il s'agit de savoir où nous nous sommes engagés
dans la mauvaise voie. Les Sénateurs Richard Russel
et John Stennis, les partisans les plus éminents et les
plus éloquents peut-être d'une défense militaire puis-

sante, avaient déconseillé au Président Eisenhower d'envoyer les premiers conseillers militaires en 1954. D'autres ont critiqué et critiquent encore l'ampleur donnée par le Président Kennedy au corps de ces conseillers; certains incriminent la décision d'engager des troupes américaines dans le combat, ou de bombarder le Nord. Quoi qu'il en soit, je peux affirmer — avec l'assurance de quelqu'un qui a participé pendant trois ans aux décisions et aux efforts concernant le Vietnam — que s'il y a des fautes à relever ou des responsabilités à assigner, il y en a assez pour tout le monde, moi y compris.

Il n'est pas douteux qu'au moment où l'histoire de l'affaire du Vietnam pourra être écrite et les erreurs découvertes, certaines se situeront à l'époque où j'étais investi d'une part d'autorité, cela je le reconnais très franchement. Mais il ne m'a jamais paru que la sagesse politique consistait à persévérer dans les erreurs passées. Au lieu de maudire ou d'exalter le passé, mieux vaudrait chercher dans les leçons apprises quelque guide pour notre action future, aussi bien au Vietnam qu'ailleurs.

Ce dernier nous apprend avant tout qu'un gouvernement doit pouvoir compter sur le loyalisme volontairement consenti des populations et se faire l'instrument de leurs aspirations nationales et personnelles. Or, au moment où commence l'automne de 1967, rien n'indique que cette leçon ait été comprise.

RÉFORMES AGRAIRES ET AUTRES : LA QUESTION SOCIALE.

Prenons d'abord le problème de la terre. Il est au cœur de la structure politique et sociale, car le Vietnam est un pays essentiellement agricole. Dans la plus grande partie du Sud, 6 300 grands propriétaires (en général absents) — 2 % du total — possèdent 45 % des terres, alors que 183 000 — 72 % du total — se partagent 15 % de la superficie cultivable. Quatre millions de travailleurs en puissance sont des paysans sans emploi, sans terre et sans ressources; un nombre plus considérable encore travaille des champs qui ne lui appartiennent pas. Pratiquement tous les observateurs depuis 1945 ont déclaré que la réforme agraire comprenant à la fois la redistribution des terres et la limitation de l'autorité des propriétaires sur leurs métayers, était un élément crucial de la lutte. A l'heure actuelle, l'anti-américanisme l'a remplacée dans une large mesure comme instrument de propagande pour le Viet-Cong. Mais pendant des années elle a constitué un des principaux thèmes exploités par les insurgés et aujourd'hui encore elle garde une force considérable dans le delta du Mékong, entre autres, où vit la moitié de la population du Sud. De plus, les partisans qu'elle a ralliés autrefois ont une large part de responsabilité dans nos difficultés présentes.

Mais malgré les promesses d'une douzaine de régimes, malgré les lois et les décrets, aucun gouvernement vietnamien non-communiste n'a jamais pris de mesures sérieuses dans ce domaine. Deux ordonnances promulguées par Diem en 1955 et 1956 avaient bien limité à 100 hectares la superficie de rizière qu'un individu pouvait posséder et la redevance des métayers au quart de la récolte (en manière de comparaison les profondes réformes agraires effectuées à Taiwan et au Japon fixaient respectivement la limite à 7 et 10 hectares par famille). Mais ces mesures si restreintes ne furent même pas appliquées : dans les régions contrôlées par le gouvernement, les métayers (qui représentent 70 % des paysans dans le delta du Mékong) doivent encore remettre 50 % ou plus de la récolte de riz aux propriétaires absents; quand les forces de Saïgon pénètrent dans des zones Viet-Cong,

elles sont encore parfois accompagnées de ces propriétaires qui comptent sur elles non seulement pour reprendre les terres, mais pour percevoir toutes les redevances
des années qu'ils ont passées dans la capitale, bien à
l'abri des insurgés.

Il existe des mesures simples et pratiques qui pourraient
être entreprises et imposées dans les régions tenues par
le gouvernement, puis automatiquement étendues à
d'autres pour inciter leurs habitants à se placer sous
l'autorité de celui-ci. On pourrait redistribuer les terres
aux paysans qui les cultivent, les propriétés (compte
tenu des situations locales différentes) ne devant pas
dépasser un nombre d'hectares comparable à celui du
Japon et de Taiwan, puis supprimer les redevances aussi
bien passées qu'à venir. Les compensations à donner aux
propriétaires seraient relativement peu onéreuses. Nous
aurions pu dire depuis toujours, comme nous pourrions
encore le faire aujourd'hui : Il faut que ce soit le Viet-
Cong et non le gouvernement sud-vietnamien qui pressure
et exploite les paysans. Sans aucun doute, une telle opération serait difficile au milieu de cette guerre sauvage,
mais tout est difficile pour nous dans cette affaire,
surtout pour nos jeunes qui se battent et qui meurent,
ainsi que pour leurs familles. Il ne suffit pas de dire
qu'une réforme est « difficile » pour ne pas l'exécuter; il
faudrait trouver une raison beaucoup plus forte que
celle-là.

La déclaration des États-Unis à la Conférence d'Honolulu en février 1966 nous engage à apporter notre « appui
sans réserve aux mesures de révolution sociale, y compris
la réforme agraire ». Mais celle des Vietnamiens à la
même conférence et celle, conjointe, des deux gouvernements, n'y font pas la moindre allusion. Ce n'est pas
un simple accident. Depuis des années, les dirigeants
du Sud-Vietnam ont refusé d'entreprendre les véritables

réformes agraires que nous réclamons avec tant d'insistance. Ils ont tout au plus accompli quelques gestes symboliques, signé des décrets et des lois jamais appliqués, tout cela parce que la transformation envisagée n'était pas conforme à leur intérêt personnel le plus étroit. Ce gouvernement — non seulement les ministres, mais les fonctionnaires, les officiers supérieurs, les chefs de province — était, et est encore pour une large part, issu ou allié d'une classe privilégiée pour qui la terre est la base de la richesse et de la puissance. Placés devant un choix entre le bien de la nation et la sauvegarde de leurs prérogatives, ils ont choisi la seconde. Pour eux, à quelques exceptions près, il semble que la guerre ne vaille pas la peine d'être gagnée si le prix doit en être le sacrifice de leurs terres, de leur richesse et de leur puissance. C'est la persistance de cette domination des privilégiés et non pas la guerre ou le terrorisme communiste qui a empêché toute réforme agraire par le passé et qui l'empêche aujourd'hui encore.

Le problème de la corruption est un deuxième exemple. Nous savons depuis des années qu'elle sévit partout et, bien que navrés de constater son extension pendant que des Américains meurent, nous avons eu tendance à la considérer comme une question en marge du principal effort de guerre. Mais il ne s'agit pas que de quelques cas individuels impressionnants, comme celui de ce ministre qui empocha près d'un million de dollars versé par des firmes américaines fournissant des produits pharmaceutiques au gouvernement. C'est tout le système qui permet à l'armée et à la classe dirigeante d'exploiter la masse du peuple : en vendant les postes gouvernementaux, en « siphonnant » l'aide américaine à des douzaines de niveaux avant qu'elle arrive aux paysans, en maintenant à leur poste des fonctionnaires incompétents. Lorsque généraux et représentants de l'autorité vivent dans un luxe sans commune mesure avec leurs ressources officielles, les conséquences sur notre effort dépassent de très loin l'argent gaspillé. Elles se traduisent par un cynisme envahissant et des défaites politiques. Le lieutenant-colonel William Carson, chef du Programme d'Action Combiné de la Marine à Danang, a succinctement décrit le processus : « Le paysan voit que nous soutenons une structure administrative locale dont il sait qu'elle est corrompue. Il en déduit que nous sommes ou idiots ou complices. Et il conclut que nous ne sommes pas idiots ».

La question sociale a également de profondes répercussions sur l'armée, toujours empêtrée, malgré nos efforts, dans ce système de corruption et de mauvaise administration, trop souvent mal commandée par des membres de la haute société. Le simple soldat, qui fait parfois tout ce qu'il peut et montre de la bravoure aussi bien que de la ténacité au combat, n'en est pas moins accablé de fardeaux écrasants : mal payé, mal nourri, sa famille peu ou point secourue, il se bat depuis des années non seulement contre le Viet-Cong, mais pour sauvegarder le régime qui l'exploite lui et les siens. Les conséquences apparaissent bien dans la proportion effarante des désertions. Le commandement américain sur place en a signalé plus de 18 000 dans l'armée de la République vietnamienne (A.R.V.N.) pendant les premiers mois de 1967. On estime maintenant que pour l'ensemble de l'année, elles auront peut-être un peu diminué, se situant aux environs de 50 000, soit près de 10 % des effectifs, plus que les U.S.A. n'ajouteront d'hommes à leurs forces. Même ainsi, ce chiffre constituerait un progrès comparé aux 116 000 désertions de 1966, ou aux 113 000 de 1965. Un observateur averti a fait remarquer qu' « au Vietnam, toutes les statistiques sont de la poésie » et celles-là comme les autres peuvent être au-dessus ou au-dessous de la réalité [1] mais, si peu exactes qu'ellse soient dans le détail, on ne saurait esquiver l'indication d'ensemble qu'elles donnent sur la profondeur des convictions de l'A.R.V.N.

Nul besoin d'autre preuve des faiblesses de celle-ci que le fardeau sans cesse croissant imposé aux unités américaines qui, ainsi qu'il a été annoncé vers la fin de 1966, se chargeront désormais de toutes les offensives et opérations militaires importantes, ne laissant aux unités sud-vietnamiennes que la protection des arrière-gardes et la pacification. Même dans les zones où l'A.R.V. N. a conservé la responsabilité des combats, elle s'engage de moins en moins, passant d'un contact pour 200 opérations de petite envergure en 1965, à 1 pour 400 en 1967. (La moyenne des forces américaines est de 1 pour 38.) A l'heure actuelle, où le programme de la pacification cafouille, il semble que plus d'Américains devront se consacrer à cette besogne — là également : déjà certains de nos officiers supérieurs, en particulier parmi les Marines, ont estimé nécessaire d'y affecter leurs hommes.

Si nous avons réussi aussi bien que nous l'avons fait, c'est donc grâce à la valeur et à l'efficacité de nos jeunes qui ont égalé les plus grandes armées de notre histoire. C'est grâce aussi à ces villages isolés où la volonté de résister au Viet-Cong a survécu malgré les échecs et les carences du gouvernement de Saïgon. C'est grâce enfin à ces Sud-Vietnamiens, surtout dans les unités d'élite, qui ont continué à se battre malgré l'apathie ou l'inefficacité d'une si grande partie de l'A.R.V.N. Mais ils ne sont pas représentatifs de l'ensemble.

---

1. Elles n'indiquent pas expressément, par exemple, que la plupart des déserteurs ne passent pas au Viet-Cong : ils rentrent tout simplement chez eux.

DE QUEL CÔTÉ SOMMES-NOUS?

L'absence de réformes, la corruption et la faiblesse, une armée reléguée aux besognes de la pacification pendant que nos troupes assument le fardeau du combat — voilà qui permet de mesurer à quel point cette guerre est devenue américaine. Et voilà le nœud de toutes nos difficultés. Dans le cadre d'une lutte mondiale contre l'extension de la puissance communiste et pour sauvegarder le droit des Sud-Vietnamiens à disposer d'eux-mêmes, nous nous sommes engagés à soutenir le gouvernement de Saïgon. Aujourd'hui encore, la raison essentielle de notre appui à ce pays est la défense des intérêts de la population et non pas du tout de ses dirigeants. Mais, au cours de notre action, nous en sommes arrivés à nous allier à un régime et à une classe qui, malgré les nombreuses occasions qui leur ont été données de modifier leur attitude, n'ont eu ni la volonté ni la capacité de satisfaire aux besoins de leur propre peuple. Notre espoir et notre objectif constants ont été d'inciter ce gouvernement à effectuer les réformes nécessaires et de l'aider à le faire. Nos efforts se fondaient non seulement sur la conviction réaliste que, sinon, la lutte était vouée à l'échec, mais aussi sur la nature de notre engagement — contracté envers le peuple vietnamien dans son ensemble plutôt qu'envers un élément étroitement circonscrit de la société. Malheureusement l'obstination des dirigeants s'est exercée au détriment du peuple, à l'avantage des communistes et aux dépens de vies américaines.

Il est néanmoins important de garder le sens des proportions. Certains Américains, indignés de nous voir soutenir un gouvernement égoïste et répressif, ont viré de bord au point d'exalter maintenant nos adversaires et de ne voir dans le brave « Oncle Ho », avec les communistes qu'il mène, rien de plus qu'une force nationaliste relativement bénigne. Pourtant, seule une effrayante indifférence au coût du nationalisme nord-vietnamien en vies humaines pourrait amener à considérer son extension comme un objectif souhaitable. Son régime est beaucoup plus répressif et plus impitoyablement efficace que l'ont été les divers gouvernements de Saïgon. Sa « réforme agraire » de 1954-1955 a été en fait une collectivisation forcée sur le modèle chinois, exécutée avec une telle brutalité, que la révolte paysanne qu'elle souleva coûta 100 000 hommes à l'armée de l'Oncle Ho chargée de la réprimer. Il n'existe aujourd'hui au Nord-Vietnam aucune des libertés telles que nous les concevons. Au Sud, le programme du Viet-Cong a été appliqué au moyen du terrorisme dans son sens le plus cruel et le plus littéral : décapitations, éviscérations, massacres de femmes et d'enfants. Il a été plus efficace, en grande partie parce que plus sélectif que nos bombardements et nos mitrailleuses, j'y reviendrai dans un moment. Mais il n'y a là rien qui puisse justifier une approbation morale et bien moins encore des réjouissances quand le Viet-Cong remporte une victoire.

Donc, l'important quand on analyse les insuffisances du gouvernement de Saïgon n'est pas du tout de savoir s'il « devrait » tomber, ou si ses ennemis « méritent » de gagner. Dans les deux cas les perdants sont les Sud-Vietnamiens dont la majorité n'a de toute évidence aucune envie d'être gouvernée ni par les généraux à Saïgon, ni par le Viet-Cong dans les campagnes. Il s'agit de savoir où se trouve l'intérêt national américain et comment le servir au mieux. Nous ne pouvons pas toujours choisir nos compagnons de route, ni nous associer exclusivement avec des gouvernements dont nous approuvons l'action. Notre allié soviétique, dont les armées et les

populations ont fait montre de tant de courage pendant
la Deuxième Guerre mondiale, n'en avait pas moins
massacré plusieurs millions de ses propres citoyens,
chefs du Parti et officiers supérieurs, lors de la Grande
Purge, trois ans plus tôt exactement, et maintenu pendant
toute la durée des hostilités ses camps de l'Arctique et
de l'Asie où des millions de victimes périrent de 1925
à 1950. L'évidente nécessité de l'alliance contre le Nazisme
doit nous avertir que le dégoût éprouvé à l'égard d'un
gouvernement ne saurait être le seul critère pour nouer
les ententes. Mais le respect de nous-mêmes aussi bien
que l'intérêt national exigent que la nécessité et l'efficacité
de celles-ci soient attentivement pesées.

Ce sont là des considérations générales. Ce qu'elles
signifient en termes plus concrets, la question si irritante
des dommages infligés par la guerre aux populations
civiles l'indique assez. Depuis le début de notre participation directe, nous avons été avertis, souvent par
nos propres experts, que l'emploi sans discrimination
de l'artillerie lourde et des bombardiers contre les villages
provoquerait la mort d'innocents par milliers et créerait
plus de partisans du Viet-Cong qu'il n'en détruirait. Malgré
ces mises en garde, les tirs d'artillerie à l'aveugle demeurent
encore un des traits dominants de la guerre, les opérations aériennes sont trop souvent décidées sur la base
de renseignements insuffisants et dans de vastes zones
dites de « bombardement libre », toute personne, toute
paillotte est censée appartenir au Viet-Cong et peut être
attaquée. Nul ne saurait dire combien de recrues ces
dévastations au hasard ont valu aux insurgés. Ce que
nous savons, c'est que un Vietnamien sur huit est un
réfugié, le plus souvent chassé de chez lui par les bombardements. Nous savons aussi que les pertes civiles
s'élèvent à ces centaines de milliers dont un lourd pour-
centage doit nous être imputé. Nous savons enfin que,

malgré quelque 227 000 morts présumés — 115 000 de
janvier 1966 à août 1967 — les forces du Viet-Cong
se sont élevées de 115 000 au maximum en 1965 à 250 000
au minimum en 1967, selon les estimations de notre propre
commandement en chef sur place. Il est évident que le
mouvement a augmenté son recrutement de façon très
sensible dans le sud du pays.

Nombre d'observateurs hostiles à ce conflit se sont
élevés contre les souffrances subies par les civils et l'insuffisance de notre effort pour les soulager. Nul ne peut
manquer d'être bouleversé par les photographies que
nous voyons chaque jour d'enfants brûlés, noyés ou
bombardés. Les partisans de la guerre ripostent en demandant que les contempteurs condamnent aussi le Viet-Cong.
Certes, rien n'est plus férocement et personnellement
inhumain que son terrorisme puisqu'il attaque, torture
et massacre non seulement les fonctionnaires et les gardes
civils de village, mais les professeurs, les infirmières,
les simples citoyens, les femmes et les enfants de ceux
qu'il veut terroriser. En condamnant l'aveuglement
moral des censeurs qui réservent leur indignation aux
U.S.A. sans vouloir admettre les atrocités du Viet-Cong,
ceux qui approuvent notre effort de guerre ont entièrement raison. Sur ce plan, aucune excuse ne saurait être
trouvée à la brutale terreur que font régner les insurgés.

Mais ce ne sont pas les fautes des autres qui élèveront
le niveau moral de nos actes. De plus, son terrorisme n'a
pas empêché le Viet-Cong d'amener les Sud-Vietnamiens en
très grand nombre à travailler, à se battre et à se sacrifier
pour sa cause, alors que bien au contraire — les preuves
en abondent — les destructions provoquées par nos
armes modernes ont pour résultat de faire sombrer dans
l'apathie d'importantes fractions de la population abandonnées à l'amertume des réfugiés, cependant que d'autres
passaient dans le camp de l'ennemi. Ce ne sont pas les

Américains mais les Vietnamiens qui semblent avoir deux poids et deux mesures selon qu'il s'agit de nos actes ou de ceux du Viet-Cong. Ce n'est d'ailleurs pas surprenant. Quoi qu'ils puissent être par ailleurs, les Viet-Cong sont des Vietnamiens et nous livrons une guerre de l'homme blanc dans un pays asiatique. John Fairbank a dit à ce propos : « Nous couchons dans le même lit que les Français, bien que nous y fassions des rêves différents ». Nous ne voulons ni colonies, ni territoires, ni bases permanentes. Mais il semble que ce soit le lit qui compte. En effet notre présence au Vietnam nous a conduits à nous appuyer sur les mêmes groupes, voire les mêmes personnes que les Français. Le Président Thieu, le Vice-Président Ky et la plupart de leurs collègues dans les postes importants se sont battus avec les Français[1]. Parmi tous les officiers de l'armée vietnamienne, deux seulement ayant actuellement le grade de lieutenant-colonel et au-dessus se sont battus contre eux (bien qu'il y ait des lieutenants et des capitaines qui commandaient des bataillons du Viet-Minh, alors que les généraux actuels étaient caporaux et sergents sous les ordres des Français).

Ce sont là des faits dont bien souvent nous ne tenons pas compte, parce que pour nous les communistes sont d'abord des communistes et après — bien après — des Vietnamiens. Pendant des années nous avons eu le

1. De plus ils sont, en écrasante majorité, catholiques dans un pays où prédominent les bouddhistes; originaires du Nord (sauf Thieu) dans un pays où les patriotismes régionaux sont parfois aussi forts que sur le plan national; militaires dans une société qui n'estime guère leur profession; jeunes dans une civilisation qui vénère le grand âge. Cet état de fait ne saurait leur être imputé, car ils ne peuvent après tout changer ni leur lieu ni leur date de naissance, mais il fait bien ressortir la faiblesse de notre position, puisque nous nous sommes si étroitement identifiés à eux.

spectacle de l'asservissement total au Kremlin des P.C.
occidentaux, y compris celui des U.S.A., poussé jusqu'au
pire détriment de leur propre intérêt. Rares sont ceux
qui oublieront l'horreur dégradante des communistes
défendant Hitler et accablant les démocraties dès la
signature du pacte germano-soviétique en 1939, pour
se ruer vers la formation de Fronts Populaires anti-fascistes
dès l'invasion de la Russie. Les communistes du Vietnam
sont communistes et ils ont par le passé subordonné
leur intérêt national à celui de l'Union soviétique. A
Genève, en 1954, à la veille d'un succès complet remporté
sur les Français, Ho Chi Minh accepta de renoncer dans
l'immédiat à la moitié des fruits de sa victoire pour des
raisons qui, apparemment, n'intéressaient que l'Union
soviétique et la Chine.

Mais les Viet-Cong sont aussi des nationalistes vietnamiens, héritiers des Viet-Minh qui vainquirent la France
et gagnèrent l'indépendance. Ho Chi Minh est le chef
et le symbole de cette lutte. La page la plus glorieuse
de l'histoire vietnamienne moderne, la défaite des Français, a été écrite par eux. Peut-être est-ce pour cela que
selon Neil Sheehan, journaliste extrêmement expérimenté
et compétent qui suit la guerre depuis 1962, « les communistes malgré leur brutalité et leur fourberie demeurent
les seuls Vietnamiens capables de rallier des millions
de leurs compatriotes au sacrifice et à la souffrance au
nom de la nation, le seul groupe qui ne dépende pas des
baïonnettes étrangères pour sa survie ». Il conclut que
« les Vietnamiens mourront plus volontiers pour un
régime qui, bien que communiste, est du moins authentiquement vietnamien et leur offre quelque espoir d'améliorer leurs conditions de vie, que pour celui qui est
une création de Washington, lié au maintien du *statu
quo* ». C'est peut-être pousser les choses trop loin. Mais
ce point de vue devrait nous faire toucher du   doigt

la fragilité de tout programme qui demande au peuple vietnamien de se battre au seul nom de l'anticommunisme. Certes la majorité ne veut pas d'un gouvernement communiste, mais elle ne veut pas non plus des actuels dirigeants de Saïgon; aucune force politique ne représente réellement et efficacement ses intérêts. Il y a, sans aucun doute, des nationalistes vietnamiens fervents énergiquement opposés au communisme et certains sont des vétérans de la lutte pour l'indépendance. Mais ils ne sont pas le gouvernement de Saïgon.

LES ÉLECTIONS.

Au printemps de 1966, les Bouddhistes déclenchèrent dans le nord du Sud Vietnam des manifestations contre le Premier ministre Ky. Après une période de confusion et d'indécision, celui-ci les réprima, mais dut promettre d'organiser des élections libres dans l'année. Pendant 1966 et 1967, les Américains les attendirent avec une impatience croissante, voyant en elles la possibilité d'un tournant décisif dans « l'autre guerre », l'occasion d'orienter l'énergie et le loyalisme des populations vers le gouvernement de Saïgon, de souder une force nationale en mesure de rivaliser avec le Viet-Cong, voire d'ouvrir la voie à la paix entre les populations du Sud. Le colonel des Marines Carson s'est exprimé plus brutalement : « Pour les élections, si elles permettent de dégager une direction... alors nous avons une chance. Sinon, nous sommes faits. La partie est finie. ».

Pourquoi étaient-elles si importantes? Le Sud Vietnam avait eu des élections présidentielles en 1955 et en 1961, législatives en 1956, 1959, 1963 et 1966. Elles ne seraient pas non plus les premières à ramener une administration civile : Diem avait été un Président civil gouvernant dans le cadre d'une constitution. Alors, un test abstrait pour la démocratie et une démonstration de régularité dans la procédure? Non. Il s'agissait uniquement de savoir si, le 3 septembre 1967, le départ serait pris pour de vrais efforts, de vrais progrès dans « l'autre guerre », pour susciter le loyalisme librement consenti et gagner l'appui spontané du peuple sud-vietnamien. Ces élections étaient peut-être la dernière occasion pour le groupe au pouvoir de prouver son désir de faire des sacrifices comparables à ceux de ses jeunes hommes.

Malheureusement, la question reçut une réponse long-temps avant que le premier bulletin ne fût tombé dans l'urne. L'Assemblée Constituante qui rédigea la nouvelle constitution, tout en étant plus représentative de l'opinion vietnamienne que la junte militaire, était encore fort loin d'exprimer les aspirations des paysans. La preuve en est que le Dr Phan Quang Dan, anticommuniste résolu et partisan de l'engagement américain, ayant proposé un article leur garantissant le droit de posséder la terre qu'ils cultivaient, son texte obtint 3 voix sur 117, alors que des dispositions sauvegardant les prérogatives des propriétaires passaient sans difficulté.

L'Assemblée aurait pu, néanmoins, permettre à d'autres éléments d'entrer dans le gouvernement — surtout si elle avait été vigoureusement soutenue par les U.S.A. Mais toutes les tentatives pour affirmer son indépendance à l'égard du directoire militaire furent ignorées ou brisées sous la surveillance constante et souvent l'intimidation de la police militaire. Aux termes de la loi électorale non seulement les communistes mais les « neutralistes » étaient exclus de la participation au vote et les partisans de tout candidat ainsi étiqueté risquaient cinq ans de prison. D'autres furent exclus parce que leurs opinions étaient jugées « inacceptables ». L'un d'eux, le général Duong Van Minh, était peut-être la personnalité la plus populaire dans le Sud; mais bien qu'il eût pris la tête du coup de main contre Diem en 1963, ce qui lui donnait la possibilité de se mesurer efficacement avec le Viet-Cong, on lui interdit de rentrer de son exil en Thaïlande — peut-être, selon de nombreux observateurs, parce qu'il aurait probablement gagné. Un autre candidat Au Truong Thanh fut exclu parce que l'on jugea que sa position en faveur de la paix trahissait ses sympathies communistes. Or, il avait été ministre des Finances jusqu'en 1966 dans ce même gouvernement qui le mettait désormais à l'écart et son action lui avait valu les compliments chaleureux aussi bien des Vietnamiens que des Américains.

Aucun candidat représentant le point de vue et les intérêts des Bouddhistes ne fut admis, ni un second tour pour départager les deux candidats ayant recueilli le plus de voix — au cas où aucune majorité ne se serait dégagée — car le civil l'aurait certainement emporté. Non seulement de nombreux Bouddhistes mais les syndicats non communistes furent exclus de la campagne sénatoriale, bien que ce même haut fonctionnaire, ami intime du maréchal Ky et qui avait touché 1 million de dollars en « commissions » sur des médicaments américains importés, restât à la tête d'une liste fort importante. Les candidats des militaires firent usage de toutes les ressources du gouvernement pour promouvoir sa cause[1]. Tous les électeurs tentés d'en douter furent bien convaincus la veille de l'élection, lorsque deux journaux saïgonnais durent arrêter leur parution, cependant que l'on appréhendait un ancien chef de la police nationale qui soutenait un autre candidat. C'est par ce genre de procédés et bien d'autres, non pas en « chargeant » grossièrement

[1]. La loi électorale stipulait cependant : « Les représentants du gouvernement et les militaires se présentant aux élections doivent déposer une demande et se faire mettre en congé pendant la durée de la campagne ».

les urnes, qu'une élection si riche de promesses, qui
aurait pu enflammer l'imagination et gagner le soutien
de la population se solda par une telle déception[1].

Le 3 septembre, 4,9 millions d'électeurs se présentèrent
dans les bureaux de vote, soit 83 % du corps électoral
qui groupe peut-être (là encore les statistiques sont
incertaines) les 3/4 de la population adulte du Sud Vietnam, le dernier quart se trouvant dans les zones d'insécurité, ou sous l'autorité du Viet-Cong. Le chiffre est
impressionnant, bien que nous ne puissions savoir dans
quelle mesure il a été influencé par le fait que les cartes
étaient estampillées par des policiers au moment du vote
et que tout citoyen porteur d'une carte dépourvue de
ce tampon risque d'être arrêté comme sympathisant
Viet-Cong. En Algérie ainsi que me l'a fait remarquer
l'ancien Premier ministre Pierre Mendès-France, une
proportion encore beaucoup plus élevée de la population
a voté, lors des consultations organisées sous l'égide des
Français au cours des dix-huit mois écoulés avant que
ceux-ci fussent contraints de partir.

Mais le plus significatif de tout, c'est le résultat :
malgré tous les avantages que vaut le fait d'être en place,
malgré le soutien et les votes des forces armées, malgré
l'exclusion de leurs rivaux les plus redoutables, malgré
la présence en face d'eux de candidats qui ne représentaient pas plus les réformes sociales qu'ils s'identifiaient
avec les paysans — les listes des militaires n'ont pas réuni
plus de 34 % des voix des 3/5 de la nation. Résultat
immédiat du refus opposé à un second tour : un gouvernement rejeté sans équivoque par les 2/3 des votants —
sans parler des insurgés. Le général Thieu avait déclaré

---

1. D'autres méthodes, comme le harcèlement des candidats
ou l'octroi de deux bulletins de vote aux soldats, semblent avoir
été abandonnées ou modifiées à la suite de vives critiques aux
U.S.A.

avant le scrutin qu'une large majorité serait nécessaire pour gouverner efficacement. Rien ne permet de mettre cette opinion en doute.

Ainsi donc, les élections de 1967 ont abouti, comme elles devaient inévitablement le faire, à la victoire de la même classe, à ce même système de gouvernement qui a présidé à la désastreuse décadence du Sud Vietnam pendant les treize dernières années. Elles ont donné un mince vernis de respectabilité à un groupe de dirigeants qui survit par la force des armes américaines. Elles n'ont eu aucun effet sur le loyalisme de la population bien qu'elles puissent, si tel est notre désir, nous permettre de nous illusionner. Elles apparaissent comme une péripétie de plus dans la longue histoire des occasions perdues, ces carences d'une action politique essentielle qui, à chaque tour de roue, ont dû être rachetées par l'emploi d'une force militaire accrue.

Si ce résultat est extrêmement malheureux pour le Sud Vietnam il a aussi de sérieuses conséquences pour les U.S.A. Car, plus nous envoyons de troupes et plus nous étendons le champ de nos bombardements, moins l'A.R.V.N. s'engage, accroissant ainsi l'urgence d'intensifier l'action aérienne et l'envoi d'effectifs U.S. pour soutenir ceux qui sont déjà engagés. Dès les premiers mois de 1967 nos pertes étaient supérieures au nombre des recrues enrôlées par le Sud Vietnam; ces dernières sont appelées un an plus tard que chez nous, ce qui n'empêche pas leur chef d'État de réclamer 100 000 soldats américains de plus et il refuse d'ordonner une mobilisation générale de peur, dit-il, de désorganiser le pays. Le Président Kennedy déclarait en 1963 : « C'est leur guerre, ce sont eux qui devront la gagner ou la perdre. Nous pouvons les aider, nous pouvons leur donner du matériel, nous pouvons leur envoyer de nos hommes comme conseillers, mais c'est à eux de la gagner,

peuple du Vietnam contre communistes ». De même, quand le Président Eisenhower envoya des troupes américaines au Liban en 1958, il leur ordonna d'occuper la capitale et le principal aérodrome seulement : « Si l'armée libanaise est incapable de mâter les rebelles alors que nous avons mis la capitale en sûreté et protégé son gouvernement », a-t-il écrit, « c'est que nous misons sur des dirigeants si dépourvus de soutien populaire que nous ne devrions probablement pas être là du tout ».

Nous ne pouvons ni refaire la société sud-vietnamienne, ni demander à la population de donner son allégeance aux U.S.A. Nos troupes ne peuvent pas non plus, malgré l'intérêt sincère qu'elles y prennent, mener « l'autre guerre ». Elles peuvent, et elles l'ont fait avec autant de générosité que d'habileté, ouvrir des dispensaires, construire des écoles, creuser des puits, améliorer leurs rapports avec la population. Mais si le gouvernement sud-vietnamien ne s'engage pas lui-même dans des efforts plus étendus et plus vigoureux, notre action, bien loin de l'affermir, risque de l'affaiblir davantage encore aux yeux de son peuple. Seules des initiatives politiques nationales, dans les campagnes, les villages et à Saïgon même pourront donner cohésion et efficacité à la lutte contre le Viet-Cong. Question plus fondamentale encore : des changements sociaux profonds et durables ne peuvent être effectués que par les Vietnamiens ; sans eux nos efforts, qu'ils soient militaires ou politiques, demeureront vains. Or non seulement ces changements ne sont pas venus, mais ils ne semblent pas probables dans un avenir prévisible.

C'est un conflit dont l'enjeu est le loyalisme de la population. Si, après treize ans d'engagement américain et deux ans d'une participation de grande ampleur aux combats, « l'autre guerre » n'est pas parvenue à gagner l'adhésion populaire, nous devons nous demander si tant de sacrifices — dont les cicatrices marqueront encore dans vingt ans d'ici les enfants du Vietnam et les jeunes Américains — n'ont pas été faits pour le seul avantage de généraux oubliés et d'une élite égoïste.

LA VOIE VERS UN RÉGLEMENT.

Trois voies s'ouvrent à nous : la poursuite d'une victoire militaire, un règlement négocié, ou le retrait.

Aujourd'hui le retrait est impossible. Le fait irrésistible de l'intervention américaine a créé sa propre réalité. Toutes ces années de guerre ont eu sur nos amis aussi bien que nos adversaires des effets que nous ne pouvons mesurer, ni même peut-être connaître. De plus, des Vietnamiens par dizaines de milliers ont joué leur vie et leur situation sur le maintien de notre présence et de notre protection : gardes civils, instituteurs et médecins dans les villages, montagnards des Hauts-Plateaux, beaucoup de ceux qui travaillent actuellement pour le plus grand bien de leur pays et ne sont pas passés au Viet-Cong quoiqu'ils n'approuvent peut-être pas le gouvernement de Saïgon, beaucoup de ceux qui ont déjà fui une fois la dictature du Nord. Tous ces gens, leur ancienne manière de vivre et leur ancienne force submergées par la présence américaine, ne peuvent être brusquement abandonnés à la conquête brutale d'une minorité.

Au-delà se pose la question plus générale des engagements pris par nous et des répercussions d'un retrait sur notre position dans le monde. Sans aucun doute, la théorie dite « des dominos » simplifie à l'excès la politique internationale. En Asie, c'est la Chine qui est le plus gros de tous et pourtant sa chute aux mains des communistes en 1950 n'a provoqué aucune révolution semblable chez ses voisins (bien qu'elle eût participé

à la guerre de Corée, et soutenu la cause de la rébellion
Viet-Minh déjà déclenchée à l'époque). La Birmanie
qui a refusé l'aide militaire et économique des U.S.A.
a réprimé deux insurrections communistes sans que la
Chine intervînt. Malgré tous les efforts de Castro, le
domino cubain n'a pas provoqué d'autres prises de
pouvoir communistes en Amérique latine. Non plus
d'ailleurs que l'écroulement d'un régime communiste
en Indonésie en 1965 n'a semblé affaiblir celui du Nord
Vietnam. Au reste, ce dernier et le Viet-Cong tirent leur
force non pas de la théorie marxiste, mais du dynamisme
qu'ils ont su insuffler à la révolution nationaliste et de
la faiblesse sans pareille des dirigeants de Saïgon. Chez
les voisins de ce pays on ne retrouve pas semblable
conjonction de faiblesse gouvernementale et de force
révolutionnaire; sinon il y a longtemps que l'insurrection
y aurait fait explosion, pendant que nous sommes engagés
à fond au Vietnam.

Pourtant si la théorie des dominos est peu satisfaisante
comme métaphore, elle n'en contient pas moins un grain
de vérité. La politique mondiale est faite de puissance
et d'intérêts, mais elle est aussi état d'esprit et vitesse
acquise. Une grande nation ne cesse pas d'exister parce
qu'elle a subi une défaite en marge de ses intérêts essentiels. L'Union soviétique est toujours une grande puissance malgré le fiasco de son aventure cubaine en 1962.
Mais cette dernière ne s'en est pas moins soldée par une
diminution perceptible de prestige et d'influence sur
les événements dans de nombreuses régions du monde.
Je l'ai constaté en particulier lorsque je me suis rendu
en Amérique latine, il y a deux ans. De même, au Vietnam, j'en suis persuadé, une défaite ou un retrait pré-
cipité serait préjudiciable à notre position dans le monde.
Certes nous ne nous écroulerions pas du jour au lendemain, des flottes communistes ne feraient pas leur appa-

rition dans les ports de Honolulu, ni dans la baie de San Francisco, mais les effets n'en seraient pas moins sérieux, surtout dans le Sud-Est asiatique lui-même. Là, comme l'a dit le prince Sihanouk en 1965, le résultat d'une intervention (à laquelle il était hostile) et d'un retrait serait que « toutes les nations asiatiques les unes après les autres (à commencer par les alliés des États-Unis) en viendraient à subir sinon une domination du moins une très forte influence communiste [1] ». Le Premier ministre de Singapour, Lee Kuan Yew, politicien très indépendant et souvent en opposition avec les U.S.A., a exprimé le même point de vue.

Au-delà de l'Asie, dans d'autres pays qui ont pris leurs mesures de sécurité en fonction des engagements américains, un brusque retrait unilatéral susciterait des doutes sur la confiance que l'on peut nous accorder. Nos investissements au Vietnam, sous forme de vies et de ressources mais aussi de promesses faites publiquement par des présidents et des dirigeants de premier plan, sont immenses. Il se peut, comme certains l'assurent, qu'ils soient sans commune mesure avec la valeur stratégique de cette région, ou les objectifs qu'ils peuvent atteindre. Mais ils sont faits. Tout abandonner, annuler les engagements, passer les morts aux profits et pertes, ne manquerait pas de soulever de graves questions et nombreux seraient ceux qui se demanderaient si d'autres investissements, d'autres promesses, d'autres intérêts ne pourraient pas être abandonnés de la même manière en cas de danger ou d'inconvénients. Bien entendu, ces pays ne cesseront pas de se défendre ni ne

1. Il convient d'ajouter cependant que si le prince Sihanouk a exclu les éléments pro-chinois de son gouvernement et pris d'autres mesures encore pour lutter contre l'influence de Pékin dans son pays, il assure toujours que la sécurité du Cambodge serait renforcée par notre retrait du Vietnam.

se rendront à nos adversaires simplement parce qu'ils ne nous considéreront plus comme des protecteurs sûrs. Mais les relations qu'ils pourraient nouer avec d'autres ne seraient peut-être pas entièrement de notre goût. Nous devons tenir compte des effets probables sur le moral d'autres nations, surtout celles qui maintiennent difficilement l'équilibre entre le progrès dans la stabilité et les bouleversements révolutionnaires. Les forces qui nous sont hostiles dans ces contrées se trouveraient renforcées — comme le parti communiste indien — et les liens avec nous affaiblis, ou les relations tendues [1].

Tels sont les arguments contre le retrait. Mais ils n'appuient en rien la poursuite du conflit actuel dans les conditions actuelles, à son niveau actuel et moins encore la recherche de moyens inexistants pour obtenir une victoire militaire.

Nous sommes en train d'étendre sans relâche la guerre pour, nous dit-on, augmenter le coût à payer par Hanoï. Que ce souci d'infliger des pertes à l'adversaire ne nous fasse pas perdre de vue les nôtres. La dévastation sans

1. Deux autres arguments souvent avancés me paraissent discutables. L'un est que notre retrait faciliterait l'expansion chinoise. Le fil conducteur le plus solide de l'histoire vietnamienne semble pourtant être la crainte et la haine de la Chine et le Nord du pays paraît avoir gardé son indépendance à l'égard de celle-ci, malgré le besoin qu'il a de ses fournitures. Quoi qu'il en soit, la guerre, selon toute probabilité, augmente plutôt qu'elle ne diminue la dépendance du Vietnam à cet égard. Donc toute extension de l'influence chinoise serait sans doute combattue par l'Union soviétique comme elle l'a été au Laos. De plus, malgré les centaines de milliers de morts que la Chine a laissés en Corée du Nord, celle-ci a fortement affirmé son indépendance à l'égard de Pékin.

Le second argument, lié au premier, est que le 17ᵉ parallèle marque approximativement une de ces lignes de trêve établies après la deuxième guerre mondiale et dont le franchissement, dans un sens ou dans l'autre, ne saurait être toléré, tout comme

cesse aggravée du Sud Vietnam ronge toujours davantage les structures de cette société, rendant sa reconstruction de plus en plus lointaine et de plus en plus
difficile. Pourtant tous les espoirs d'une paix durable
dépendent de la force du pays que nous laisserons derrière
nous. La guerre a aussi compromis gravement la recherche
d'une meilleure compréhension et de rapports plus détendus entre les deux grandes puissances nucléaires, U.S.A.
et Union soviétique. Une conséquence concrète, selon
toute probabilité, est l'impossibilité d'arriver à un accord
sur le problème des missiles anti-balistiques, ce qui va
nous engager dans une nouvelle course aux armements,
terriblement dangereuse, où nous dépenserons des milliards de dollars. Cette guerre nous a aliéné nos amis les
plus proches dans l'Alliance atlantique. Aucun n'a jugé
bon de nous aider, ils continuent à faire du commerce
aussi bien avec le Nord Vietnam qu'avec la Chine et
certaines organisations religieuses européennes apportent
leur assistance au Nord aussi bien qu'au Sud Vietnam,
attitude qui aurait été inconcevable en Corée, ou pendant
la Deuxième Guerre mondiale. J'ai constaté en Europe,
chez des hommes et dans des pays qui ne veulent que

nous n'admettrions aucun mouvement au-delà du 38e parallèle
en Corée, ou de la démarcation en Allemagne. Une des objections qu'on peut lui opposer, c'est que le monde des deux blocs
n'existe plus; du moins dans la mesure où il y a encore une
« ligne », des pays comme l'Indonésie, le Ghana, la Yougos-
lavie, l'Égypte et l'Algérie l'ont franchie, ou se sont placés
à cheval sur elle au cours des années récentes. Elle n'est plus
fixe et le sera de moins en moins avec le temps. La seconde
critique que l'on peut adresser à l'analogie avec la Corée, c'est
qu'il n'y avait presque pas d'insurgés dans le sud de ce pays;
nous nous trouvions en présence de deux nations où il n'y
en avait qu'une auparavant. Nos troupes n'ont pas été chargées
d'occuper la Corée du Sud, mais de repousser une invasion.
De plus, Syngman Rhee, malgré toutes ses fautes, était le plus
éminent chef nationaliste de son pays; son équivalent le plus
approché au Vietnam est Ho Chi Minh.

du bien aux U.S.A., une profonde inquiétude et un désaccord total à l'égard de notre politique; ils ont l'impression que nous perdons dangereusement le sens des réalités. Hors d'Europe, au Moyen-Orient, en Amérique latine, en Afrique, la diversion imposée à notre attention, les prélèvements faits sur nos ressources et nos énergies ont sérieusement limité notre pouvoir d'infléchir le cours des événements et de protéger des intérêts nationaux pourtant beaucoup plus importants. Ainsi, pendant que nous dépensons nos 28 milliards de dollars par an dans un pays de faible importance stratégique, l'Inde — une des régions vraiment importante du monde — sombre dans la famine et probablement le chaos, en grande partie faute de capitaux pour son développement. La guerre détourne également des ressources qui auraient pu être utilisées pour aider à éliminer la pauvreté en Amérique, améliorer l'instruction de nos enfants, élever le niveau de notre vie nationale — voire sauver le pays de la violence intérieure et du chaos. Fait tout aussi grave encore que moins aisé à mesurer, elle a divisé les Américains, dressé certains d'entre eux contre leur gouvernement et cela d'une manière dont les effets se feront peut-être sentir pendant des années.

Ainsi, il y a une autre théorie des dominos dans cette guerre, une force d'impulsion d'un autre genre. Les frais qui ne cessent de s'élever empêchent de plus en plus d'agir dans d'autres domaines. Bien que présentée comme la preuve nécessaire que nous voulons et pouvons « honorer nos engagements » la guerre au Vietnam aura très probablement l'effet inverse. Nous serons non seulement moins disposés à en assumer d'autres, mais aussi à remplir avec grand enthousiasme et vigueur ceux que nous avons souscrits. Pendant les jours qui ont précédé le conflit de 1967 entre Arabes et Israéliens, il est apparu à l'évidence que notre engagement au Vietnam avait sérieusement affaibli celui pourtant très ferme que nous avons contracté depuis si longtemps avec Israël. Au Congrès, libéraux et conservateurs se sont accordés pour exprimer la conviction que jamais les États-Unis ne devraient se lancer à nouveau dans une action comme celle que nous menons au Vietnam. Certains entendent que nous prouvions là-bas que « les guerres de libération nationale ne peuvent pas réussir ». Mais plus le conflit se prolonge et plus nous risquons de « prouver » que les États-Unis ne s'opposeront pas à celles de l'avenir. A coup sûr, le spectacle de la plus grande et de la plus puissante nation du monde ainsi tenue en échec par l'une des plus petites et des plus faibles, doit encourager ceux qui croient à la guerre révolutionnaire et à l'efficacité de la tactique communiste.

Une conscience toujours plus aiguë de ces réalités a poussé certains à réclamer la fin rapide de la guerre en renforçant la puissance de nos armes, autrement dit la poursuite d'une victoire militaire totale. Mais c'est une vue de l'esprit. Pour y parvenir, il faudrait que nous brisions aussi bien la volonté que la force de notre adversaire, que les troupes du Nord soient contraintes de se replier derrière la frontière, qu'une grande partie du Vietnam soit dévastée et sa population détruite, que nous continuions à occuper le Sud tant que notre présence serait nécessaire pour que les hostilités, y compris les mouvements insurrectionnels, soient définitivement éteintes. Il y faudrait bien longtemps, si longtemps que c'est là un objectif dont la vue nous échappe. Les observateurs les plus impartiaux sont unanimes à estimer que la victoire — dans n'importe quel sens autre que l'anéantissement du Nord aussi bien que du Sud Vietnam — n'est pas proche. Certains de nos officiers prétendent — et ils ne plaisantent qu'à moitié — que leurs fils arrivés à l'âge d'homme viendront livrer la même guerre au même endroit.

Ces sombres prévisions reposent sur des réalités indéniables. Malgré les efforts courageux et généreux de nos forces, l'ennemi continue à se renforcer, aussi bien en recrutant dans le Sud qu'en s'infiltrant à partir du Nord. Un soutien sans cesse accru de l'Union soviétique et de la Chine lui a fourni tout un arsenal d'armes perfectionnées et destructrices : non seulement des mitraillettes pour remplacer les fusils de fabrication locale autrefois utilisés par le Viet-Cong, mais aussi des fusées à longue portée et des mortiers pour attaquer nos bases aériennes [1]. Dans les campagnes, la sécurité dépend, plus que jamais peut-être, de la présence des troupes américaines. L'armée sud-vietnamienne assume une part de plus en plus réduite des fardeaux, obligeant la nôtre à s'employer toujours plus à fond, simplement pour éviter que la situation d'ensemble se détériore davantage. Pourtant, la Sous-commission sénatoriale de la Préparation a déjà constaté que nos ressources en avions, pilotes et chefs militaires entraînés étaient soumises à de sérieuses sur-tensions partout dans le monde. Il y a là de quoi faire réfléchir. En effet, s'il n'existe virtuellement aucune limite à notre puissance, encore faut-il que son emploi soit proportionné au but que nous voulons atteindre. Or, les faits que nous venons d'examiner nous indiquent que la poursuite de la victoire exigerait une expansion de la guerre bien au-delà des efforts pourtant considérables que nous faisons actuellement. Il faudrait accroître très vite les effectifs engagés — jusqu'à un million d'hommes ou plus, qui peut le savoir au juste? — l'appel des réservistes, en bref quelque chose qui ressemblerait fort à une mobilisation générale.

1. Ces attaques prouvent aussi que malgré nos efforts nous n'avons pas assez de soutien local dans les régions proches de nos bases, comme à Danang, pour empêcher que ce matériel soit utilisé contre nous.

Il faudrait courir le risque d'élargir le conflit avec la Chine, voire avec l'Union soviétique. Ce processus inciterait des écervelés à réclamer l'emploi d'armes nucléaires, ce qui a d'ailleur déjà été fait. Et tout cela — engagement, risques, destructions étendues autant que massives — pour un objectif au mieux incertain, au pire inaccessible. C'est pour ces nombreuses raisons que le général MacArthur nous recommandait en 1962 de ne jamais nous laisser entraîner dans d'autres opérations militaires terrestres en Asie, au-delà de l'envoi de conseillers.

L'impatience et le dépit ont fait naître une certaine tendance à croire qu'un emploi plus large de notre grande puissance et surtout du pouvoir destructeur de notre aviation pourrait mettre fin rapidement à la guerre. Mais, fort heureusement pour la race humaine, les prétentions des aviateurs dans ce domaine n'ont pas été justifiées par le passé. Göring qui avait promis d'anéantir la Grande-Bretagne n'a réussi qu'à durcir la résistance de celle-ci. Les Alliés à leur tour qui avaient entrepris de détruire le potentiel militaire allemand par les bombardements aériens ont dû constater d'après le rapport du *Strategic Bombing Command* que la production augmentait régulièrement pendant les opérations les plus massives. En 1944, alors que Berlin avait perdu les 2/3 de ses maisons d'habitation et que plus d'un million d'Allemands avaient été tués ou blessés, elle était trois fois plus importante qu'en 1941. En outre, le Nord Vietnam est un pays non pas industriel mais agricole et fort peu vulnérable. Pendant plus d'un an les partisans de l'aviation ont soutenu que les objectifs assignés aux bombardements — ponts rudimentaires, gués, pistes, petites « constructions » — ne valaient pas les pertes subies en appareils et en pilotes, peut-être même pas le coût des bombes lancées. Selon le Secrétaire à la Défense, le port de Haïphong est « une commodité plus qu'une nécessité » pour les importations et pourrait être aisément remplacé par des lignes d'approvisionnement terrestres. Détruire la capitale, Hanoï, ne signifierait pas grand-chose pour un ennemi qui a battu les Français sans tenir une seule grande ville, ni dans le Nord ni dans le Sud[1]. Bombarder les villes ou les digues qui empêchent les inondations du Fleuve Rouge équivaudrait à détruire délibérément le peuple nord-vietnamien, action sans aucune mesure avec la menace qu'il représente pour nous et qui provoquerait à juste titre la réprobation du monde entier.

Si les bombardements ne peuvent détruire le *potentiel* militaire du Nord Vietnam, peuvent-ils briser sa *volonté* de combattre? Peuvent-ils imposer de tels sacrifices aux dirigeants et à la population qu'ils soient obligés d'accepter nos conditions? Ils n'ont pas produit cet effet sur la Grande-Bretagne, ni sur l'Allemagne. Ils n'ont pas contraint Haïlé Sélassié à capituler devant Mussolini, ni Tchang Kaï-check à négocier avec les Japonais. En revanche, ils semblent avoir joué un rôle dans la reddition de l'Italie lors de la Deuxième Guerre mondiale et les raids incendiaires sur Tokyo ainsi que l'emploi de la bombe atomique ont certainement été un facteur décisif dans la capitulation japonaise. Bien entendu, aucun de ces cas n'est semblable à celui du Vietnam : les dirigeants, les pays, les situations stratégiques diffèrent dans des proportions que l'on ne saurait chiffrer. Il est impossible de poser en principe général

---

1. Je me suis rendu à Hanoï quand la ville était encore tenue par les Français; il était évident que sa possession n'avait aucune valeur alors que le Vietminh étendait peu à peu son emprise sur la campagne; Ho Chi Minh a dominé le Nord Vietnam et soutenu une guerre sans Hanoï ni Haïphong. Il est probable qu'il pourrait encore le faire.

que des bombardements mettront, ou ne mettront pas, une nation à genoux. La destruction totale mise à part, on a dit avec beaucoup de raison : « La guerre se passe dans la tête. Si vous croyez que vous n'avez pas été battu, vous n'êtes pas battu ». A une date aussi récente que le mois d'août 1967, le Secrétaire à la Défense déclarait devant le Sénat : « Je n'ai rien vu dans les nombreux rapports des services de renseignements qui m'incite à penser qu'une campagne de bombardements moins sélective [c'est-à-dire intensifiée] aurait quelque influence sur la résolution des chefs nord-vietnamiens, ou les priverait du soutien de leur peuple... Rien non plus dans les réactions de ces chefs par le passé ne donne la moindre assurance qu'ils pourraient être poussés à la table des négociations à coups de bombes ». Nous ne pouvons même pas prévoir avec certitude l'attitude qu'adopteraient les dirigeants occidentaux et notre propre gouvernement en présence d'événements futurs, eux-mêmes incertains. Il serait plus imprudent encore de risquer des intérêts nationaux considérables dans des prédictions sur l'état d'esprit d'hommes fort éloignés de notre expérience et de notre connaissance.

Ce que nous savons, et peut-être ne pouvons-nous en savoir davantage, c'est que l'escalade des bombardements sur le Nord Vietnam comme solution de cette guerre a été jusqu'à présent, en tous points, une terrible et dangereuse illusion. L'escalade n'est pas notre prérogative exclusive, mais une action à double sens. Le Nord Vietnam ne peut monter une riposte exactement parallèle en pilonnant les sources de notre puissance à Guam ou Pearl Harbor, pour ne pas parler de Detroit ou de Washington, mais avec l'aide de l'Union soviétique et d'autres pays communistes, il peut augmenter la mise là où il est relativement fort : sur le sol du Sud Vietnam. Quand nous avons commencé à bombarder le Nord, en février

1965, la présence d'un seul bataillon régulier de Nord-vietnamiens était confirmée sur le champ de bataille dans le Sud et nos pertes se chiffraient par centaines. Quand nous avons engagé des unités d'infanterie dans les combats (plus de 300 000 à la fin de 1966) ils en ont fait autant (jusqu'à 40 000 hommes et plus), le Viet-Cong a intensifié son recrutement — et, à la fin de 1966, 6 000 Américains étaient morts. En 1967, nous avons poursuivi l'escalade aussi bien sur terre (200 000 hommes de plus) que dans les airs (destruction de l'industrie naissante du Nord Vietnam, bombardements sur le périmètre urbain de Hanoï, Haïphong et autres centres) ainsi que par d'autres moyens encore (tirs d'artillerie au-dessus de la zone démilitarisée, bombardements navals du littoral nord-vietnamien). Riposte : l'introduction au Vietnam par familles entières d'armes nouvelles très perfectionnées qui ont fait de grands ravages parmi nos troupes. Nous avons perdu plus de tués au combat pendant les six premiers mois de 1967 que pendant les six années précédentes.

Et ce n'est peut-être qu'un avant-goût de l'avenir. Très évidemment l'Union soviétique estime qu'elle doit continuer son aide au Nord tant que durent les combats. Ni elle ni la Chine ne peuvent accepter la défaite ou la destruction de celui-ci, tout comme notre gouvernement estime qu'il ne saurait abandonner le Sud. De plus, Moscou peut poursuivre cette assistance à peu de frais tout en contribuant efficacement à saper la puissance des U.S.A. La comparaison est édifiante : pour l'U.R.S.S., un milliard de dollars peut-être l'an prochain et point de morts, alors que nos dépenses s'élèveront probablement à plus de 30 milliards et nos pertes à des milliers d'hommes. Étendons nos bombardements — et, comme le Secrétaire McNamara l'a déclaré au Congrès, les Soviets pourront donner au Nord Vietnam des armes capables d'attaquer nos porte-avions et nos bases aériennes, tels que vedettes lance-engins ou missiles sol-sol. Engageons plus de troupes dans le Sud — et le Nord pourra leur opposer une autre fraction de son armée régulière, dont 1/5 seulement a été lancé dans la bataille jusqu'à présent. Envahissons le Nord — et nous nous assurons la possibilité d'affronter 250 000 ennemis de plus. C'est un peu comme si un patient affligé de migraine demandait une autre tête pour souffrir deux fois plus.

Nous pourrions aussi — certains généraux disent que c'est ce que nous sommes en train de faire — engager une guerre d'usure sur le continent asiatique où notre adversaire a une réserve stratégique de 700 millions de Chinois. En 1964, un ancien chef du *Strategic Air Command* nous avait dit qu'un ultimatum assorti du bombardement de certains dépôts militaires essentiels mettrait le Vietnam à genoux « en quelques jours » — encore une de ces promesses de victoire facile et immédiate qui n'ont pas cessé depuis que les Français les ont inaugurées en 1946. Sans doute ne peut-on s'attendre à ce que l'on n'en fasse plus, ce serait trop demander. Mais il serait incroyable qu'on pût encore y ajouter foi[1].

La troisième voie est celle d'un règlement négocié et nous savons depuis plus de deux ans qu'il n'y a pas d'autre solution satisfaisante. C'est celle que notre gouvernement a officiellement adoptée comme politique. C'est celle que je préconise et je crois que c'est la plus favorable aux intérêts de ce pays. Seules des négociations peuvent nous permettre de cesser le combat sans précipiter le retrait, d'éviter la destruction progressive du Sud Vietnam ainsi que la ponction effectuée sur nos

---

1. Le conseil : « Ramenons-les à l'âge de la pierre à coups de bombes », prouve peut-être que l'auteur y est déjà, mais si nous suivions son avis nous pourrions bien l'y rejoindre tous.

énergies et nos ressources sans grand dommage pour
notre position en Asie et dans le monde. De plus un
arrangement honorable de ce genre a la préférence des
Américains dans leur immense majorité et pourrait
faire à nouveau l'union des esprits.

Pendant toute l'année 1966, les chances d'une telle
négociation ont été présentes et elles ont atteint leur
maximum pendant l'hiver de 1967. A cette époque,
fourvoyés par un faux espoir de victoire, les États-Unis
ont rejeté ce qui était peut-être la dernière bonne occasion
de s'asseoir autour d'une table de conférence à des conditions que nous aurions certainement acceptées auparavant.
Les mois qui ont suivi ont fait subir autant de pertes à
nos forces et au Nord Vietnam que toutes les années
de la guerre jusqu'à 1967. Ces ravages et le durcissement
des attitudes rendront peut-être une paix négociée impossible pendant un certain temps.

Toutes les autres éventualités sont tellement inacceptables que je continue à croire qu'il faut faire l'effort
nécessaire. En dernière analyse, aucune autre solution
n'est possible. Malgré les tueries et les destructions
nous ne sommes pas en meilleure position qu'il y a un an
— et nous n'y serons pas davantage dans un an d'ici.
Je suis convaincu aujourd'hui comme je l'ai toujours
été que nous devrions entamer des négociations pour
tenter d'arriver à une paix honorable. Nous n'y réussirons
peut-être pas, mais le seul moyen de le savoir, c'est
d'essayer. Seulement, il doit être bien entendu que les
événements survenus entre-temps de tous côtés ont
rendu les perspectives beaucoup moins prometteuses.
Il se pourrait fort bien que des ouvertures en vue de
pourparlers fussent repoussées. Au cours des pages
suivantes, j'esquisse le cadre dans lequel les pourparlers
pourraient se dérouler, les événements de l'hiver 1967,
un programme de négociation que je jugeais alors pos-

sible — à quoi j'ajoute un bref coup d'œil sur l'avenir au moment où j'écris, en septembre 1967.

Cependant, il convient de préciser d'abord ce que sont de tels pourparlers. Un règlement négocié ne doit être une victoire ni pour l'un ni pour l'autre camp. Les deux parties doivent aborder la discussion avec au moins une condition essentielle, une exigence irréductible, un point sur lequel elles ne céderont pas. Pour les États-Unis ce sera le refus d'abandonner le Sud Vietnam à la prise du pouvoir par une minorité faisant usage de la force. Pour nos adversaires, ce sera le refus de tout arrangement laissant demeurer dans le Sud un gouvernement hostile, voué à la liquidation définitive des éléments communistes, se refusant à coopérer avec le Nord et dépendant pour son existence du maintien de la présence militaire américaine. Ces conditions minima ne peuvent être réduites qu'à la pointe de l'épée, en chassant les forces ennemies du champ de bataille. Céder sur ces points essentiels serait en fait capituler. Si nous avons l'intention de refuser ce minimum à l'ennemi, alors il nous faut le battre à plates coutures. Si tel est le parti que nous prenons, encore devons-nous en avoir une idée bien nette — ainsi que du prix qu'il nous coûtera, un prix sans commune mesure avec les avantages que nous pourrons en retirer. Dire, ce qui est vrai, que nous ferons tout ce qui sera nécessaire pour sauvegarder nos intérêts vitaux, ne nous indique pas ce qu'ils sont. Dans le monde comme dans nos vies il ne suffit pas de souhaiter une chose pour qu'elle se réalise; toutes les réussites, tous les gains, doivent se payer. Ce n'est pas une politique sage, ce n'est même pas une politique du tout, au vrai sens du terme, de lancer un pays dans la poursuite de tous les buts qui paraissent souhaitables ou même importants. La sagesse consiste à établir des priorités, à distinguer entre ce qui est seulement important et ce qui est essentiel. Il serait à la fois cruel et exorbitant que ceux d'entre nous qui restent confortablement chez eux, dans leur fauteuil, décident des orientations à prendre sans être pleinement au fait du coût supporté par les autres, tous ces hommes, ces femmes et ces enfants dont la vie dépend des abstractions de notre discussion.

NÉGOCIATIONS : LES PRÉALABLES.

Il faut d'abord nous retrouver autour d'une table de conférence. Depuis plus de deux ans nous proclamons et publions notre désir immuable d'ouvrir des négociations avec nos ennemis communistes. « N'importe où, à n'importe quel moment » a dit le Président. Depuis qu'il en a été fait mention pour la première fois en 1965, le Nord Vietnam et le Front National de Libération (F.N.L.) ont indiqué leurs conditions qui, désignées sous le nom de Quatre Points, ont été jugées inacceptables par les U.S.A. Selon notre interprétation, elles exigeaient le retrait des forces américaines du Sud Vietnam et la reconnaissance du F.N.L. comme « seul représentant valable » du peuple vietnamien avant même le début des discussions.

Mais en janvier 1967, le Premier ministre Pham Van Dong disait à Harrison Salisbury, du *New-York Times*, que ces Quatre Points devaient être considérés plutôt comme un programme de négociations que comme des conditions préalables. C'était l'indication que Hanoï avait changé sa position : les exigences minimales n'étaient plus que le point de départ des discussions. Puis, après enquête confidentielle, le Secrétaire général de l'O.N.U., U Thant, déclarait que la cessation des bombardements suffirait pour que les pourparlers pussent commencer. Durant ce même mois de janvier, les porte-parole des

U.S.A. laissaient clairement entendre que nous attendions « un signe ». Comme les précédentes déclarations du gouvernement avaient surtout insisté sur le manque de réaction du Nord à la pause intervenue dans les bombardements en 1966, on estima très généralement que nous demandions par là une preuve que s'ils étaient suspendus, les négociations proprement dites pourraient s'ouvrir. Puis, le 28 janvier, dans un entretien accordé au journaliste communiste australien, Wilfrid Burchett (souvent chargé de faire connaître officieusement le point de vue de Hanoï) le Ministre des Affaires Étrangères du Nord Vietnam, Nguyen Duy Trinh, déclarait : « Si les États-Unis veulent réellement discuter, ils doivent d'abord cesser inconditionnellement les bombardements aériens et tous les autres actes de guerre contre le Nord Vietnam » (il entendait entre autres par là les tirs d'artillerie contre le littoral). Puis il poursuivait : « Si les bombardements cessent complètement, des conditions favorables seront créées pour ces conversations ». Il concluait en ces termes : « Le Président Johnson a dit qu'il n'attendait qu'un signe. Ce signe, le voilà. » La fin de l'entretien révélait avec une indiscutable netteté que Hanoï abandonnait ses Quatre Points comme condition préalable à toute négociation. C'était un changement d'attitude de première importance, un repli considérable par rapport à la position précédente.

Puis, lors d'une visite à Londres qui coïncidait avec la trêve de quatre jours pour la fête du Têt, le Premier ministre soviétique, Alexei Kossyguine, fit intervenir son pays dans la recherche publique de la paix et cela pour la première fois depuis le début du conflit. En deux occasions différentes, il déclara que le premier pas vers la paix « devait être la cessation inconditionnelle des bombardements et autres actes d'agression contre la République Démocratique du Vietnam. Ainsi que son

Ministre des Affaires Étrangères l'a indiqué récemment cette mesure est nécessaire pour que des conversations puissent avoir lieu entre la R.D.V. et les U.S.A. Le gouvernement soviétique accueille cette déclaration avec satisfaction et la considère comme une proposition importante et constructive pour mettre fin à la guerre ». Lors d'une conférence de presse, il alla plus loin encore, faisant allusion à « la seule circonstance qui doive être prise en considération, je veux dire la déclaration faite par le Ministre des Affaires Étrangères de la R.D.V. pendant un entretien avec un journaliste australien. Il a fait à cette occasion une proposition qui se résume pour l'essentiel à ceci : les États-Unis d'Amérique doivent cesser inconditionnellement les bombardements de la R.D.V., après quoi il sera possible d'ouvrir des négociations en vue d'explorer les voies d'une solution politique au problème vietnamien ».

« Nous joignons sans réserve notre voix à la déclaration du Ministre des Affaires Étrangères de la R.D.V. » poursuivait-il, « et croyons que les États-Unis devraient la mettre à profit. C'est une proposition très constructive qui permet de sortir de l'impasse où les États-Unis se sont actuellement engagés. Je crois que l'opinion publique des États-Unis devrait diriger ses efforts dans ce sens et obliger les dirigeants des États-Unis à répondre à la proposition faite par le Ministre des Affaires Étrangères de la R.D.V. Nous soutenons sans réserve cette proposition. »

Un journaliste ayant demandé : « Si toutes les actions militaires contre le Nord Vietnam étaient arrêtées, croyez-vous que le gouvernement de la R.D.V. serait prêt à entamer des négociations de paix avec les États-Unis ? Voyez-vous d'autres conditions préliminaires à de telles conversations ? » Kossyguine répliqua : « J'ai déjà répondu à cette question. Je suggère que l'auteur de cette note lise la déclaration du Ministre des Affaires Étrangères à laquelle je viens de faire allusion; elle précise à quelles conditions la R.D.V. accepterait de se réunir autour d'une table de conférence et je le répète une fois encore, nous approuvons pleinement ce point de vue ». La déclaration du Ministre de la R.D.V. ne mentionnait que la cessation des bombardements.

Ces propos étaient tenus par un homme jouissant d'une immense autorité dans le monde communiste, dont le pays soutenait et soutient encore l'effort du Nord Vietnam, lui fournissant les mortiers, les canons, l'artillerie anti-aérienne et les munitions avec lesquels il combat nos forces. La déclaration en question n'exigeait ni le retrait de nos troupes, ni le ralentissement des opérations terrestres, ni même l'arrêt des bombardements sur le Sud Vietnam ou les voies d'infiltration du Laos. Elle ne nous demandait ni engagement irrévocable de ne plus jamais utiliser nos appareils dans l'avenir quoi que fasse notre adversaire pour élargir son effort, ou modifier la nature de la guerre, ni l'acceptation de telle ou telle condition, comme les Quatre Points, avant que s'ouvrent les pourparlers. Nous étions simplement informés que « pour permettre les conversations » il nous fallait arrêter les bombardements. Ce que nous avions déjà fait auparavant.

En 1966 nous les avions suspendus pendant trente-sept jours sans rien demander en retour, ni geste, ni signe, ni déclaration, dans l'espoir que notre modération pourrait amener des négociations[1]. En 1966, c'étaient nos adversaires qui posaient publiquement leurs condi-

---

1. On a laissé entendre par la suite que la suspension de 1966 était dictée par l'espoir non seulement de négociations mais de mesures militaires prises par nos adversaires. A l'époque, pourtant, l'interprétation avait été très différente.
Le 13 mars 1966, le Vice-Président Humphrey disait que

tions à l'ouverture de conversations, acceptation des Quatre Points ou retrait des troupes américaines. En 1967, au contraire, le Premier ministre Kossyguine, le Président Podgorny et surtout le gouvernement du Nord Vietnam lui-même déclaraient que les négociations pourraient s'ouvrir moyennant des conditions que nous aurions très certainement acceptées en 1966. Pourquoi n'avons-nous pas renouvelé la tentative, alors que le moment était beaucoup plus favorable?

La réponse, c'est que notre position avait changé. Dans sa lettre de février à Ho Chi Minh (remise à la presse par le Nord Vietnam en mars et confirmée ultérieurement par notre gouvernement) le Président Johnson écrivait : « Je suis prêt à ordonner la cessation des bombardements contre votre pays et l'arrêt de tout nouvel accroissement des forces U.S. au Sud Vietnam dès que j'aurai l'assurance que les infiltrations dans le Sud Vietnam par terre et par mer ont cessé ».

En 1966, nous avions arrêté les bombardements sans demander une telle contrepartie. Sans l'apport d'aucun soutien d'aucune sorte, les 50 000 hommes de l'armée régulière nord-vietnamienne engagés dans le Sud eussent été fort gênés et placés dans une situation militaire des plus désavantageuses en face des 400 000 Américains déjà sur les lieux, d'autant que la grande supériorité de notre puissance de feu pouvait être maintenue indéfiniment par les transports maritimes et aériens. Ainsi notre offre de 1967 équivalait en fait à exiger que les Nord Vietnamiens retirent leurs forces et abandonnent le Viet-Cong dans le Sud. C'était d'ailleurs l'interpréta-

nous avions décidé cette suspension parce que nous pensions que « pendant ces trente-sept jours Hanoï pourrait... indiquer son désir de négocier, ce qui aurait évidemment amené à prolonger la pause ». En février, le Secrétaire d'État Dean Rusk avait parlé dans le même sens.

tion admise sans équivoque dans les milieux gouvernementaux les plus élevés à l'époque où la lettre fut envoyée.
Pendant l'hiver de 1967, d'importantes personnalités
estimaient que nous étions au bord d'une victoire militaire, que notre position était considérablement plus
forte et celle de nos adversaires considérablement plus
faible que l'année précédente. Selon elles, nous pouvions
donc nous permettre de durcir notre attitude. Ce que
nous avons fait.

Pour évaluer de façon objective les chances d'un règlement négocié, il faut analyser lucidement les objectifs
minima des deux camps et non pas seulement les nôtres.
Dire que les communistes demandent qu'une condition
soit remplie — par exemple l'arrêt des bombardements
— pour permettre l'ouverture de pourparlers ne signifie
pas que l'on épouse leur cause, ni qu'on se fait leur partisan; c'est simplement l'énoncé d'un fait. Dire, par
conséquent, que le Nord Vietnam ne « peut » pas entamer
des conversations pendant que les bombes tombent sur
Hanoï n'est pas approuver son refus de s'asseoir à la
table de conférence, mais prévoir que la guerre continuera
tant que les bombes tomberont. Et dire que les bombardements ne cesseront pas avant que nous soyons « assurés
que les infiltrations dans le Sud Vietnam par terre et
par mer ont cessé », c'est seulement s'assurer que les
bombardements et les infiltrations ne cesseront pas,
qu'il n'y aura pas de négociations et que la guerre continuera. C'est d'ailleurs exactement le résultat qu'a eu
l'attitude prise par nous pendant l'hiver de 1967. A
l'époque, notre position officielle était que, en échange
d'une suspension des bombardements, « pratiquement
n'importe quelle mesure » aurait suffi. S'il ne s'agissait
que d'un geste aussi minime, pourquoi avons-nous
permis qu'il décide d'une affaire aussi considérable?
En réalité, ainsi que nous l'avons révélé par la suite,

nos exigences étaient beaucoup plus sérieuses que l'indiquait la formule officielle. Les nouvelles demandes présentées dans la lettre du 2 février n'avaient qu'un rapport très lointain avec la situation militaire réelle. Donc notre offre ne pouvait aboutir.

La lettre du Président Johnson sur les bombardements fut remise au représentant du Nord Vietnam à Moscou le 8 février, au milieu des discussions du Premier ministre Kossyguine sur ce même sujet avec le Premier ministre Wilson à Londres. Elle ne parvint à Hanoï que le 10 et dès le 13, avant d'avoir reçu aucune réponse, nous reprenions les bombardements[1]. Quand la lettre de Ho Chi Minh parvint le 15 février, deux jours plus tard, elle était rude, amère, mais malgré la reprise des bombardements elle réaffirmait la possibilité de négociations s'ils cessaient[2]. Bien entendu, ces pourparlers n'étaient

---

1. La raison donnée officiellement à cette reprise fut que le Nord Vietnam avait profité de la trêve du Têt pour réapprovisionner ses troupes dans le Sud. Sans parler du fait que, selon le Département de la Défense, ces opérations s'étaient limitées à la partie sud du Nord Vietnam, le réapprovisionnement ne constituait en aucun cas une violation de la trêve. Nous avons poursuivi et intensifié le nôtre pendant cette même période, comme nous en avions parfaitement le droit. Nous avons non seulement continué à décharger bateaux et avions, mais entrepris des expéditions considérables par route à l'intérieur du Sud Vietnam. Sans la trêve, ces convois auraient été soumis aux harcèlements et aux embuscades du Viet-Cong.

2. De nombreux débats d'une extrême complexité portaient à l'époque aux U.S.A. sur le point de savoir si la cessation des bombardements devait être « inconditionnelle » ou « permanente ».

Aux termes de ces discussions, une cessation « inconditionnelle » était celle qui n'exigeait pas explicitement une concession directe en retour, alors que par cessation « permanente » on entendait la promesse que le bombardement ne serait jamais repris, quelles que soient les circonstances. De toute évidence, la seconde ne pouvait être acceptée par aucun État souverain; nous n'aurions pu nous engager à ne bombarder le Nord quoi qu'il fît par la suite pour modifier le cours de la guerre. En revanche la première, qui revenait à dire : « Nous ne procédons pas actuellement au bombardement du Nord Vietnam », n'entraînait pas de telles difficultés.

A l'époque, les adversaires de cette mesure, disaient qu'un simple arrêt n'aurait aucun effet, car ce que les Nord Vietnamiens voulaient, en réalité, c'était la cessation « permanente » (certains la qualifiaient de « définitive»). C'était apparemment la position du Président Johnson, telle que la définissait sa lettre à Ho Chi Minh. La réponse de celui-ci semble avoir réglé cette question. Elle présente deux listes de conditions distinctes. La première, qualifiée de « base pour une solution politique correcte du problème vietnamien », c'est-à-dire le règlement résultant de négociations, inclut la demande que le « gouvernement des États-Unis arrête définitivement et inconditionnellement ses raids de bombardement et autres actes de guerre » contre le Nord Vietnam : en d'autres termes, si la guerre est réglée, les U.S.A. doivent s'engager formellement à ne pas bombarder le Nord, ce qui va évidemment de soi. Dans un paragraphe séparé, distinct, traitant de « conversations directes entre R.D.V. et U.S.A. », c'est-à-dire les négociations elles-mêmes, la lettre stipule : « Si le gouvernement des États-Unis souhaite vraiment ces conversations, il doit d'abord arrêter inconditionnellement ses raids de bombardements et autres actes de guerre » contre le Nord Vietnam; en d'autres termes pour parvenir à négocier, simplement cesser les bombardements sans aucune promesse de ne pas les reprendre par la suite. Le premier paragraphe fait mention des Quatre Points, le second n'en parle pas. Dans le premier, le terme « définitivement » est utilisé pour qualifier l'arrêt; dans le second, il ne paraît pas. Ainsi, la lettre reconnaît clairement la distinction entre ce que le Nord Vietnam peut attendre en manière d'avance pour l'ouverture des pourparlers et ce qu'il devra venir discuter à une table de conférence, en faisant des concessions acceptables pour nous.

Le fond de la question est que dans un dialogue entre nations des mots comme « inconditionnel » et « permanent » ne sont des obstacles que si une partie ou l'autre est décidée à les rendre tels. L'action, par exemple l'arrêt des bombardements, balaie toutes les toiles d'araignée métaphysiques, en créant une nouvelle réalité et un nouveau contexte pour les anciennes positions. Il y a eu assez de déclarations faites par Kossyguine à Londres et par les représentants du Nord Vietnam où le mot « permanent » n'était pas employé. Tout ce que nous avions à faire, c'était accepter officiellement leur offre de négociations sur les bases qu'ils avaient officiellement définies.

qu'un premier pas vers une paix acceptable et je reviendrai sur ce point, mais ce premier pas était essentiel.

Pendant tout le printemps et l'été, le message fut
répété, par des amis et par des adversaires : « Cessez
seulement les bombardements et il y aura des négociations ». Au mois de mai, le Premier ministre Pham Van
Dong disait encore que « l'offre gardait toute sa valeur »
et le Ministre des Affaires Étrangères, que Hanoï s'était
déclaré prêt « à mettre au point une solution politique,
comprenant des négociations »; la seule demande for-
mulée était que « les U.S.A. témoignent de leur bonne
foi par des actes ».

Néanmoins, pendant ce même temps, les bombardements continuaient parce que, prétendait-on, les U.S.A.
ne pouvaient être absolument certains que Hanoï et
Moscou négocieraient si les opérations aériennes étaient
arrêtées; on assurait en outre que certaines déclarations
de Hanoï se contredisaient. A mon sens, l'examen des
déclarations officielles faites dans ces deux villes pendant
la période en question indique clairement que la position
du Nord Vietnam s'était considérablement modifiée
depuis 1966 et que celui-ci était désormais tout à fait
décidé à entamer des pourparlers une fois les bombardements arrêtés. En tout cas les interprétations diver-
gentes des déclarations communistes ne posaient pas
de problème sérieux. Elles ne signifiaient rien si le désir
de compromis existait et tout s'il n'existait pas.

Lors de la crise la plus grave et la plus aiguë de la
Guerre Froide, nous avons progressé vers la paix en
acceptant la position de nos adversaires, qui, selon notre
interprétation, contenait les plus grandes promesses de
prompt règlement. Il s'agit évidemment de l'affaire des
missiles à Cuba en 1962. A l'instant le plus critique, le
Président Kennedy avait reçu deux messages contra-
dictoires du Premier ministre Khrouchtchev. Le premier,

parvenu le vendredi 26 octobre, proposait, sous certaines conditions, de retirer les missiles entreposées dans l'île; mais le lendemain, un deuxième exigeait en retour des concessions inacceptables. Le Président Kennedy ne tint aucun compte de ce dernier et annonça simplement qu'il acceptait la première offre, telle qu'il jugeait bon de l'interpréter. La crise fut ainsi résolue, sans conflit ouvert. Un semblable procédé aurait pu donner des résultats fructueux pendant l'hiver de 1967, alors que les ambiguïtés étaient beaucoup moins prononcées dans les déclarations de nos adversaires. A coup sûr, l'essai valait d'être tenté.

Pendant la pause de février, je n'avais fait aucun commentaire sur ces développements. Un voyage en Europe, ainsi que des renseignements reçus à mon retour, indiquaient que des négociations étaient possibles et je craignais qu'une prise de position publique gênât ou même empêchât tout progrès. Mais lorsqu'il devint évident que ces activités n'aboutiraient pas, je décidai de parler; car en effet, cet échec fut suivi par une nouvelle escalade plus étendue encore. La certitude de dépenses et de périls accrus, l'apparente détermination de rechercher avant tout des solutions militaires, de faire assumer le fardeau de la guerre aux forces américaines, et de glisser sur l'importance des réformes intérieures, m'amenèrent à réclamer l'arrêt des bombardements dans un discours devant le Sénat. J'adjurai « de mettre à l'épreuve la sincérité du Premier ministre Kossyguine et d'autres — qui affirment que les négociations commenceraient si le bombardement cessait sur le Nord — en cessant le bombardement et en nous déclarant prêts à ouvrir les pourparlers dans la semaine [1], tout en précisant bien que

1. Dans cette figure de style, destinée à prouver notre désir de négocier, certains ont voulu voir une limite à la suspension que je proposais. Ailleurs dans mon intervention, j'ai indiqué

les discussions ne pourront se poursuivre pendant une
longue période sans l'engagement qu'aucune des parties
n'accroîtra de façon substantielle l'ampleur de la guerre
au Sud Vietnam par infiltration en renforcement. Une
mission internationale devrait être chargée d'inspecter
les frontières et les ports du pays pour signaler toute
nouvelle escalade. Ainsi, sous l'égide des Nations Unies,
tandis qu'une présence internationale remplacerait progressivement les forces américaines, nous nous dirigerions
vers un règlement final permettant à tous les principaux
éléments politiques du Sud Vietnam de participer au
choix de leurs dirigeants et de déterminer leur orienta-
tion future en tant que peuple ».

Je suis toujours convaincu que ce plan aurait pu
conduire à des négociations et peut-être à un règlement
— au prix d'un risque relativement minime pour nous.
La suspension des bombardements aurait pu présenter
de plus grandes difficultés si la poursuite de ces opérations
sur le Nord avait été un moyen indispensable, voire
simplement prometteur, d'atteindre nos objectifs dans
le Sud. En effet, notre dessein n'était ni de détruire le
Nord, ni de renverser son gouvernement. Mais nous
aurions pu les arrêter comme mesure en faveur de la
paix sans compromettre les objectifs que nous nous
étions assignés, en 1965, lorsque nous avons commencé
ces opérations. Ils étaient au nombre de trois, selon les
termes d'un discours prononcé à John Hopkins par le
Président Johnson. Le premier était « d'accroître l'assurance du courageux peuple sud-vietnamien »; le second
de « convaincre les dirigeants du Nord Vietnam... [que]
nous ne serons pas battus. Nous ne nous lasserons pas.
Nous ne nous retirerons pas ». Mais ces buts avaient

assez clairement qu'il ne pouvait y en avoir, et que pour atténuer
la méfiance des années de guerre l'arrêt devrait peut-être avoir
une certaine durée, déterminée par les événements.

déjà été atteints par les énormes ressources et les vies américaines engagées au Sud Vietnam depuis le début des bombardements. Dans l'hiver de 1967, l'ennemi avait vu ses espoirs de victoire anéantis, non pas par les opérations aériennes mais par l'efficacité et la bravoure de nos forces terrestres.

Le troisième objectif, toujours selon le Président, était de « freiner l'agression », de réduire l'afflux d'hommes et de matériel provenant du Nord à destination des troupes communistes dans le Sud. En 1965 le général Matthew Ridgway, qui avait commandé en chef lors de notre dernière guerre sur le sol de l'Asie, avait prédit que des attaques aériennes ne pourraient arrêter l'infiltration de personnel et d'approvisionnements par les jungles, les pistes et les collines du Sud-Est asiatique, faisant remarquer qu'elles avaient été inefficaces même en Corée où le terrain est beaucoup plus découvert. Au début de 1967, le Secrétaire à la Défense avait déclaré au Congrès : « Je ne crois pas que le bombardement [du Nord Vietnam] ait jusqu'à présent réduit de façon notable l'afflux des hommes et du matériel dans le Sud, ni qu'aucun de ceux que je pourrais envisager pour l'avenir ait un résultat plus significatif » — et cela malgré certains autres avantages qu'il reconnaissait. Il était approuvé sur ce point par de nombreux observateurs militaires fort respectés, entre autres le général James W. Gavin, un de nos commandants en chef les plus brillants et les plus expérimentés. Depuis, d'autres officiers supérieurs ont exprimé la conviction que les bombardements constituaient un handicap majeur à la pénétration du Nord Vietnam, invoquant pour preuve les pertes importantes subies par ses effectifs du fait des maladies ou des attaques aériennes sur la longue piste traversant le Laos et le Cambodge. En août 1967, malgré l'escalade considérable de la guerre dans les airs, intervenue depuis février, le

Secrétaire à la Défense, tout en continuant à se déclarer partisan des bombardements, indiquait au Congrès que « 10 à 20 % du personnel envoyé dans le Sud par les dirigeants du Nord Vietnam ne parvient pas à la zone des combats — 2 % des pertes environ étant imputables aux attaques de l'aviation ». De toute manière l'arrêt des bombardements sur le Nord Vietnam n'aurait en rien influencé le pilonnage des pistes d'infiltration au Laos.

Il n'est pas discutable que les bombardements rendent la pénétration beaucoup plus difficile. Mais, en ce qui concerne la guerre dans le Sud, tout le Nord Vietnam n'est plus depuis longtemps qu'une immense voie de ravitaillement : les denrées alimentaires, les munitions, les armes sont produites non pas sur place mais en Chine et en Union soviétique. Ce sont ces pistes-là qui, comme en Corée, n'ont été coupées à aucun moment pendant les hostilités. Toujours selon le Secrétaire à la Défense, le Viet-Cong et les forces nord-vietnamiennes dans le Sud ont besoin de « beaucoup moins de cent tonnes par jour » de matériel militaire (autre que de la nourriture) en provenance du Nord, c'est-à-dire « une quantité qui peut être transportée par quelques camions». Pour acheminer ce faible volume, ils disposent d'un « système très diversifié », faisant intervenir « péniches et cours d'eau, camions et porteurs, voire des bicyclettes qui peuvent porter des charges de 450 livres ». Quatre cents de ces dernières suffiraient ainsi à transporter les cent tonnes d'approvisionnement nécessaires. L'expérience nous enseigne d'ailleurs que les Nord-Vietnamiens et leurs alliés ont toujours pris les mesures nécessaires pour égaler notre effort dans le Sud.

Quand j'ai présenté mes suggestions, le 2 mars, j'ai résumé ainsi mes arguments en faveur de l'arrêt des raids aériens :

« Il devrait être clair désormais que le bombardement du Nord ne peut amener la fin de la guerre dans le Sud; bien au contraire, il risque de la prolonger... Nos troupes sont tuées par les balles et les mines de forces qui se trouvent dans le Sud. Si en cessant de bombarder le Nord nous rapprochons l'heure de la paix dans le Sud, alors nous aurons sauvé la vie de milliers de nos jeunes hommes et de milliers de Vietnamiens...

Ce n'est pas une preuve de faiblesse que cette grande nation fasse un geste généreux pour mettre fin à la guerre. Ce n'est pas une preuve de bravoure de refuser une initiative qui pourrait sauver des milliers de vies sans grand risque pour nous. Se trouvera-t-il quelqu'un pour croire que cette nation, avec sa puissance et ses ressources fantastiques, serait mise en danger par un acte sage et magnanime envers un adversaire difficile, mais si petit? Ce n'est pas l'escalade, mais un effort pour parvenir aux négociations qui ouvre aujourd'hui les perspectives de paix les plus prometteuses. »

APRÈS LES BOMBARDEMENTS.

Arrêter les bombardements, à quelque moment que ce soit, ne serait pas un programme mais un moyen faisant partie d'un plan cohérent pour des négociations et un règlement. Dès qu'ils auraient cessé, il faudrait que des équipes internationales, sous l'égide des Nations Unies, ou peut-être une commission de contrôle international renforcée, ou même quelque autre organisme constitué spécialement pour la circonstance fournissent au monde des renseignements impartiaux et objectifs sur toute concentration importante de troupes ou d'approvisionnements. Ils patrouilleraient aux frontières, dans les ports et sur les routes du Vietnam avec un équipement qui leur serait fourni, tels qu'avions de reconnaissance ou autres appareils de détection. La coopération des Nord-Vietnamiens serait utile, mais non pas essentielle; de toute manière l'offre d'accepter l'inspection internationale aiderait à établir notre sincérité.

Ensuite, il nous faudrait essayer de convenir avec nos adversaires qu'aucune des parties n'augmenterait notablement le rythme des infiltrations et des renforts durant les négociations. Il serait peu réaliste de compter que le Nord cesserait le soutien qu'il apporte actuellement à ses propres troupes et au Viet-Cong, de même que nous ne saurions arrêter tous les approvisionnements destinés à nos forces dans le Sud; mais il ne serait pas plus réaliste de compter que la paix puisse être discutée efficacement ou avec quelque confiance pendant que les morts s'accumulent et que les opérations prennent une ampleur croissante. Les hostilités ne cesseraient pas obligatoirement pendant les négociations, mais les deux parties devraient s'abstenir de toute escalade terrestre et de tout effort pour tenter de modifier l'équilibre des forces. Avec ou sans accord explicite des Nord-Vietnamiens, l'équipe d'inspection internationale signalerait toute action entreprise par l'un ou l'autre camp pour augmenter ses forces pendant les conversations. Elle contrôlerait aussi tout accord conclu au cours de ces dernières sur la suspension de l'activité militaire, y compris, dans la meilleure hypothèse, un cessez-le-feu. Ainsi, le témoignage impartial et objectif de la communauté internationale serait le garant de notre sincérité et relèverait toute tentative faite par le Nord Vietnam pour augmenter substantiellement son aide au F.N.L. sous le couvert des pourparlers. Si l'échec de ceux-ci, joint à l'action de nos adversaires, nous obligeait à réexaminer notre position, l'opinion internationale comprendrait au moins beaucoup plus clairement nos motifs et nos nécessités[1].

NÉGOCIATIONS : LE RÈGLEMENT.

Une fois à la table de conférence, notre problème serait en un certain sens plus difficile. Les négociations ne sont pas le bout de la route, mais seulement un pont jeté vers l'avenir du Sud Vietnam, cet avenir qui doit comporter le droit à l'autodétermination. Celle-ci a toujours été au cœur du problème d'un règlement pacifique. Les négociations doivent permettre la mise au point d'un programme pour démanteler la guerre : établir des procédures pour un cessez-le-feu, pour le dépôt des armes et pour le retrait progressif des forces étrangères — tout cela assorti des mesures politiques nécessaires pour assurer la sécurité de toutes les parties pendant le déroulement de ces opérations.

La résolution de l'imbroglio politique au Sud Vietnam est à la fois plus difficile et plus délicate. Pourtant elle est essentielle non seulement pour conclure un règlement,

1. Il existe un précédent important à une telle mesure. Pendant la crise de Cuba, les U.S.A. avaient demandé au Secrétaire général U Thant si l'O.N.U. accepterait d'inspecter et de vérifier le retrait des missiles soviétiques. Il avait estimé que ce serait là en effet un rôle approprié pour l'organisation. Dans le même temps, nos chefs militaires avaient décidé qu'il serait à la fois techniquement faisable et compatible avec notre sécurité de remettre nombre de nos équipements spécialisés, y compris des avions volant à haute altitude, à une équipe d'inspection de l'O.N.U. Cette tentative a été bloquée par la résistance de Castro, mais dans le cas du Vietnam, étant donné surtout les progrès récents faits dans les techniques, il devrait être possible de surveiller la plupart des principales voies d'infiltration et de ravitaillement, même sans la coopération du Nord Vietnam. L'activité des services de renseignements américains pourrait d'ailleurs compléter, ou remplacer, cette surveillance.

mais même pour parvenir à des négociations sérieuses. Arrêter les bombardements amènera peut-être Hanoï à la table de conférence, mais le F.N.L. souhaite davantage, il souhaite un rôle dans le Sud. Sa venue aux pourparlers et la position qu'il y prendra éventuellement dépendront certainement dans une large mesure des termes de l'accord politique tenus pour possibles.

Quels devraient être ces termes? Nous n'avons pas vaincu le Viet-Cong, il ne nous a pas vaincu et ne peut le faire. La victoire militaire n'est en vue pour personne. Donc, tout règlement doit être un compromis qui, si imparfait qu'il soit, protège le droit des Vietnamiens à disposer d'eux-mêmes. Tous les habitants du Sud, communistes et non-communistes, bouddhistes et chrétiens devraient pouvoir choisir leurs dirigeants et solliciter l'investiture par des processus politiques pacifiques, à l'abri de toute coercition et de toute violence. Chacun devrait avoir la possibilité de rechercher une part de pouvoir et de responsabilité, de préférence au moyen d'élections libres, la population de déterminer son avenir ainsi que la nature du régime et de résoudre la question de la réunification du pays.

Le premier pas serait que le gouvernement sud-vietnamien, ainsi que d'autres éléments politiques qui n'y sont pas représentés, amorcent leurs propres discussions avec le F.N.L. Depuis des années, les populations du Sud se sont opposées les unes aux autres dans des combats féroces. Pour régler leur avenir, elles doivent au moins entrer en conversation, essayer d'éliminer les frictions inutiles et rechercher les terrains d'accord possibles. A n'en pas douter un cessez-le-feu permettrait à ce processus de s'engager au niveau du village, dans le dessein d'aboutir à des élections libres auxquelles toutes les parties y compris le F.N.L. pourraient participer.

J'ai toujours estimé que les U.S.A., étant le principal

combattant, devaient être prêts à engager un dialogue direct avec tous — Nord et Sud, militaires et civils, communistes et non-communistes —, les contacts les plus directs étant pris non seulement avec le gouvernement nord-vietnamien à Hanoï, mais avec le F.N.L. dans le Sud. La position exacte de ce dernier fait l'objet de discussions parmi les experts. Est-ce un simple fantoche, ou a-t-il une certaine indépendance? Douglas Pike estime qu'il est entièrement entre les mains du Nord, alors que pour Bernard Fall, les combattants originaires du Sud, quelle que soit leur dépendance matérielle à l'égard de Hanoï, ont leurs propres objectifs et leurs propres plans pour l'avenir. Nombre de ceux qui ont eu des entretiens avec les membres du F.N.L. sont de ce dernier avis, certains allant même jusqu'à affirmer que le Viet-Cong ne désire pas la réunification du pays dans un avenir prévisible. Quels que soient les véritables rapports, qui peuvent d'ailleurs être vus différemment par le Nord Vietnam et le F.N.L., ce dernier a été et est encore notre adversaire sur les champs de bataille dans la plus grande partie du Sud; il constitue un facteur indispensable dans n'importe quel règlement et c'est là un fait que nous devrons reconnaître par des négociations directes. S'il est indépendant, il faut parler avec lui; s'il ne l'est pas, qu'il soit assis à la table de conférence avec le Nord Vietnam ne changera rien. La seule objection est que cette participation équivaudrait à une reconnaissance officielle. Or, il a déjà acquis sur le champ de bataille un statut qui dépasse tout ce que nous pourrions lui accorder à la table de conférence.

Il est indispensable que les Vietnamiens non-communistes jouent un rôle majeur dans les discussions conduisant à un règlement négocié et fassent sentir effectivement leur influence dans la compétition avec le F.N.L. pour la direction des affaires. L'efficacité de leur participation aux négociations dépendra pour une large part de la mesure dans laquelle ils ont la confiance de leur peuple et représentent ses aspirations. C'est pourquoi l'échec des élections de 1967 constitue à n'en pas douter un handicap pour des pourparlers de paix fructueux. Si un tel processus politique avait pu se dérouler librement au Sud Vietnam pendant le printemps et l'été de 1967, il aurait certainement élargi le gouvernement résultant en y faisant entrer d'autres éléments de la société et prouvé ainsi à Hanoï de même qu'au F.N.L. qu'ils se trouvaient en face d'un adversaire redoutable, qui représentait le choix et les objectifs de la majorité non-communiste dans le Sud. Cependant, il faut dans toute la mesure du possible, ressaisir cette occasion, plus particulièrement en élargissant la base du gouvernement actuel de Saïgon et en refrénant l'emploi arbitraire de la police et de la censure. L'héritage le plus marquant de la période Diem a peut-être été la suppression de la nouvelle direction nationale qui aurait pu naître — mais ne l'a pas fait — pendant ses dix ans de pouvoir. Si rien d'autre que l'actuel groupe de dirigeants n'est autorisé à entrer en compétition avec les communistes, le Viet-Cong dominera la paix.

Enfin, un règlement durable sera extrêmement difficile si toutes les parties ne sont pas assurées que des élections libres, ouvertes à tous, seront organisées et que les élus pourront occuper leur poste. La confiance dépendra de la forme prise par le gouvernement entre la fin des hostilités et cette consultation — période qui sera peut-être longue et pendant laquelle les droits de tous les éléments politiques devront être protégés par le règlement négocié, quel qu'il soit. Mais ce ne serait pas assez; la méfiance et la peur sont trop profondément enracinées. Les communistes redouteraient un coup de main des militaires tout comme nous pourrions en redouter un de la part des communistes. Il faudra donc établir, pendant la période intermédiaire entre la fin des hostilités et les élections, un organisme gouvernemental en qui les deux parties aient confiance. On peut y parvenir de plusieurs manières. Peut-être serait-il souhaitable de formuler une série de garanties internationales, acceptées par les grandes puissances aussi bien que des combattants, en créant au besoin une force internationale pour superviser le processus politique et empêcher toute tentative de coup de main; une commission de contrôle internationale élargie et renforcée sous les auspices de l'O.N.U. y serait propre, ou une entente entre les pays intéressés. Dans la mesure où les Sud-Vietnamiens participeront à cet organisme, il sera nécessaire, comme je l'ai déjà indiqué, que tous les groupes importants de la nation aient leur part de pouvoir et de responsabilité. Les détails d'une formule précise devront attendre les négociations proprement dites. L'important est de fournir des garanties exécutoires et infrangibles contre des élections truquées et toute tentative faite par l'un ou l'autre camp pour prendre le pouvoir sans ou malgré la consultation populaire.

Actuellement, le territoire du Sud Vietnam est divisé. Chaque camp domine certaines régions tout en ayant des partisans dans celles où l'autre est maître et quelques-unes sont disputées par les deux. A long terme, une paix véritable ne s'instaurera que si tous les éléments peuvent se déplacer librement et les décisions du gouvernement avoir force de loi partout; d'ailleurs la présence effective de celui-ci dans toutes les régions serait nécessaire pour n'importe quelle élection libre.

Il est donc essentiel que ceux qui assureront l'intérim avant la consultation populaire — et qui comprendront probablement des représentants internationaux avec ceux du Sud Vietnam — aient la pleine confiance de toutes

les parties, aussi bien que l'autorité et le pouvoir nécessaires pour garantir un choix sans contrainte à l'électorat.
Au moment où des élections libres seront possibles, la
part de chaque élément sera déterminée par la population
elle-même. Jusqu'à cette date, elle devra résulter d'une
entente.

De toute manière, il est clair que si nous n'acceptons
pas le principe d'une participation Viet-Cong à tout
organisme gouvernemental intérimaire, qu'elle s'effectue
sous contrôle international ou dans le cadre d'une organisation internationale, nous ne pourrons guère espérer
le succès d'aucune négociation. Quand j'ai fait cette
proposition, en janvier 1966, elle a d'abord été attaquée
par certains représentants du gouvernement, mais par
la suite, l'Attaché de Presse du Président a déclaré que
notre pays n'excluait pas une telle participation; il ne
garantissait pas le principe d'une présence F.N.L. dans
un gouvernement intérimaire, mais estimait que la question devait être laissée aux négociateurs. C'était, à mon
avis, un pas en avant, encore que les difficultés de la
situation ne fussent pas assez nettement reconnues —
surtout à la lumière des propos tenus par le Vice-Président Ky, déclarant qu'il n'accepterait aucun rôle du
F.N.L. dans le gouvernement, même à la suite d'élections
libres et équitables.

Je ne présentais pas ce programme comme une formule
rigide et immuable, mais comme un ensemble de suggestions à soumettre aux critiques pour qu'il fût élaboré
et révisé, puis remodelé et remanié par les événements,
les réactions d'autres pays, les passions de ceux dont la
vie et le foyer sont en jeu. Mais j'estimais qu'il était
orienté dans la bonne direction.

Il faut dire qu'il comporte des risques. Un adversaire
laissé en vie se battra peut-être un jour prochain. Un
gouvernement qui n'est pas continuellement protégé

par la puissance militaire américaine peut être à nouveau attaqué ou renversé. Mais ce sont là des « dangers » que nous courons tous les jours dans une centaine de contrées aux quatre coins du monde. Il y a des douzaines de pays qui pourraient être pris pour cible par la subversion étrangère. Néanmoins, nous préférons de beaucoup vivre avec un tel risque que de les occuper. Nous ne pouvons pas occuper la planète entière parce que nous ne voulons pas devenir un État-garnison et aussi parce que nous croyons que les hommes d'une nation ne se soumettent pas volontiers à ceux d'une autre.

Je me suis étendu assez longuement sur l'action qu'à mon sens notre gouvernement aurait dû entreprendre pendant l'hiver de 1967 parce que les événements de cette époque sont riches de leçons. Ils nous enseignent surtout que différer les négociations dans l'espoir d'une victoire militaire qui éviterait la nécessité d'un compromis est une erreur tragique pour un camp comme pour l'autre. Plus le temps passe plus les dévastations matérielles et les pertes en vie humaine s'accumulent des deux côtés, cependant que l'espoir d'un règlement de paix est repoussé dans un avenir incertain. Les mesures que j'ai indiquées, les principes sur lesquels les négociations et l'accord devraient se fonder sont encore valables aujourd'hui, à mon avis. Mais ce qui est maintenant beaucoup moins certain, c'est que l'arrêt des bombardements à lui seul nous réunisse autour d'une table de conférence. A coup sûr une « pause » de quelques jours voire de quelques semaines, a fort peu de chance d'y suffire. De toute manière, l'hiver de 1967 offrait une occasion beaucoup plus favorable pour un règlement négocié que la situation telle qu'elle apparaît six mois plus tard.

Je continue à croire que l'effort pour aboutir à des pourparlers, y compris un arrêt des bombardements sur le Nord Vietnam, devrait être fait. Si le temps et les événements prouvent que nos adversaires ne désirent pas sincèrement une solution négociée, si les discussions servent tout juste de prétexte à étendre le conflit dans le Sud, alors nous pourrons revoir toute notre stratégie militaire à la lumière d'un changement intervenu dans la nature de la guerre. Soyons généreux dans notre quête de la paix, mais sans oublier le précédent de Pan Mun Jon. Disons-nous bien aussi que le succès ou l'échec dans ce domaine dépendra plus que jamais de notre attitude et de notre position d'ensemble à l'époque — tant celles qui seront adoptées publiquement que celles qui s'exprimeront dans des messages et des conversations secrètes.

En outre, n'oublions jamais que notre espoir de négociation dépend aussi de la position de nos adversaires. Une nouvelle année de combats et de destructions accumulées a presque certainement durci encore davantage l'opinion au Nord Vietnam, comme elle a incité certains aux U.S.A. à réclamer — avec succès — l'intensification de l'action militaire. Quand les bombardements ont commencé, on a justifié la restriction initiale à des objectifs tels que les centres industriels nord-vietnamiens, ou le port de Haïphong et la ville de Hanoï, en déclarant, ce qui était exact, que des destructions trop étendues diminueraient notre marge de manœuvre lors de tractations : sans « otages » représentés par la menace de dommages plus graves dans l'avenir, les Nord-Vietnamiens ne seraient pas très tentés d'en venir à composition. Aujourd'hui, presque tout ce qui valait une bombe ou un roquette a été touché. Nul ne peut savoir si l'offre de ne pas attaquer ce qu'il reste sera jugée intéressante par le Nord Vietnam. Une grande partie de la population de Hanoï et de Haïphong a déjà été évacuée.

De plus, d'après certains indices, nos adversaires

semblent avoir l'impression que la guerre dans le Sud
tourne à leur avantage. Ils reçoivent une aide accrue de
la part de l'Union soviétique, au point que leurs ressources augmentent plutôt qu'elles ne diminuent. La
Chine communiste, apparemment paralysée par le chaos
intérieur il y a un an, a néanmoins maintenu des dizaines
de milliers d'hommes en soutien au Nord Vietnam.
Des indications très nettes permettent de penser qu'ils
ont déjà été rejoints par des techniciens et des « volontaires » d'autres pays communistes ; U Thant nous prévient
qu'il en viendra d'autres. Les aérodromes chinois sont
maintenant utilisés par les chasseurs nord-vietnamiens
et des nord-coréens les pilotent. Enfin, nos adversaires
peuvent estimer qu'une offre de négociation si proche de
nos propres élections serait surtout destinée à produire
un effet politique à l'intérieur des U.S.A. — ou que, si
elle est sérieuse, plus novembre 1968 approchera et plus
les conditions en seront avantageuses. Au moment où
j'écris, le discours prononcé en septembre 1967 devant
l'Assemblée générale des Nations Unies par le Ministre
soviétique des Affaires Étrangères, Andréi Gromyko,
semble révéler une attitude nouvelle et inflexible de la
part de l'U.R.S.S. : au lieu de promettre des négociations
en échange d'un arrêt des bombardements, celle-ci
exige un retrait total des forces américaines comme seule
voie possible pour arriver à la paix et garantit une assistance encore accrue au Nord Vietnam.

Nous nous trouvons en face d'un adversaire opiniâtre,
enflammé de haine pour l'étranger, soutenu, encore qu'à
contrecœur, par les ressources considérables de l'Union
soviétique, cependant que les masses chinoises se dressent
à l'arrière-plan. Nos ressources pourtant immenses et
la bravoure de nos soldats pourtant grande ne peuvent
qu'éviter la défaite militaire. Elles n'empêchent pas notre
engagement et ses dangers de s'accroître chaque jour.

Le monde s'éloigne toujours davantage de nous et des
événements de grande importance se déroulent sans
nous.

A l'intérieur, nous sommes assaillis de menaces que
nous comprenons à peine, alors que des chefs politiques
parlent de nos rues avec un vocabulaire appris de
cette guerre lointaine.

Nous ne sommes pourtant ni acculés, ni désespérés.
Nous ne sommes pas non plus paralysés. Nous ne sommes
pas obligés de nous laisser entraîner à l'aveuglette par
les décisions des autres, ou la marche d'un impénétrable
destin et nous ne saurions le permettre. Rien dans notre
situation n'est plus dangereux que de croire — comme
on l'entend dire si souvent — que l'avenir est entre les
mains de nos adversaires. Pareil fatalisme est la pire des
capitulations.

La vérité est que nous pouvons agir de maintes façons,
non pas tant par des programmes en quatre ou cinq
points que d'abord par un changement d'attitude. Reconnaissons que le conflit dans le Sud n'est rien autre que
cela — un conflit dans le Sud. Une telle réévaluation
nous conduirait tout droit à la question du gouvernement
de Saïgon et à la nécessité de l'élargir pour y inclure des
éléments qui ne sont pas représentés aujourd'hui comme
les organisations bouddhiques, les syndicats, les intellectuels, les chefs politiques civils.

Dans cet état d'esprit, nous travaillerions à mettre
fin au harcèlement de la police militaire et secrète, à
restaurer au niveau du village et du hameau la démocratie
qui y a été détruite. Le premier pas dans ce sens serait
la suppression d'un système qui, en permettant à Saïgon
de nommer les chefs de district et de province, se trouve
au centre du filet de corruption et d'incapacité étendu
sur le pays.

Ces fonctionnaires devraient être élus par la population locale — et responsables devant elle plutôt que dépendre des officiers supérieurs du secteur[1].

Reconnaître le véritable caractère de la guerre amènerait aussi à envisager un programme *sérieux* de réforme sociale. J'ai esquissé un projet possible en ce qui concerne la terre. A n'en pas douter, il y en a d'autres, ainsi que pour améliorer la vie des villages, diminuer la corruption, faciliter la situation de millions de réfugiés et faire de l'existence dans les villes autre chose qu'une lutte quotidienne contre l'inflation et la dégradation. Il ne s'agit pas seulement de dépenser quelques milliards de dollars en plus. C'est essentiellement une affaire de justice et de décence au sein de la société vietnamienne.

La progression vers ces objectifs ne rencontrera-t-elle pas l'opposition des militaires et de la classe sociale dirigeante? Certainement, elle l'a déjà fait par le passé. Mais si ces réformes ne sont pas mises en train, aucune chance de succès pour nos efforts, aucun sens à notre présence. Le plus grand danger qu'il y a à faire nôtre cette guerre, c'est que notre enjeu devienne plus important que celui du gouvernement de Saïgon. Quand il refuse toute réforme, on nous dit que nous ne pouvons réduire notre aide, car ce serait compromettre notre effort de guerre. Mais c'est *sa* guerre et il doit comprendre que le refus d'aménagements nécessaires aura des conséquences directes et graves. Continuer à soutenir un régime qui, après cette longue histoire et nos patients efforts, s'oppose toujours aux réformes, n'est ni réaliste, ni lucide. C'est de l'illusionnisme idéologique et l'abandon d'intérêts américains en faveur d'un gouvernement qui, sans notre appui, ne durerait pas un mois. Pendant la

1. La constitution prévoit un régime de transition qui doit aboutir à l'élection des chefs de district et de province. Mais l'actuel gouvernement n'a pas toujours tenu compte de ses propres lois. Il faut que celle-là soit appliquée.

période Diem, de 1961 à 1963, nous aurions dû faire beaucoup plus pour inciter le gouvernement à effectuer des réformes. Cette expérience et celle de toute la dernière décennie auraient dû nous ouvrir les yeux.

D'ailleurs, ces réformes seront nécessaires, que des négociations aient lieu ou non. En réalité, seuls des progrès réels dans le Sud, qui commenceraient au moins à gagner l'assentiment de la population — et non de plus grandes destructions dans le Nord — offrent une chance sérieuse de convaincre nos adversaires qu'un règlement rapide est prudent. Cela serait particulièrement vrai si tous les éléments pouvaient être amenés à participer aux élections locales ; à l'heure actuelle, bien sûr, les « neutralistes » eux-mêmes en sont exclus. De tels programmes sociaux et politiques, s'ils étaient lancés maintenant et poursuivis pendant les négociations, pourraient influencer favorablement la qualité de tout règlement ultérieur.

Reconnaître le caractère de la guerre aurait aussi des effets sur notre effort militaire, en donnant priorité non plus aux attaques contre le Nord et à la participation américaine dans le combat mais à l'action sud-vietnamienne sur laquelle nous compterions davantage. Il en résulterait une diminution des missions américaines de balayage, de recherche et de destruction, une augmentation de la protection des régions à population très dense près de la côte et dans le delta du Mékong. Si l'on considère que les balayages de chasse ont une valeur militaire, alors qu'ils soient exécutés par l'armée sud-vietnamienne qui devrait de plus assumer une grande partie de l'effort militaire dans la zone démilitarisée, nos Marines étant progressivement relevés. Le Sud Vietnam devrait effectuer la mobilisation générale à laquelle il n'a pas encore consenti et commencer à enrôler les dizaines de milliers de jeunes qui sont arrivés à éviter le service militaire jusqu'à présent. Nous pourrions ainsi poursuivre nos objectifs déclarés tout en sauvegardant des vies américaines, limiter nos destructions futures de populations sud-vietnamienne et assurer une sécurité réelle dans les régions importantes actuellement sous notre contrôle. C'est sur les pertes que nous subissons en argent et en vies que l'ennemi compte pour provoquer cette lassitude dans laquelle il met ses espoirs. Diminuer le coût de la guerre pour nous, tout en prouvant sans équivoque notre intention de nous maintenir sur place, est un moyen très sûr de convaincre l'adversaire que nous pouvons et voulons rester jusqu'à ce qu'une solution satisfaisante soit assurée. Faisons la démonstration bien nette qu'il s'agit d'un conflit sud-vietnamien, que nous sommes là pour aider les populations et non pas pour nous approprier leur pays ou leur guerre.

Enfin, la souffrance et l'intérêt, la nature limitée de nos objectifs et les conséquences gigantesques d'une guerre qui s'intensifie sans cesse, s'unissent pour nous contraindre à rechercher quelles nouvelles initiatives pourraient résoudre ce conflit — honorablement, équitablement, conformément à nos buts et dans la paix. Peut-être nos adversaires se révèleront-ils déraisonnables, obstinés — et la paix ne peut être faite sans eux. De plus, les négociations en elles-mêmes et par elles-mêmes ne sont pas la réponse, mais seulement le moyen de la trouver. Si nous ne savons pas au juste ce que nous souhaitons accomplir, ce qui est négociable et ce qui ne l'est pas, toutes les discussions résultant d'un arrêt des bombardements risquent de connaître une fin préjudiciable et dangereuse. Mais nous ne pouvons nous laisser détourner par l'anxiété ou la colère, la crainte injustifiée de l'humiliation, ou l'espoir trompeur de la victoire. Nous recherchons, avec calme et confiance, les moyens de promouvoir nos propres intérêts, la cause de la paix

et de la sécurité dans le monde et l'avantage du Sud
Vietnam. Ce qu'il nous faut avant tout, c'est la volonté
d'arriver à un règlement pacifique et, une fois que nous
en serons aux négociations, la sagesse et la persévérance
nécessaires pour trouver une solution satisfaisante.

Nous ne devons pas moins à nous-mêmes, à notre
peuple, à ceux dont nous protégeons et ravageons à la
fois le pays. Là, les enjeux sont considérables : la case
qui abrite un enfant dans un village de la jungle, la faim
d'un homme chassé de sa ferme, la vie d'un jeune Américain qui se prépare en ce moment même à la bataille. Il
y a l'intérêt national et il y a l'angoisse humaine. Pour
protéger l'un et empêcher l'autre aucun effort n'est trop
grand.

Post-scriptum

Si vous survolez l'Europe, en allant vers l'Afrique ou l'Asie, vous traversez en quelques heures des océans et des régions qui ont été le creuset de l'histoire humaine. En quelques minutes vous suivez la trace de migrations humaines qui ont duré des millénaires, en quelques secondes vous franchissez des champs de bataille sur lesquels des millions d'hommes ont lutté et sont morts autrefois. Vous ne voyez ni frontières, ni gouffres immenses, ni hautes murailles séparant un peuple d'un autre, rien que la nature et les œuvres de l'homme — maisons, usines, fermes — reflétant partout les efforts qu'il fait pour enrichir sa vie. Partout, techniques nouvelles et nouveaux moyens de communications rapprochent les individus et les nations, l'affaire de l'un devenant de plus en plus l'affaire de tous. Et cette nouvelle proximité arrache les masques trompeurs, l'illusion de la différence qui est à la racine de l'injustice, de la haine et de la guerre. Seul l'homme terre à terre s'accroche encore à la croyance ténébreuse et empoisonnée que son monde est borné par la colline la plus proche, que son univers s'achève à la rive du cours d'eau, son humanité enclose dans le cercle étroit de ceux qui partagent sa ville, ses vues et sa couleur de peau.

Chaque nation a des difficultés différentes et des objectifs différents, modelés par les caprices de l'histoire et
de l'expérience. Pourtant, lorsque je m'entretiens avec
des jeunes gens à travers le monde, je suis frappé non
pas par la diversité, mais par la similitude de leurs buts,
de leurs désirs, de leurs préoccupations et de leurs espoirs
pour l'avenir. On trouve la discrimination à New York,
l'apartheid en Afrique du Sud, le servage dans les montagnes du Pérou. Des êtres humains meurent de faim
dans les rues de l'Inde, des milliers sont massacrés en Indonésie, des intellectuels emprisonnés en Russie, des richesses
immenses consacrées aux armements partout. Ce sont là
des maux différents, mais tous sont l'œuvre de l'homme.
Ils reflètent les imperfections de sa justice, les insuffisances
de sa compassion et son manque de sensibilité envers les
souffrances des autres; ils marquent la limite qui borne
notre faculté d'utiliser la connaissance pour le bien-être
d'autrui. Par conséquent, ils font intervenir des qualités
communes de conscience et d'indignation, la détermination
partagée de supprimer les souffrances inutiles de nos
semblables, dans notre pays et ailleurs dans le monde.

Notre réponse est l'espoir du monde : la jeunesse.
Non pas un temps de la vie mais un état d'esprit, une
trempe de la volonté, une qualité de l'imagination, une
prédominance du courage sur la timidité, de l'appétit
d'aventure sur l'amour des aises. Les cruautés et les
obstacles de cette planète en perpétuelle transformation
ne céderont pas à des dogmes dépassés ou des slogans
usés. Elle ne sera pas soulevée par ceux qui s'accrochent
à un présent déjà en train de mourir, qui préfèrent l'illusion de la sécurité à l'excitation et au danger qui accom-
pagnent le progrès, fût-ce le plus pacifique. Nous vivons
dans un monde révolutionnaire et partout cette génération
a dû assumer un fardeau de responsabilité comme aucune
autre n'en avait jamais porté.

Un philosophe italien l'a écrit : « Il n'y a rien de plus difficile à prendre en main, rien de plus périlleux à conduire, ni de plus incertain dans son succès que l'initiative d'introduire un nouvel ordre des choses ». C'est pourtant la tâche qui revient à cette génération et le chemin est semé d'embûches nombreuses.

D'abord l'idée que tout effort individuel est vain, qu'un homme ou une femme ne peut rien contre l'écrasant arroi de tous les maux du monde — misère et ignorance, injustice et violence. Pourtant combien des grands mouvements de pensée et d'action ont été déclenchés par l'action d'un seul être ! Un jeune moine a commencé la Réforme, un jeune général a étendu un empire de la Macédoine aux confins de la terre, une jeune fille a libéré le territoire de la France, un jeune explorateur italien a découvert le Nouveau Monde et à trente-deux ans Thomas Jefferson proclamait que tous les hommes naissent égaux. « Donnez-moi un point d'appui et je soulèverai le monde ! » s'est écrié Archimède.

Ces hommes l'ont soulevé et nous pouvons en faire autant. Peu d'entre nous possèdent assez de grandeur pour infléchir le cours de l'histoire, mais chacun peut travailler à modifier une petite fraction des événements et c'est dans le total de toutes ces actions que sera inscrite celle de notre génération. Quand des milliers de volontaires du *Peace Corps* travaillent dans les villages isolés et les taudis de douzaines de pays, leur action se fait sentir. Des milliers d'hommes et de femmes inconnus ont résisté à l'occupation des Nazis en Europe et beaucoup sont morts, mais ils ont ajouté à la force et à l'indépendance finale de leur pays. L'histoire de l'humanité est faite d'innombrables actes de courage et de foi. Chaque fois qu'un homme se dresse pour défendre un idéal, ou améliorer le sort de ses semblables, ou redresser une injustice, il fait naître une minuscule vaguelette d'espoir et, venues d'innombrables foyers d'énergie et d'audace, ces vaguelettes forment un courant qui peut balayer les plus puissantes murailles de l'oppression et de l'opposition.

« Si Athènes te paraît grande », dit Périclès, « considère que ses gloires ont été acquises par des hommes vaillants et par des hommes qui avaient appris leur devoir ». La source de toute grandeur dans toutes les sociétés est là et là aussi la clef du progrès dans notre temps.

Le second danger est celui de l'opportunisme qui consiste à dire que les espoirs et les convictions doivent céder le pas aux nécessités immédiates. Bien sûr, pour agir efficacement, nous devons prendre le monde tel qu'il est. Il faut passer au stade des réalisations. Mais s'il est une chose dans ce que représentait le Président Kennedy qui touchait aux sentiments les plus profonds des hommes à travers le monde, c'était la conviction que l'idéalisme, les aspirations élevées, la foi sincère ne sont pas incompatibles avec le plus profitable et le plus réaliste des programmes — qu'il n'existe aucune opposition fondamentale entre les idéaux et les possibilités pratiques, aucune séparation entre les désirs les plus profonds du cœur ou de l'esprit et l'application rationnelle de l'effort humain aux problèmes humains. Il n'est ni réaliste, ni lucide de prendre des décisions et des initiatives sans être guidé par des valeurs et des buts moraux. C'est commettre une folle imprudence. C'est ignorer les réalités de la foi, de la passion, de la conviction, de forces en dernière analyse plus puissantes que tous les calculs des économistes ou des généraux. Bien sûr, leur rester fidèle en face de dangers immédiats exige beaucoup de courage et d'assurance, mais seuls ceux qui osent risquer de grands échecs peuvent obtenir de grandes réussites.

Ce nouvel idéalisme est, je crois, l'héritage commun d'une génération qui a appris que si l'efficacité peut conduire aux camps d'Auschwitz ou aux rues de Budapest, seuls les idéaux de l'humanité et de l'amour peuvent gravir la colline de l'Acropole.

La timidité constitue un troisième danger. Rares sont ceux qui bravent volontiers la désapprobation de leurs semblables, les critiques de leurs collègues, la colère de leur société. Le courage moral est plus rare que l'audace au combat ou l'intelligence. Pourtant c'est la seule qualité essentielle pour ceux qui veulent transformer un monde opposé au changement. Aristote nous le dit : « Aux jeux olympiques, ce ne sont pas les hommes les plus beaux et les plus forts que l'on couronne, mais ceux qui entrent en lice... De même dans la vie des hommes bons et honorables, ce sont ceux qui agissent avec rectitude qui remportent le prix ». Je crois que ceux qui, aujourd'hui, auront le courage de se lancer dans la bataille de la morale se trouveront des compagnons dans tous les coins du monde.

Pour les plus favorisés d'entre nous, le quatrième danger est le confort, la tentation de suivre les sentiers faciles et familiers de l'ambition personnelle et du succès financier, si largement ouverts devant ceux qui jouissent du privilège de la culture. Mais ce ne sont pas ceux que l'histoire a tracés pour nous. Les Chinois disent en guise de malédiction : « Puisse-t-il vivre en des temps intéressants ». Eh bien, que cela nous plaise ou non, nous vivons en des temps intéressants, des temps de danger et d'incertitude, mais aussi des temps plus propices qu'aucun autre dans l'histoire à l'énergie créatrice de l'homme. Nous serons tous jugés finalement — et au fil des années nous nous jugerons nous-mêmes — d'après notre contribution à l'édification d'une nouvelle société mondiale et la mesure dans laquelle elle aura été modelée par nos idéaux et nos objectifs.

Notre avenir est peut-être au-delà de ce que nos yeux

peuvent voir, mais non pas complètement hors de la
portée de notre volonté. La grande impulsion qui a fait
l'Amérique nous incite à croire que ni le sort, ni la nature,
ni le courant de l'histoire ne déterminent la destinée
mais le travail de nos mains guidé par la raison et les
principes. Il y a là de l'orgueil, voire de l'arrogance,
mais aussi le fruit de l'expérience et la lumière de la
vérité. En tout cas, c'est la seule façon dont nous puissions vivre.

Table des matières

FD Achevé d'imprimer le 15 mars 1968 par Firmin-Didot
en son Imprimerie Alençonnaise.
Imprimé en France. Dépôt légal 1er trimestre 68 : 44.897
pour le compte des Editions Stock, 6, rue Casimir-Delavigne à Paris.

Dépôt légal : 1ᵉʳ trimestre 1968
N⁰ d'Édition : 1878 — N⁰ d'impression : 45.155